卷里
卷外
庄羽

图书在版编目（CIP）数据

圈里圈外/庄羽著．－上海：文汇出版社，2007.1
ISBN 978-7-80741-133-8

Ⅰ.圈... Ⅱ.庄... Ⅲ.长篇小说－中国－当代
Ⅳ.I247.5

中国版本图书馆CIP数据核字（2006）第156228号

圈里圈外

作　　者／庄　羽
责任编辑／张　衍
装帧设计／灵动视线

出版发行／文匯出版社
上海市威海路755号
(邮政编码200041)
经　　销／全国新华书店
印　　刷／北京高岭印刷有限公司

版　　次／2007年1月第1版
印　　次／2007年1月第1次印刷
开　　本／640×960　1/16
字　　数／200千
印　　张／17.5
印　　数／1－30 000

书　　号／ISBN 978-7-80741-133-8
定　　价／18.00元

1

基本上我是像猪一样的度过我的每一天，实际上我身上的确有一种类似猪的气质，我管它叫忧愁。当我在北京生活的时候，我习惯按照我们猪的方式把这个令人迷醉的城市分成若干圈：工作圈、娱乐圈、朋友圈、文化圈……

我喜欢待在我的娱乐圈里，因为我有猪的气质，我讨厌工作，我的电脑有时候令我产生一种欲望：呕吐。我喜欢文化圈，拉着文化的大旗，我是一头与众不同的有文化的猪。朋友圈也是一个不错的猪栏，试想一下，一群有共同癖好的猪聚到一个圈里会是什么景象？

说了这么多，我只想证明我其实喜欢做一头猪。我区别自己与一头普通的猪的方式就是不停地变换猪栏，从沙漠到雪山，从森林到草原，从小山沟到大都市，从六道口（六道口是我在北京的家）到多伦多，我是一头走过了万水千山的猪。

我的猪朋猪友很多，他们分布在社会的各个不同层次，有文化名人、机会主义头子、资本家、特殊行当从业人员，以及外资企业里的包身工，甚至我家胡同口开黑车的贾六最近与我的交往也日益密切起来。每次我走出胡同口，他的快报废的破夏利就哗啦哗啦叫嚣着停在我面前，每次我都硬着头皮坐进去，花打捷达的钱找回坐拖拉机的感觉。有一回我坐贾六的车去国际俱乐部，门童把我当成快递公司取邮件的，用特怪异的眼神看着我。之后为了避免类似的遭遇，每次去高级场合我都从我家小区的后门绕出去，穿过两条小胡同打辆正儿八经的出租车。

我是个娱乐记者，没什么钱，在北京活得还凑合，每个月的钱除去打车、上网、吃饭、喝酒、买衣服、健身之外，要是再能有富裕的话，那肯定是报社的会计昏了头往我的工资卡里打了双倍的工资，当然这种令我兴奋的失误她还从来没有出现过，因此我没什么存款。可是我的猪朋猪友们都觉得我是一大款，我觉得他们的这种感觉来源于我高贵的气质——猪的气质。不过，我现在有钱了。我把一个我认识了很多年的著名女演员从以前混草台班子到成为一个三流小明星到现在别人都叫她大腕的堕落史胡乱编排了一个柴禾妞变成白天鹅的聊斋，被一个长相类似村支书的大导演相中了，拍成了电影，作为我勇于胡编乱造的回报，我有了一张写着好几个“0”的支票。具体几个？这可是我们文艺圈里的秘密，我要说出来了，会遭到同行的指责的，所以我不能告诉你究竟我赚了多少钱，反正不老少就是了。

自从我进到一个新的猪栏之后，就平添了许多新的烦恼，那都是我过去当小报记者的时候采访对象们经常唠叨的烦恼。如今，伴随着人民群众给了我一点点儿荣誉，我终于清醒地认识到了我之前所从事的是一个多么可耻的职业。

基本上我的生活没有什么变化，最多就是我现在出门不用害怕忘记带钱包了，我只要对人说我是某某某，基本上都能把问题摆平，当然了，总有个别觉悟比较高的人民群众对我的三流编剧身份持怀疑的态度。我说自己是三流编剧，其实是因为我这个人做人比较低调并且谦虚，实际上我的知名度并不像你想的那么低。那回中央台有个栏目还请我去做了一回嘉宾，只是因为请的大腕很多，我没捞着什么发言的机会。但实际上，摄影师给了我一些特写镜头，而且时间还都不短，每次足足有三秒钟，而且我长得不算难看，相信一定有许多热心观众能记住我的真诚的笑脸。

那天我又忘了带钱包，又是从后门出去打了辆出租车，我要跟一个朋友去捉奸。半路上我发现钱包没在书包里，我跟师傅说了，我说您别担心，把我送到目的地我朋友会替我付账的。那师傅一听就急了，横眉冷对着我，义正词严地朝我嚷嚷："少来这套，这事我也不是没遇到过，上回有个坐台小姐赶去怀柔度假村接客，她也说到了那儿肯定有人付账，结果呢，到了地方人就不见了。八十多公里我还放空车回来，这叫什么事啊！你说一小姐还在乎这一百五十块钱，跟我一开出租的计较什么？我累死累活一天开十三个小时，连个份子钱都赚不出来……"他絮絮叨叨的，好像上回去怀柔接客的人是我。为了表明我不是他想的那种人，我说："师傅，咱调头回去，我上家拿钱包，然后我还坐你车走。"那时候车已经开到了蓟门桥，他还是调头回来了。我猜，他肯定是被那帮特殊行当的"小姐"坑怕了。

到胡同口，我看见贾六，他正跟另外几个开黑车的同事探讨怎么蒙留学生钱的问题，正积极地向同行兜售经验。我家门口有一涉外宾馆，里面住了很多语言学院的外国留学生。

我看见贾六，对他招手："六哥，快！我没带钱包，赶时间呢。"贾六便颠颠地跑向我，解下他腰间的小挎包，问我一千够不够？我说："差不多。"从窗户接过他递给我的钱，直接叫司机师傅把车开走了，连个"谢谢"也没说。其实我不是一定要跟贾六借钱，我就是想证明给司机师傅看，我不是他想的那种人。

果然，他对我刮目相看，说我一看就像个文化人什么什么的，紧接着对我大发劳骚，中心思想是开出租挣的钱太少。

我到了目的地，看见我的猪姐妹李穹正在车里抽烟，戴一墨镜，穿件黑毛衣，嘴唇红得发紫，看起来活脱脱一个《古墓丽影》中的劳拉。李穹以前是个空姐，自从五年前勾搭上了她的现任丈夫张小北，已经由一个清纯的劳动模范堕落成了现在的地主婆。当年她套住张小北的时候，张小北只是一个偶尔才能坐坐头等舱的专卖盗版影碟的小贩，她跟我说张小北肯定是只潜力股，于是把自己的血本全部押在了这只潜力股上。她大概天生具有投资天赋，果然，张小北这只潜力股一路狂飚，到现在已经积累了几千万的身家，盗版碟的买卖也早不做了，现在是一个网络公司的 CEO 了。男人啊，一旦有了钞票做后盾，总能找点儿麻烦点缀平淡的生活。张小北不甘心就这么被李穹套牢，种种迹象表明，他包养了一个小蜜蜂，目前正准备割肉，甩掉李穹。我的姐妹李穹自然也不是什么省油的灯，声称一定要抓现行，然后依据他们家的刑法以及张小北的认罪态度，考虑是否将这只原始股转让。

李穹一看见我，马上发动了车，我刚一坐上去，就体验到了赛车的风采。

“孙子，我今天高低得见见张小北这朵狗尾巴花给我招来一什么德行的小蜜蜂。我今儿要不揍得他满地找牙，算我白活了。”

“我说李穹，咱可说好了啊，不能在外面闹，大家脸上都不好看，好歹小北现在也是个有头有脸的人了。”

“屁！面子是别人给的，脸可是自己挣回来的。他自己都不要，我还给他脸？”李穹一脚死刹车，我头咣当一下撞到挡风玻璃上，鼓起一大包。我看着她一副红卫兵去抄家的气势，硬是皱着眉头忍着疼跟她下了车，直奔 1101 房间。据可靠情报显示，张小北和他的小蜜蜂匿藏在这里。

2

张小北真菜，开门一看见李穹就跟中国队遭遇了高丽土人似的，一下就乱了阵脚。李穹一屁股坐到沙发上，眼睛里放射出杀手的光芒，一会儿射向张小北，一会儿又射向小蜜蜂，半天就是不说话，让我怀疑她是练习了与什么 × 轮功相似的 × × 大法，想用意念把这两个人杀死。不过我以前好像听李穹说过，这招似乎是先从气焰上打击敌人，消灭他们的斗志，然后再将他们歼灭。不过谁知道呢，李穹这家伙把毛委员当年的作战理论运用得出神入化，并且随时有可能改变战术。我在一边看着，不由得也被李穹眼中的杀气逼得紧张起来。

那女孩儿清清秀秀的，最多不过二十三岁，多少带点儿学生气，身材有点儿像搞舞蹈的。

“老家是哪儿的啊？”李穹用当年老佛爷吩咐小李子的口气盘问小蜜蜂。

平心而论，若是在战争年代，这只小蜜蜂肯定能成为刘胡兰或者江姐第二，面对敌人的凶残毫不畏惧，大义凛然地与李穹对峙。我心里着实为李穹捏了把汗，我特了解李穹，她其实是个纸老虎，充其量也就是个塑料的。为了发挥我应该发挥的作用，我使劲咳嗽了一声，用一种别人欠我八百块钱的神情藐视着胆敢与我对视的她。对于我这样一个胆怯的知识分子来说，能做到这一步已经达到极限了。我一咳嗽，躲在我身后的张小北使劲从背后掐了我一把，下手真重，肯定后背青了一块。

“我问你从哪来的？”李穹真怒了，拍案而起，把我都吓得一激灵。小蜜蜂倒很从容，瞟了张小北一眼，用极其藐视李穹的口气回应道：“你这么大声干吗啊？我是湖南人。”李穹被她激怒了，一个箭步冲上前去抡圆了巴掌在小蜜蜂脸上留下两片桃花，这回李穹的气势上来了。小蜜蜂见张小北没有帮她的意思，低头捂着脸，不做声。

“你丫真够孙子的，现在不说话了？滚过去，跟你的小蜜蜂站一块！”李穹对着我怒吼。张小北就躲在我背后，我移动了身体，以便李穹能够直面张小北。

张小北到底是张小北，噌噌两步走到李穹跟前，抓住她的胳膊往外拖：“什么事回家说。”

“回什么家？”李穹一把甩开张小北，“你还想回家？我告诉你张小北，你丫要是不要脸我也就不怕丢人了，堂堂大网站的 CEO 在酒店招妓也算个大新闻了，我要不给你抖落到妇孺皆知就算我李穹白活这么大。我还告诉你，离婚，你想都甭想！”她开始一把鼻涕一把泪地数落张小北。我在旁边看她哭得那么凄惨，心想到我发言的时候了，不然李穹日后会怀疑我的文学造诣不够骂人于无形之中，说什么她都是我的好姐妹。我扶着李穹在沙发上坐下来，对张小北说：“你还不快拿个毛巾过来。”张小北拿毛巾的功夫，李穹又上来一股怒气，抄起茶几上一个烟灰缸朝小蜜蜂飞去。倘若郝海东射门能赶上李穹哪怕一半的功力，中国队肯定玩似的打进十六强了。我想最近李穹花了三千块钱参加跆拳道班真没白练啊，指哪打哪。

张小北听见小蜜蜂的惨叫，像闹钟里面的小人儿似的倏地一下蹿了出来，用白色的毛巾捂住小蜜蜂的额头，跟吃了老鼠药似的对着李穹翻白眼儿：“你他妈的也别忒过分了啊，给你脸你找不着北了是不是？”

“你他妈包二奶还有理了张小北？这种小婊子我弄死她都算替天行道，我告诉你张小北，我给你三天时间，你把这小蜜蜂给我处理清楚了，不然的话我跟你丫死磕！”凶手李穹义正词严地命令张小北，随后对我挥挥手：“走。”我像个小跟班儿似的跟在她身后走出了酒店。

出了门，我一直没有说话的机会。李穹跟解放军似的踏着正步向前走，我听她发动汽车产生的惊天动地的轰鸣声，真想跟她商量商量我打个车走行不行。但我又一想，不能扔下她，这个时候她跟个煤气罐似的，易燃易爆，为了首都人民的安宁，我义无反顾地上了她的车。

“李穹，咱慢点儿开啊。这事生气也没用，张小北也不是无情无义的人，给他几天时间。”我劝说李穹。

“男人就没一个好东西！”李穹又戴上她的大墨镜把现代当成赛车开。我坐在她旁边慌忙系上了安全带，双手紧紧拉住扶手。

一路上，谁都没说话。我了解这个猪姐妹，她心里这时候正滴血呢。我要是软言细语地开导她几句，那肯定跟疏通了有淤泥的河道似的，她眼泪肯定哗哗的，所以我什么都没说，任凭她把汽车当成飞机开。

3

我是通过张小北认识李穹的。说起来我刚认识张小北那会儿还是七年前。那时候我大学刚毕业，冬天里他穿件绿色的军大衣，就站在我们家胡同口的天桥底下，逮谁就压低声音跟谁问：“师傅，要碟吗？进口的国产的都有，便宜。”一脸的严肃，跟个大尾巴狼似的，鼻子尖通红，偶尔还流着鼻涕。

有天晚上我从语言学院听完英语课回家，从他身边经过，感觉一个东西向我倒来，像个人，我慌忙躲过，那东西咣当倒在天桥底下。我低头一看，敢情是每天都能见面的大尾巴狼兄弟，我在过路群众的帮助下送这厮到了海淀医院。人民医院为人民，死活跟我要五百块钱押金才能让张小北同志入住，我想这也是本着对国家医疗事业负责的精神。当时张小北同志远没有现在这么富态，要不是从他身上翻出一张北京的身份证，打死也没人相信他居然是一首都青年。我估计要是有西方记者拍到他当时的惨状，肯定又得以为中国在闹饥荒，要不也得以为又是一冤假错案的家属上京告御状体力不支昏倒街边。反正他当时是充满了悲壮色彩地躺在病房里高烧四十多度。最具有传奇色彩的是，这厮醒来之后看着我第一句话就是：“我的包，天桥底下那包，碟都在里面呢。”极具革命色彩。那时候我们报社刚组织看完电影《焦裕禄》，我一下想起了焦书记在病榻上还关心兰考人民的镜头，险些落下泪来。

我跟他问了他们家地址。那时候电话还远没有现在这么普及，我大冬天的在一个大学同学的陪伴下骑车一个多小时到他们家宣布这个不幸的消息。张小北他爸警觉性特高地揪住我问是不是车祸，是不是我撞的。我当年就是一大学刚毕业的小姑娘，他们家老爷子的话简直让我对社会主义失去信心了，我对天发誓不是车祸，再说我没车，我就一辆“二六”的永久，就是撞也不能把他撞咋地。他爸将信将疑地跟我往医院方向走，生怕我跑了，我只能对老爷子实话实说：“我还垫了五百块钱住院费呢，我没拿到钱你就是赶我我也不走。”到了医院，问清了情况，张小北他爹才还给我五百块钱。

我想我日后的堕落跟那次助人为乐却被当成肇事者的经历有着直接关系。

张小北出院之后我又在天桥底下遇到他一次，他是专门等我跟我道谢的，请我吃了一顿涮羊肉。那次我才知道他是清华大学计算机系毕业的，打算跟几个同学合伙搞个小电脑公司，卖盗版是他们筹集资金的一个方式。后来我每次路过中关村，看见天桥底下推着自行车或者背着小书包向路人兜售光碟的青年，都能想起当年的张小北，甚至当张小北同志已经走进了千万富翁的行列之后。我前年有一回跟朋友去“雕刻时光”喝咖啡，路过北大南门，一神情略带憔悴的青年压低声音问我：“小姐，办文凭吗？身份证、护照都能做，价钱好商量。”记忆深处那个兜售盗版光碟的张小北又鲜活起来，好像就在昨天。

如今，我侧目注视着张小北那打扮得比明星还时髦的老婆李穹，真是感慨万千。那年我送张小北到医院里，他在昏迷的时候还紧紧捂着绿色军大衣口袋里的那两百来块钱。张小北真是我的朋友圈子里一个具有传奇色彩的人物。

李穹又一脚死刹车把现代停在三环边上一家酒吧的门前。“走！”下了车她继续狠狠地踏着正步向前走。这家叫做“1919”的酒吧是我和朋友们常来的地方，老板是台湾人，我以前做小报记者的时候常常为了追逐采访对象来这里。但那时我并不喜欢这里，觉得这里太闹腾，最主要的是东西都死贵死贵的；后来我有了一点儿儿名气之后才喜欢来这里，因为这里的东西贵，因为这里够颓废，因为这里也是我的一个猪栏。

我一进门就看见了奔奔，用贾六形容奔奔的话说：“丫是北京一大鸡头，坏得出水儿。”贾六跟我说话从来没什么可忌讳的，有时候我觉得他人挺实在，有时候怀疑他是故意的，有些话怎么下流怎么说。我听一个开饭馆的邻居说贾六坐过五年牢，好像因为打架打死一个人，我一直也没问过他。奔奔把贾六当成知己，每天都会照顾贾六的生意，用他的车往北京大小酒店、旅馆、招待所、练歌房以及一切需要特殊服务的场所运送小姐。所以有时候我说贾六像个肉贩其实没错，他至少也为繁荣北京夜生活做出了自己应有的贡献，是一个不可缺少的运输环节。

奔奔是孤儿，我最早听说她的名字也是从贾六的口中。我觉得吧，贾六这个人身上有一点儿特值得习惯过河拆桥的人们学习——谁对他好他会一直记得，并且老念叨——他对奔奔就是这样。自从奔奔照顾他的生意开始，每回我坐他的黑车他都跟我提及奔奔，有一回他跟我说："初晓你说我的生活多有意思，我既能认识你这么一个有名的作家，我还能跟奔奔那种社会败类做朋友。呵呵，你六哥我是真崇拜你呀，像奔奔那样的败类，枪毙十回也该够了。"每当我听见贾六这么实在的说话，我就特想把他当成一个好哥们儿，我觉得贾六活得特真实。

对了，初晓是我的名字，姓这个姓氏的人不多。上回我去参加电视台的一个节目录制时，主持人介绍我说："这位是最近很走红的一位年轻作家初恋。初恋，多好听的名字啊，让我想起了我的第一个女朋友……"他满嘴跑火车，我不得不提醒他："对不起，我叫初晓。"他自我解嘲似的马上更正道："哦，对不起，这位是青年作家初晓，初恋是她妹妹。"说完自己跟吃了摇头丸似的兴奋异常。我怀疑他说起初恋想到的不是第一个女朋友，而是第一次"那个"，不然怎么会那么兴奋？我当时想难怪全国人民都在反映要提高主持人的素质呢，就这种下流的种马都能进电视台，那贾六都能提名十大杰出青年了。

4

我跟奔奔第一次见面是在贾六的安排之下，在海淀二里庄附近的一个粤菜馆里。我跟贾六早早地等在那里，奔奔一出现我着实吓了一大跳，以为贾六唬我呢。因为面前站的女孩儿眉清目秀得一塌糊涂，穿一套日本式的学生制服，头发整齐地在头顶束成个马尾，跟我家附近语言文化大学的学生根本没有分别。

贾六一看见奔奔就嚷嚷着："我操，奔奔你丫怎么打扮得跟个处女似的。"

奔奔很羞涩地在贾六肩膀上拍了一下，说："讨厌！你要再这么骂我我就走了啊，这年头你骂我傻B都比骂我处女让我能接受。"我一听她说话的口气就绝对相信她是奔奔了，跟传说中的一样，只是，她比我想像当中显得纯净——纯净多了。

奔奔跟我说话不卑不亢的，倒是我处处小心翼翼地回答她的每句话。奔奔改变了我对特殊行当从业人员的看法。通过那次与奔奔的接触，我肯定了，在学院路、知春路等海淀区的主要街道上，那些看起来文文静静的女大学生其实不少都是特殊行当的兼职人员，因为她们的神情与眼前的奔奔相差无几。见过了奔奔之后，我已经不能很准确地区别她们了。

那天我对奔奔的印象还行，她说话有点儿糙，可都很耐人寻味，经得起推敲。比如她说的那句"这年头你骂我傻B都比骂我处女让我能接受"，我个人认为就很符合她的职业特点，这也从侧面反应出她是一个很敬业的特殊行当领袖，总之我很欣赏她工作的热情。

5

话说回来，那天我和李穹走进“1919”，一眼看见奔奔正在发狂地变换各种姿势摇头，有传统的上下摇、一般的左右摇，还有高难度的八字摇法。我远远地看着她不知疲惫地扭动身体、晃动脖子，心想不知多久她才能恢复正常。

我给李穹要了一瓶百威，自己要了一杯咖啡，点燃了一支烟。李穹特能喝酒，我做好了今天得把她背回去的准备。

“李穹，你这会儿千万别逼张小北。我了解他，丫绝对逃不过你的手心儿。”我对着李穹打包票。

李穹又一次拍案而起，对着我大吼一声：“初晓你也是一见色起异的家伙，我知道你当年跟张小北有过一腿，你到现在还帮着他。”

我一下子就没词儿了。怪只怪我当年觉悟太低，没有把张小北对我的邪恶感情掐死在萌芽状态，甚至对于张小北的勾搭我多少表现出了一些兴趣，完全丧失了作为一个崇高的未婚女青年对色狼应有的抵抗力，以至于留下了李穹口中“有一腿”的不良记录。

如今面对李穹同志正义的责问，我再一次受到了良心的谴责，只好更坚定地表达我在张小北包二奶问题上的立场。我说：“李穹，你可得相信群众啊。这回我可是铁了心地跟你站在一起，对待张小北这种社会败类就算枪毙他十次都不过分。”我自己听着这话都觉得耳熟，仿佛谁跟我说过似的。我一瞥见奔奔就想起来了，这是贾六形容奔奔的话。实际上嫖客跟妓女的性质是一样的，奔奔该枪毙多少回张小北就该枪毙多少回！

“再说了，李穹，想当年我不也是一时糊涂嘛，你不能因为过去就怀疑我对真理的信仰不是？人家打胎的还有个悔过的机会呢！”

说起这个打胎我有点儿窝火。我上大学的时候很是积极向上，一心想着入党。我那时候是学生会的生活部长，大四那年，为了能赶在毕业之前入上党，正四处找寻表现自己的机会。有一回女生公寓三楼的下水道堵了，我得倒消息感到特兴奋，当天下午就带着生活部两个干事去疏通。当然了，我是部长，负责指挥，干事干事就是干事情的人。那两个大二的新生拿着铁丝又钩又捅累得满头大汗，后来竟有一股红色的污水涌上来，再一钩居然从下水道里钩出一个刚成型的胎儿来。我做梦也没想到啊，原本想找个表现机会的，居然给自己找了一大堆的麻烦。

我们三个当时就傻了，先是叫来了看公寓的大妈。那老太太特激动，从一看见那小东西就一直发抖，嘴里喃喃着“造孽啊，造孽啊”，还不停地指着那个耗子般大小的肉球上面的两个小黑点让我看，“你看，你看，那是眼睛啊。”最后竟激动得昏了过去。我心里想，你自己胆子小就不要一直盯着看嘛，这回倒好了，送医院抢救！人是活过来了，落了个半身不遂的终身残疾。因为这件事，学校惹上了一场官司。再说我，这些年以来我一直遭受着良心上的谴责，过得十分沉重。再说我们学生处处长，那是个特保守的老头儿，一见出了这样丧尽天良的事情，先是在分管生活的副院长面前检讨自己失职，紧接着对我们几个学生头头大呼道德沦丧，然后忙着封锁消息，耐心盘查。最后水落石出，是外语学院的一个女生做出了这件伤风败俗的事情，她就住在我宿舍的对面。面对就要被勒令退学的处境，那厮居然先发制人，找到院长，声称如果勒令她退学的话，她将会选择跳楼的方式向世俗挑战。院长以及学生处处长这群懦弱的知识分子居然在这个时代青年中的败类面前屈服，给了她一个留校察看的处分。而我，这个入党积极分子，居然因为这次飞来的横祸而永远失去了加入组织的机会。我那时候还很单纯，有着很远大的理想和抱负，而入党则是前提，所以我到现在成了一个没有信仰的猪，真是个可悲的结局。

每次我想到这些令我难过的往事，我的内心就充满忧愁。

6

李穹气鼓鼓地将剩下的半瓶啤酒一饮而尽，马上就有了反应，目光呆滞起来。定定地看了我一会儿，她忽然笑了，笑得特邪恶：“初晓，你跟我说句实话。我把你当成姐妹，这么多年了，我今天就要你一句实话——你那时候跟张小北有没有那什么过？”她神情极其严肃，看得我心里直发毛。

“下流！”我白了她一眼，只有这两个字能准确地表达我此时对李穹的感觉。

李穹一看我有点儿急了，又哈哈笑了起来，一说话舌头明显打结：“那你跟我说，初晓，到底到什么阶段了？这么多年的朋友，我可是从来没追究过你们啊。”她用了“追究”这个词，让我感到有些不舒服，但我想了想，还是对着她不好意思地笑了笑，很老实地回答：“意淫。”

这时候我看见奔奔已经摇够了，满足地向我们的方向走来，她还没看见我。我又向周围看了看，居然发现了好几个熟人，都是文艺圈的人，大家坐得都不算远，都装作谁也没看见谁，在各自的地盘放纵着。奔奔走过我身边，很高的声音：“呀，初晓，你也在啊。”她身后有个长得很像小马哥的男人——马三立的马。

奔奔转身对小马哥吩咐道：“把咱存的酒拿来。”然后对着我嘻嘻地笑着。这厮绝对是个人物，对谁好就好到底，要是恨上谁千方百计都要把谁整死：“初晓啊，你们别买酒了，就喝我们存的吧。哟，这个姐姐怎么了？看起来不太高兴。”她指李穹。

“没事儿，”我说，“跟他老公闹别扭了。”奔奔把一瓶 XO 放在我们桌上，我说：“要不一块儿坐下再喝点儿？”我也是跟她客气，真跟我聊我还真受不了她那亦真亦幻的风格。“不了，不了，初晓，你们喝着，我还忙着呢。我听说有个澳大利亚回来的哥们儿都半年没碰过女人了，真可怜，我这不叫菁菁去安慰安慰那哥们儿嘛。”她依旧扯着嗓门跟我说话，然后从手袋里拿出一管润滑油交给旁边叫菁菁的，“对了，菁菁啊，给你润滑油，一定用得着的！没事，别怕，不会疼到哪儿去。”我看着她点点头，称赞道：“奔奔真仗义！”也是随便说出来跟她客气客气的，不是很由衷。没想到奔奔一听来了精神，跟街道大妈似的开始跟我贫：“人在江湖嘛，谁叫我是做这行的呢。再说我这个人就见不得朋友受苦，都半年没摸过女人了，哎哟，你说这不是要命吗？谁还没个父母啊，好了，好了，我真挺忙的，改天再聊。对了，这个姐姐，”她对着李穹，“要是我姐夫再欺负你，妹妹我给你出气！”

我一听她要走，接口道：“你忙去吧，忙你的。你甭瞎掺和了，有我呢。”这句是发自肺腑的。

“没事，没事，姐姐的事就是我的事啊，谁还没个父母啊，有事说话。Bye-bye！”奔奔跟她的同事们向外走去。

我发现奔奔说的话经常让我思索很久，是啊，说得多好啊——

“谁还没个父母啊！”幸亏她是个孤儿，我心里想。

“丫一看就一蜜蜂。”李穹喝着奔奔拿来的酒，特轻蔑地对着奔奔的背影说到。

“你可别瞎说啊，怎么看谁都是蜜蜂啊，人家是一蜂王！”

“你怎么还认识这样的人啊，你瞧她走起路来那小屁股扭的！”李穹说得极其轻蔑。我没说什么，但我心里真觉得人家奔奔也不容易，工作压力够大的了，国家又不扶持，还三天两头考验考验这群特殊工人的逃生能力；再说现在经济不好，时不时来个买一送一，隔三岔五地接待若干政府官员干脆就是大酬宾。虽然奔奔从来没跟我说过，但是我知道，要不是还有卖点儿白粉和摇头丸的副业支撑着，这帮人日子也好不到哪儿去。

不过说句实话，我对奔奔她们这个行业里面个别职业特征太明显化的工人也觉得特讨厌。化妆太浓，声音又太嗲，见识又少，上不了大台面，走路的样子让人感觉双腿之间永远夹着愤怒的火焰，真叫人恶心。我个人以为奔奔的职业特点就不那么明显，有点儿女学生味道，有点儿白领的气质，必要的时候还有点儿秘书的涵养，比文艺圈里很多演员职业多了。当然了，很多人毕竟是业余的。

李穹一杯接一杯地喝酒，转眼，半瓶就下去了。

我说：“李穹你别喝多了啊，一会儿你还得开车送我回去呢。”

“嗯，嗯，我知道，你放心。”她含糊地答应着，一连好几声叹息，之后，抓着我的手，“初晓，给我想个辙，我该怎么办啊？他要是铁了心跟我离婚我怎么办？”

我忽然一阵心酸，拍了拍李穹的肩膀：“不会的，张小北不是那种人，他就是跟她玩玩。别担心，有我呢。”

李穹就把头趴在我肩膀上，也不知道是眼泪还是鼻涕的，都蹭我衣服上了。我想起前几天听一个演员说的一句话：“女人不喝醉，男人怎么有机会；男人不喝醉，女人怎么挣小费；男人女人都不醉，饭店怎么有人睡？”张小北这孙子绝对喝高了。

我正想着，李穹忽然呜咽起来，在我肩膀上一抖一抖的，我刚要开导她几句，她开始放开喉咙大哭起来。这一哭真把我给吓坏了，赶紧连拖带拽地把李穹弄出了酒吧。她一出门就开始吐，吐了我一身的污秽，我一点儿脾气都没有，从她包里翻出钥匙，把她塞进车里，看来今天我要开车把她运回去了。

我估计李穹这回真是对张小北生气了。以她平常的酒量，一瓶路易十三绝对没有问题，今天连一瓶都不到，居然醉成这副样子，绝对是因为太窝火的缘故。

李穹把车停得可真够艺术的，斜插进另外两辆车之间，车后的保险杠几乎碰到了后面的车。把李穹塞到车里，我站在原地勘察了半天，最后还是没有勇气挪动这辆车。我没本儿，开车技术还行，但倒车就有点儿玄了。不过难不倒我，我手里攥着十块钱，跑马路上拦辆出租车，我说：“师傅您受累帮我把那车倒出来成吗？我手有点儿潮，我付您个起步的钱。”出租司机把车停好了，盯着我看了看说：“我帮你倒个车没问题，可是这车是你的吗？”我想了想没敢说是我的，估计我不像有车的人，我指了指李穹：“是她的，她是我朋友，喝多了。”司机一听车主喝多了，特警觉地看了我一眼说：“她认识你吗？”“多新鲜啊？”我笑着，“我们俩一块来的，她喝多了。”

他又打量我一遍，估计看我不像坏人，又问：“你有本儿吗？”

“没有。”我怕我说有本儿他再让我拿出来看看。

“没本儿你能行吗？”

我说："我正学着呢，估计问题不大。"

出租师傅这才上车，熟练地把车给我倒了出来。下了车，我把十块钱递到他跟前，我说："师傅，耽误您拉人了，给您个起步的钱吧。"

他摆摆手说不用不用，你开车得小心点儿，这点儿三环上说不准有警察临检的。我"谢谢谢谢"一连说了好几个，才哆哆嗦嗦地开着李穹的车往家走。

北京的大街上车来车往的，灯火辉煌，我一路上一直思索着一个问题：雷锋叔叔什么时候又回来了？

7

这两天下雪，天冷得有点儿邪乎。我有个朋友从深圳来了，住在五洲饭店，上午给我打了一个电话，问我有没有时间中午跟他一起吃顿饭。我这人懒，要没什么事儿轻易不舍得出家门，加上天又下雪，我说不去了，我今天有事。其实我没事，我想在家一边喝咖啡一边上网，我发现人要是瞎话说多了连自己都相信。他又说没关系，可以晚点儿吃，等等你，我连忙拒绝说不行不行，我两天之前就跟人约好了，我这就得出门。电话还没挂利落，我就一头扎进了一个聊天室，在键盘上挥舞着我的鸡爪子。

多年的聊天生涯，我早已在与獐头鼠目的蛤蟆抑或鬼斧神工的恐龙们在键盘的敲打声和意淫当中练就了一身武功。我最常与人谈论的是爱情，我用我的理论去挽救那些沦落了的痴男怨女们，我给他们摆事实讲道理，试图让他们看清楚，爱情其实只是在那些假道学家们提上裤子之后宣扬的五讲四美中被粉饰得过分神圣和美好的虚无，蒙骗白痴弱智的数代才子佳人前赴后继用无畏的青春书写追逐精神的乌托邦。

对于爱情，我真的是这样认为的，可是我仍然需要爱情。我有男朋友，我们感情还不错，他叫高源，是个导演，在宁夏拍片子呢。鬼地方连个手机信号都没有，真奇怪中国电信得到了那么多电信用户的回报怎么就不在小城镇多竖几个电线杆子。

这样一来倒是省下了许多电话费。

我知道我在网络间毁了不少人的好姻缘，他们就不该听我瞎白话，谁不想找到浪漫的纯真年代的那种感觉呢？问题是我们行吗？

前几天，还有一网友给我打电话，特嗲的声音用期待的口气希望我给她点儿意见，是该一如既往地守身如玉还是一咬牙一闭眼跟网上情人过把一夜情的瘾。我说这主意我真没法出，不过人家都说两情若是久长时，又岂在上上下下，你得掂量着来，别叫那小子占了便宜。她说她是个恐龙，还把照片传过来给我看。我一看的确长得很有创意，有点儿忒生猛了。如今的男人们都说“每个女人都是上帝身边的天使，只不过有的天使来到人间的时候脸先着地”，我很是同意。但总有更不幸的，比如我的那个网友，我很怀疑她的脸落在了工地上，或者，干脆是楼梯上，反正肯定不是平地。

我知道，很多人会认为我这样形容一个同性朋友非常过分，但我一定要向大家解释的是，那是一张非常男式的脸，若不是她提前打电话给我，我得再花上一两天才能肯定那的确是个女人。

最后我索性鼓励她去见她的网上情人。我想，一刀把她捅死总好过她赖在自己的梦里睡死，运气好的话兴许还能捞着点儿福利，就让她去吧。

8

张小北给我打电话，用特低沉的声音跟我说："初晓，我想求你个事儿。"他自从发达了之后，难得有几回低声下气地跟我说话，多数时候有事找我说起话来也都跟个乡长似的。

我说张小北你有什么事直接跟我说，别让我有那种一千多度近视眼还死撑着不戴眼镜的感觉，朦胧的感觉有时特难受。

张小北同志一听爽朗地笑了，他赞扬我说："初晓，你可真够贫的，一般男的贫不过你。"我说你才知道啊，他说："我从第一天认识你我就知道，你这人就一个优点，骂人还得让别人笑着听。"

我随口说那缺点是什么呀，他说缺点是没心眼，好糊弄，心好，重感情，整个一傻B青年。

我从聊天室里退了出来，跑到阳台上把窗户推开了，风呜呜地灌进来，打在我脸上生疼。

我知道张小北肯定有大事跟我说。他这人心眼儿特多，有个什么事本来是他求你，到最后肯定变成你上赶着帮他做点儿什么，我还不知道他?

我跟他有一句没一句地聊着，压根儿没提那天他被李穹抓个现形反革命的事，我倒要看看是谁沉不住气。

那天晚上我直接把车开回了我家，李穹一进屋就到洗手间里抱着马桶吐了个天昏地暗，胃里的那点儿储备全呕出来了。我忙活着又是放水给她洗澡，又是给她煮醒酒的汤，一直折腾到后半夜三点多李穹才缓过来，躺在我的床上抱着枕头哭得那叫一个凄惨。

我真没见过李穹这么哭，她这个人从小家境优越，吃的穿的用的都比别人好，从学校里一出来就被招进了乘务队，跟个蝴蝶似的让人羡慕。我估计张小北这件事是她有生以来受到的最大打击了，我对她只能除了同情还是同情。

可是贾六说他在一个专门提供男性特殊服务的俱乐部里见过李穹。

那是第二天，我给贾六打电话，让他来我家拿昨天他借给我的一千块钱。他以前来过我家，我买了一个新的电脑桌子，是他帮我搬的。贾六手里拎着一塑料袋儿，一进门就递到我跟前说："初晓，我刚才在胡同口看见一卖烤白薯的，我估计你爱吃，就给你买了两块。"我一边说"谢谢谢谢"，一边接过来，心里想："你要是不逼着我整天坐你那黑车，我请你吃顿鲍鱼都心甘情愿。"李穹正好从里屋出来，闻着烤白薯的味儿来的。我给他们简单地介绍了一下，她拿着烤白薯上里屋上网去了。我还给了贾六一千块钱，又给了他两包小熊猫，他乐得屁颠儿屁颠儿地往外走，走到门口特严肃地跟我说："初晓，你出来我跟你说个事儿。"

我进屋拿了钥匙，跟他一块走到楼下。贾六特一本正经地问我："你家那女的谁呀？"

"我朋友，怎么了？"

"我好像见过她，"他皱着眉头，想了想，"没错，就是她。"然后压低了声音趴我耳朵边说了一句，"她去找鸭子。"

"你快别逗了，贾六。"我当时觉得贾六严肃的神情有点儿可笑，"你可真能逗，我还不知道她？"

"真的，没错，就是她。"贾六信誓旦旦地。

"六哥，咱俩认识时间也不短了，你说我会去找鸭子吗？"

贾六特真诚地看着我眼睛，跟大街上算命的似的摇摇头：“不会，初晓你可不是那种人。”

我哈哈一笑，跟贾六说：“我这姐妹我知道什么人，你肯定看错了。”

贾六挠了挠脑袋，嘿嘿笑了两声说兴许是看错了，晚上，人又多，八成看错了，然后对我扬了扬手里的小熊猫说，谢谢啊初晓，用车说一声，要是有用车的地方也想着点儿你六哥我。

我说没问题。等贾六走远了，我自己站在楼下琢磨半天，为什么贾六总能从我这儿占到便宜呢？两块烤白薯换两盒小熊猫，幸亏我不是个生意人。

我正琢磨着那天的事呢，电话里张小北急了：“初晓你听没听我说话啊？”

“啊，听着呢，你说你说，公司现在不错，明年股票上市，你接着畅想。”

“操，你现在怎么拽得跟全国粮票儿似的！”张小北这是心里有火，我又软绵绵的让他发不出来，只好从我的态度问题上下手了。我能想象得出来，他的那张脸现在肯定特扭曲，跟放进搅拌机里搅过似的。

“我说张小北，咱有事儿说事儿，别对群众耍态度行不行？你让我做什么就直接说，跟我你还兜什么圈子啊？你还少跟我来这套，我一不该你的二不欠你的……”是啊，我好像刚琢磨过味儿来，知道我不该谁不欠谁似的。

我这么一说，张小北更火了，说：“初晓你还真拿自己当块肉啊，别跟那矫情了，我不就摊上点事儿你偷着乐吗。我知道你丫怎么回事，就你那点儿花花肠子，你不就因为我当初把你甩了一直没找着机会出这口恶气吗……”

“滚你大爷的张小北。”我没等他说完就把电话给挂了，气得我跟连续吃了两个煮鸡蛋没捞着喝水似的，堵得慌。

9

张小北老爱跟我叫板，你挂他电话吧他就来劲，越挂他越打，他明知道你把电话线给拔了他还打，就这么执着，不服不行。我一激动把手机关了，家里电话拿起来扔一边，嘿嘿，让他老觉得占线，打不进来，心想我气死你张小北！

过了二十分钟我就听见楼底下有人喊“初晓”，我知道肯定是张小北那厮，把房间里的音乐开得震天响。又过了五分钟，有人敲门，我当是张小北呢，对着门口喊：“滚，有多远滚多远，省得我看见你跟吃了肥肉似的。”过了片刻，我听见门外面有人说：“初晓住这儿吗？初晓的挂号信。”我一听不是张小北的声音，慌忙开门，真是一送信的，一看见我开门，他一脸的惊叹号，说幸亏家里有人，要不他还得再跑一趟。

我拿了信刚要进屋，张小北就冲上来了。我看了他一眼，怪腔怪调地说：“真别说，张小北你在楼下那两嗓子跟老来我们院儿磨剪子锵菜刀那老汉还真有一拼。”

张小北嘿嘿笑着，说：“初晓，我早看出来了，谁要是想跟你做朋友就得别拿自己当人，得叫你随着性子地糟蹋那才算完。”

我闪开一条缝，让张小北进了屋。

进了屋张小北嘿嘿地笑着，说初晓你脾气可真够大的，咱要能改改那该多好啊。说着从提着的纸袋子里拿出一盒子来，摆在我面前，说："初晓，我上回去香港不是答应送你点儿东西嘛。这手机国内还没卖的，我早就想给你送过来，老没时间。"

我看了一眼那盒子，是索尼的一款手机，功能很多，半年之前的确还没在北京上市。

我说，张小北我求求你了，有什么事儿你直接跟我说得了，我这人实在你又不是不知道，你看你送我这手机，明明都在北京热销了半年多了，你愣说成香港带来的最新款，我都没怎么觉得你这是在蒙我！

我说完了这话，张小北脸上红一块白一块的，这是他做人唯一的缺点。我估计他要是把这个缺点克服了，就算说假话被人戳穿了也保持脸不变色心不跳的状态，他的网络公司早超过新浪了。

"初晓，我思来想去，这事儿也只有你能帮我了！"他一拍大腿，身子往沙发上一靠，仰面长叹了一口气。

"你说，你说，我打从认识你那天，哪回你一拍大腿一叹气，我就知道我又得干点儿没脸没皮的事儿了。你甭不好意思，真的张小北，千万别不好意思。"说实话我心里也有鬼，我想先把张小北给忽悠晕了，高源下一部片子的投资就有着落了。

"初晓，我知道你在文艺圈里有好些朋友，你帮个忙，给引见引见。那谁……萌萌说她想往文艺圈发展发展。"

"萌萌谁呀？"

"不就那天被李穹打中了额头那女孩嘛！"

我心里想张小北说话真有点儿像个诗人，特朦胧，直接说是自己的小姘不完了吗？

我摇了摇头："肯定没戏，要搁以前肯定没问题，但是现在她毁容了……那些导演制片人肯定看不上她。”

“怎么说话呢你，初晓？演员靠演技又不是出卖色相！”张小北甩给我两颗卫生球，从口袋里掏出烟来猛抽。

“你以为呢？”我也点了一支，特呛，眼泪差点儿流出来，我就抽不了美国烟。“来北京闯荡文艺圈这些女孩儿，甭管成名的还是没成名的，只要想吃演员这碗饭的，哪个没那么一两段辛酸史？从外地到北京，当务之急就是先找个男人，把房租跟吃饭解决了，弄好了还能混点儿存款以防万一，你那萌萌刚走到第一步。接下来，就泡一导演制片人之流的人物，不为吃穿，但求能够多在电视上露脸，能让我们人民记住那些苍白的笑脸。最后，成也罢败也罢，混个几年之后找一大款把自己嫁了。你放心吧张小北，你也就能当当人家战略性的小桥儿，时间紧任务急，我估计你也快下岗了。”说到这儿，我赶紧找块纸巾擦眼睛，眼泪到底让这美国烟给呛出来了。

张小北趁机奚落我，说你怎么跟那节目主持人似的，叙述个什么事肯定特煽情地掉两滴眼泪。我说现在那些主持人早换了，煽情早已成为历史，现在这主持人可是当红的小姐（香港电视台老说当红小生什么什么的，我想要是女的就应该叫当红小姐吧），“蛋白质”（笨蛋、白痴、弱智）含量绝不低于还猪格格。前几天我在香格里拉见了她一次，看那意思，比中央首长们的秘书都忙，上哪儿吃饭都跟赶场子似的，那天到香格里拉已经是第 N 场了。

张小北又叹息了一声：“以后爱怎么着怎么着吧。我答应她的事做到了自己心里也踏实，而且她爱我，至少现在是。”

“行啊张小北，”我说，“为什么这么做？”我觉得我有点儿琢磨不透他了。

“因为我爱她。”

我心里忽然有点儿感动。像张小北这样的男人也就是做个生意人的出息，真要让他当个领导什么的，级别不用太高，就一乡长，他都胜任不了，心不够黑。

“你爱她？那李穹呢？”

“我怕她。”

“那我呢？”

“你？”张小北乜斜着我，“我恨你。这些年，从你身上我就没占到什么便宜，我那点儿油都让你揩没了！”

“少来劲啊，我揩你什么油了我？”

“还没有？我最纯洁的第一次感情都给了你了吧。我的纯真年代啊，毁在你这个禽兽手中！”他仿佛被我夺走了贞操似的感慨道。

这倒是真的，基本上我是张小北第一个严格意义上的女朋友。

“别琢磨了，这事我尽力给你办。李穹那边，知道惹不起就躲着点儿。”我没有兄弟姐妹，这几年我老觉得张小北跟我哥似的，无论我怎么挤兑他，从不跟我较真。

张小北跟个孩子似的，使劲点着头。这些年他胖了，那个在天桥底下卖盗版盘的张小北早已不知去向，如同他口中说起的那些曾经被我糟蹋过的纯真年代。

10

高源快回来了，他一回来我就成了N陪，陪吃、陪睡、陪玩、陪应酬……概括起来讲就是两个字——赔本儿。所以我得赶在他回来之前把我自己该忙的事都鼓捣完了，我还指望高源能娶我呢，真得好好表现。

高源长得有点儿随我，眼睛小，脸有点儿长，脾气有点儿像鲁迅。

他虽然是个导演，可是没什么名气，至今没上过电视。但他很早就主演过一部电影，大概七八岁的时候，有一电影厂拍健康题材的教育片，主要讲怎样预防乙型肝炎，高源在里面扮演一个患儿。我没看过那电影，但我绝对相信高源是一合格的特型演员，就跟古月扮演毛主席似的，怎么看怎么像，即便是到了今天，他看起来也有点儿病态，面色比一般人黄。

北京有一文化公司最近跟我约了一篇稿子，说是按千字百元给我算稿酬。那天我在双安商场相中一双皮鞋，八百多块钱，我算计了一下决定写它一千块钱，把那双皮鞋买回来。高源一回来我少不了跟着他到处混吃混喝，打扮打扮也是应该的。

下午文化公司的人打来电话，说要来取稿子。我说别跑了，我从网上给你发过去不结了吗。对方说不行不行，第一次跟您约稿子怎么也得跟您见一面，顺便把稿费给您送过去。他电话里一口一个“您”、“初晓老师”，叫得我真不自在，感觉他在寒碜我。我这水平的要能被称做老师的话，连我们院儿门口那修自行车的张师傅也能叫张工（工程师）。可是你不得不承认，这个世界里的游戏规则是这样的，名气这种无形资产可以随时兑换成人民币，当然兑换的数量跟名气大小成正比。

我最近有点儿感冒，北京当下流感横行。电视里老说是因为天气还不够冷，流感病菌才这么猖獗。可是我总觉得感冒这回事跟被传染艾滋病一个道理，要么是因为倒霉，要么是因为自我保护不够——我肯定是属于自我保护不够的。

北京的人实在是太多了，光一个海淀区就有六百多万。六百多万，这个数量即使是蚂蚁也得黑压压在学院路上绵延几公里，更别说人了。所以堵车这种现象发生在北京，就如同美国往南联盟扔导弹那么理直气壮。

我有点儿头晕，晃晃悠悠往我家附近的麦当劳走。基本上我对麦当劳还是有点儿感情的，刚认识高源那会儿，我还是一小报记者，高源同志一天给我买一份麦当劳巨无霸套餐跟我的胃套近乎。没多久，我这不争气的胃就扛不住了，一天吃不着麦当劳就鼓动我的脑神经罢工，满脑子都是高源。

那时候对高源的感情还很单纯，发自内心地觉得高源真是舍得给我花钱啊。一天一份麦当劳，三十多块钱呢！

正当我的思绪沉浸在高源同志一天一份麦当劳的回忆中时，事故出现了。一辆自行车违章逆行，直接朝我冲过来了。车祸猛于虎，一点儿都没错，我在最后关头终于躲过了，那自行车驾驶员实在太面，挣扎了几下，终于连人带车倒下了，自行车后面带的一箱子盒饭散了一地，那些红烧肉看样子还是热的。

你说这世界有多不公平，某位三流歌星在南方都开上保时捷了，我们北方的劳动人民开一辆“二八”的飞鸽还没脚闸。

11

我跟倒地上的那位说，没事吧你？

他一骨碌从地上爬起来，赶紧把盛盒饭的泡沫箱子扶起来。

“你没摔着吧？”我又问了一句。

“没事儿，没事儿。”他回答着，看得出来心情不是很好。

我不想再破坏他的心情，准备继续向前走。刚走了两步，他喊我：“你怎么走了？这盒饭怎么办？”

我还以为自己听错了呢，停下来问：“跟我说话吗？我没定盒饭啊。”

“你没看见盒饭都撒了？”

“怎么个意思？”我有点儿烦他，做为首都的餐饮业员工他完全不注意个人形象，白色的工作服都穿成灰色的了，说话也不怎么客气，况且普通话说得不标准。如果需要我帮忙把盒饭捡起来，我希望他能客气点儿。

“你把我盒饭都弄撒了，就这么走？”他显得极其愤怒。

“怎么是我弄撒的？你这人怎么这样啊，差点儿撞了我，我都没说什么，你怎么还来劲啊？”我很恼火，说话声音格外响亮。

“我撞着你了吗？要不是你我的盒饭怎么会撒？”

我说：“师傅您这么说话就不对了，明明是……”我话还没说完，就被他打断了，他蛮横地说：“废话少说，你得赔我盒饭。”

“我凭什么呀？”现在才知道，敢情劳动人民跟知识分子觉悟就是不一样。

“不凭什么，你弄撒了就得赔！”他说话比警察还蛮横，我都怀疑他以前当过交警。

这时候我听见一阵汽车的呻吟声，闭着眼睛我都能听出来是贾六的破夏利。他的车嘎吱一声就停在便道上了。

“怎么了妹子？”贾六颠儿颠儿地从车上下来，站到我身后。

我把事故经过跟贾六简单介绍了一下，贾六爆脾气一下子就上来了，乜斜着眼睛对送盒饭的说：“怎么着哥们儿，成心跟我妹妹过不去是不是？”

“什么成心不成心啊，她弄撒了盒饭就得赔！”

“我操，你丫找抽是不是？瞧你那傻B操行，长得跟盒饭似的！”

“你他妈骂谁呢？”

“骂你怎么了？我今儿还打你呢！”贾六特激动，好像已经很久没战斗了。转身打开车门从车里拿出一根钢管，朝着送盒饭的就过去了。那厮一看真赶上贾六这么一好战分子，甩开两脚开始逃生。贾六将钢管高高举过头顶，紧随其后，大叫：“有种你丫别跑！”

我这人胆子小，一下子就没了主意。我看见另一辆夏利也停在跟前，跟贾六一起开黑车的一哥们儿从车里出来，我连忙朝他喊：“师傅，师傅，拦着点儿六哥，别真出事。”已经有大约二十名过路群众围过来了，我有点儿怕。

真没想到，后来赶到战场这哥们儿一看见打架比贾六热情还高涨，从胡同口拎起一块板儿砖也追上了天桥，嘴里高呼着：“咳丫的，贾六！咳丫小丫挺的！”他的神情真像京剧里唱花脸的，我估计丫也是一京剧票友。

贾六一兴奋，真把那送盒饭的给追上了，当头一棒。我一闭眼，完了！我那八百多块钱的皮鞋彻底泡汤了，搞不好连那五千多块钱的皮夹克也搭进去了。

12

从分局出来，我心情格外郁闷，贾六又得吃上几天“官饭”了。我低着头琢磨着应该给谁打个电话把这事给摆平了，大脑高速地旋转着，把我熟悉的不熟悉的所有电话号码都检索了一遍，然后把范围缩小到十个人，最后锁定在顾毕业身上。

顾毕业真名到底叫什么我也不知道，不过你从他名字里就能猜出他的职业——没错，做假文凭的。我从他那儿做过一张假身份证，跟真的一样。我那回是因为钱包叫人给偷了，赶着去河北出差，补办的身份证下来还得两天以后，索性通过一个同事找到了顾毕业先生，来了个立等可取的，三个钟头，我就拿到了。虽然按照规矩我多付了一百块钱的加急费，可我心里特舒服，关键是顾先生服务态度特别好。

其实我一直觉得在如今这个行为艺术肆虐横行的年代里，我们可以给任何违反道德准则伤风败俗的事儿都扣上一顶艺术的大帽子，比如卖淫、嫖娼、耍流氓、豆腐渣工程……当然造假文凭也是一门艺术。

在我看来，什么事都得看你怎么说，说法不同，性质当然也就不一样了。比如耍流氓要是耍得好，也可以被人称为情圣；蒙钱要是蒙得好就是上市公司；三陪要当得好，叫公关；还有，死不要脸这样的行为倘若发生在了明星们的身上就成了绯闻；如果一个人白痴到了极点，换个说法也可以叫做玉娇龙什么的，等等等等。主要还得看你主观上怎么对待这些艺术行为。但总的来说，生活在艺术的大海洋里，没点儿勇气是承受不住的。

顾先生待人比较真诚，那次之后我又给张小北做了一张假身份证，名字是张晓，是把我和张小北名字加在一起攒出来的。他为的是拿着这张假身份证背着李穹去银行存私房钱。我一看见张小北就明白了，有钱人家过日子跟普通老百姓也一样，连亲两口子也都背地里留点儿心眼儿。人心可真难琢磨，挺没劲的。说实话，但愿我跟高源以后要是结婚了，不像他们这帮庸俗的富人！

我给顾毕业打了电话，说明了意思。他想了想说，初晓你放心，你今儿给我打这个电话就是看得起我，我这就给分局我二舅老爷挂电话，一准儿把你哥们儿捞出来。

第二天一大早，接到了顾毕业的电话，说："昨天晚上我跟我二舅老爷挂电话说了这事儿了。事儿倒是不大，可我二舅老爷是领导，不管具体的事，他让秘书给下面打过电话了，今天中午跟具体管事的人一起吃个饭，下午就能把人放出来。"

我一听连忙说"谢谢"，说，"咱二舅老爷那边你就帮我递上一千大元，人民公仆整天为我们人民操心受累，我就略微表示表示算了。"

顾毕业说："按说真不用递什么银子，都是自己人，不过我二舅老爷的秘书也跟着忙了半天，就当这点儿钱给他们买两包茶叶吧。另外，初晓你别忘了，今天中午那管事的人爱抽中华。"

放下电话，我心里一阵轻松，好歹算把贾六捞出来了，花点儿钱就花点儿钱吧，全当给我妈养的西施狗又办了一张半年的美容卡。

贾六从分局出来显得特憔悴，一路上跟我说："妹子，真对不住，我给你找麻烦了。你六哥我就这暴脾气，特混蛋，妹子你可千万别生气。"溜溜烦了我一路。

接贾六回家的路上，还收到李穹一电话，愣说晚上带几个人来我家打麻将，叫我给回了。我说高源就要回来了，我刚把家拾掇利落，回头又招来一帮牛鬼蛇神弄得脏不啦叽的我看着烦。她有点儿不高兴，什么也没说就把电话给挂了。张小北电话随后就追进来了，问我张萌萌那事怎么样了。我说我还没得空呢，张小北有点儿恼火，说初晓你别跟我兜圈子，你想要多少钱直接跟我说，只要你把张萌萌这梦给我圆了，多少钱我都给你。

我忽然觉得很悲哀，我们是这么多年的朋友啊，我在他们心目中究竟是个怎样的人？我一点儿也不清楚，尽管我不想在乎。

我对贾六说："六哥，你觉得我这人怎么样？"

"妹子，你是个好人，好人就有好报，等你以后发了大财，千万别忘了你六哥我。"

我一笑，说："你可真能逗啊贾六！你记着初晓今天跟你说的话，今天我过得鲜光锃亮的，可能明天我就会去要饭的，我要是要饭到你家门口，六哥你可千万别把门关得死死的。"

贾六听了我的话挺伤感，想了一会儿，抓着我胳膊说："妹子你放心，今后六哥就是你亲哥，有什么需要贾六我效力的，你一句话。"

我觉得这年头要是还能听到这么肝胆相照的话可真不易，真的假的先甭管。

13

高源总算回来了。每次他从穷乡僻壤的地方回到繁华的北京，刚开始的几天里都显得特迟钝。我们坐车去个什么地方，他都不停地跟你问，哎，这楼什么时候盖起来的；要不就是，哎，那什么什么怎么给拆了；再不就是抱怨，怎么老堵车啊，哪儿这么多人冒出来。就跟他第一天到北京似的。

高源刚一回来，张小北就带着张萌萌到家里来了，他跟高源关系不错，很有点儿惺惺相惜的味道。在没有李穹的场合下，张萌萌显得更漂亮了，居然也像老朋友似的拉着我的手聊天，给我看她手腕上十几万的名表江施丹奴，向我推荐SK-Ⅱ的眼霜和面膜，评论我们的房子装修得很有艺术气息。而我居然也表现得很坦然——高源在的时候我比较平和。

高源和张小北小声地谈论着这次去宁夏拍片子的感受。说到在宁夏的戈壁滩上看头顶掠过的飞机，高源显得特激动，一拍大腿高声说道：“我看着那飞机从地平线下面爬升起来，一直上升到你的头顶，再看着茫茫沙漠，我操，绝了！谁他妈敢说地球不是圆的？”仿佛他最早发现这个真理似的。张小北在一边听着，情绪也很高昂，他在高源面前显得有点儿木讷，永远没有高源那种火一样燃烧的激情。我想，就算高源到了八十岁的时候，还是会像现在这样，而张小北一年一个样，一年比一年苍老，特别明显。

谈到正热闹的地方，听见有人敲门，高源把烟头在烟缸里掐灭了，高喊一声：“来了。”

门外就传来李穹的声音：“快点儿开门啊，沉死我了！”

房间里的四个与会人员神色大乱。上回在酒店里抓了现行倒不要紧，毕竟是酒店啊，这回可是在我家里。我一边紧张一边狠狠地看了两眼书柜上那几个新买的花瓶，还有酒柜里那几瓶洋酒，不知道它们一会儿是不是还能安然无恙。

“谁呀？”高源又喊了一声。我慌忙把电视机打开，声音开得很大。

张小北四下看看，把张萌萌推进了洗手间，刚关上门，又慌忙把张萌萌的鞋和大衣一并扔了进去，压低声音嘱咐道：“锁门！千万别开门！”张萌萌像个地下工作者似的，紧张兮兮地进了洗手间。

我给高源使了个眼色，让他去开门。

李穹提着一大袋子的新鲜荔枝，还有一个很精致的包装袋子，嚷嚷着："快接我一把啊！"高源赶紧接了过来。我说，李穹你怎么也没打个电话过来啊，正好张小北也在呢！

李穹这才看见沙发上坐着的张小北，横了他一眼："你怎么也来了？"自从那天从酒店回来，她对张小北一直就这态度。

"哦，我打电话请过来的。这不好些日子都没见了吗，聊聊。"高源赶紧把话接过来。

"来，初晓，咱俩到里屋说话。"李穹拽着我，"燕莎打折呢，我看见这 LV 的包，才七折，买了俩，咱俩一人一个。"一边说，一边坐在床上。我随手想把门关上，想着趁这功夫，张萌萌能赶快逃生。

"哎，关门干吗？"李穹拦我，"咱俩说话不用怕他俩听见！"

"呵呵，声音有点儿大，互相干扰！"我死乞白赖地又要关门。

李穹对着张小北说："张小北，你把那电视声音关小点儿，你们俩要不看就干脆关了，烦不烦啊？"

高源一听，顺手就把遥控拿过来把电视给关了，我气得直朝他瞪眼睛。

"我先去个洗手间，憋死我了！"

犹如五雷哄顶，我有种要被血洗的预感，赶紧又狠狠看了两眼我那俩心爱的花瓶，三百多一个啊，差点儿喊出来"我的六百块啊"——忍住了，不就是钱嘛！

再看张小北，面无表情，目光像两潭死水。

李穹噌噌地两步走到洗手间门口，拧了一下，没拧开，再拧。

"怎么了？"我假装走过去，"高源你怎么又给锁上了，我不告诉你钥匙丢了吗！"我像个狗似的对着高源狠劲儿地叫唤，并且使劲地拧门把手，还踹了两脚，“高源你真讨厌！你给我弄开！”

高源也过来拧，拧不开，嘴里嗫嚅着：“我刚才没锁它，我就随手那么一带。怎么会呢！”

他还在装做很努力地拧那门锁，看着他拧得那么实在，我真怕他把那锁拧断了。“真讨厌！”我用很大的声音朝他喊，并且举高了拳头，狠狠地朝他的后背砸了下去。“咚”的一声，空空的响声！我真心疼啊，没办法，苦肉计！“你他妈干吗啊！”高源一下子急了，抓住我胳膊往旁边一甩，“初晓你少跟我动手动脚，听见没有！惯得你毛病！”他的五官都挤到了一起，脸色红红的，看上去活脱脱一只猴子的面孔。

“你还有理了，谁叫你锁了。”

“我乐意锁怎么了？怎么了？”

“好了，好了。吵什么呀，这点儿破事儿至于吗？”李穹有点儿不好意思，这时候她的电话响了起来，她到里屋去接电话了。张小北拉着高源坐到沙发上，数落我：“初晓你怎么狗脾气呀，打了人还那么横。”

“谁让他锁门了，这是新锁，一撬开就什么也不是了！”我不甘示弱地嚷嚷。

李穹背着包，从里屋走出来：“哎呀，吵什么呀！有什么好吵的？挺大的人了，怎么跟孩子似的！”她白了我一眼，“我走了，刚才朋友打电话，车坏在二环上了，我得去接他一趟！在你们家上个破厕所还这么多事！”她极其不满意地嘟囔着。

“不好意思，李穹。怪我了。”高源一边送她一边说。

“哪儿那么多废话啊你。”她冲高源，接着又转向张小北，“张小北，你晚上回家路过银行把电话费给交了，我手机费也没交呢。”

“行，没问题。”张小北答应得特痛快。李穹噔噔噔地下楼去了。

关上门，房间里的三个人都舒了一口气。我赶紧用手揉揉高源的后背：“对不起，对不起，刚才使劲有点儿大了，打疼了吧？”

“差点儿没把肺给震出来。”高源自己揉着前胸，自言自语地安慰自己，“让你们受惊了心肝脾肺肾们！”

“我操，真不愧编剧和导演，说来戏就来戏，刚才把我都吓一跳。你俩要再动起手来，就乱大发了。”

我跟高源嘿嘿地笑着，高源笑得真难看。

14

他们说什么来着，再狡猾的狐狸也斗不过好猎人。我们这一屋子的狐狸就这样被李穹这个流氓给拿下了。

李穹走了，张小北就坐不住了，带着张萌萌就要走，说：“今天聊得不痛快，改天要几个人开车去卧佛寺，喝着茶聊着天，肯定愉快。愉快不愉快我不知道，但我觉得心里肯定特踏实。”

张小北和张萌萌走了，高源一掌拍在我后心的位置，说先报了那一拳之仇再说。我问高源张萌萌能不能担纲他下部片子的女主角，高源说张小北要是投资就得想想，否则的话根本不予考虑。我忍不住想到一切蒙钱的艺术都得他妈的拉着文化的大旗才显得高尚。

我正跟高源探讨蒙钱艺术的时候，听到疯狂的敲门声。我一听这频率和力度，脑子里就闪现出了李穹杀手似的眼神，立马躲在了高源身后。

“初晓，高源，开门！”李穹在外面叫喊。

我拉着高源就往卧室走，把卧室的门关得死死的。我说，咱不管他们的闲事了，我真怕她。

高源看着我哈哈地笑个没完没了，让我出去开门。我一下子甩掉拖鞋，钻到被子里把头蒙上，不出去。

外边李穹都快把门给撞碎了。

高源拉着我说，走，去开门吧，要不咱就得换门了。

开门之前，我把那两新买的花瓶藏了起来。

李穹一进门，就气鼓鼓地坐在沙发上，跷着二郎腿乜斜着我。我知道今天这事儿做得有点儿对不住李穹，赶紧给她泡了杯茶；又怕她今天没心情喝茶，冲了杯咖啡；也担心她喝咖啡上火，又倒好了一杯橙汁摆在她面前。高源看着我像个小奴才似的跑来跑去，在一边抿着嘴乐。

“你们两个没良心的……”李穹哽咽着，眼圈红红的，“初晓你良心叫狗吃了是不是？”她的眼泪像珍珠一样从脸上滑落下来，火一样燃烧的光芒映在她脸上，很美。我当时觉得自己罪过真不轻，最起码跟拉皮条的是同级。

“我没想到他把那女的也带来，真的李穹。”我嗫嚅着，说得跟真的似的，到这时候也顾不得张小北了，这一切都是他惹起来的。“不信你问高源，高源从来没骗过你吧！”

我觉得高源在李穹眼里是一个高尚的电影导演，李穹多少会给他点儿面子。我错了，李穹看也没看高源一眼。她手有些发抖，拿了一支烟出来。怎么也打不着火。我赶紧接过来，给她点着了，趁机在她身边坐下来，“李穹，别生气了啊，下回我们不跟张小北玩了。真的，李穹，我跟你保证！保证！”

“我当时就觉得不对劲了，厕所的门怎么会打不开呢！张小北坐在沙发上的表情就跟得了忧郁症似的……我让他回家顺路交电话费，他想都没想就答应了。哼，这种事他以前是绝对不会做的，结婚都五年了，他就没去交过电话费！”

我一想，张小北真够蠢的，把我跟高源都害了。

“李穹你还没来得及去洗手间呢，先去吧。”我假装很体贴似的。

“我根本就没想去！”这个女流氓轻蔑地看了我一眼。她才是个好演员啊！“初晓，你说，他们来干吗了？”又看看高源，“你给勾搭来的？”

高源嘿嘿嘿嘿地笑着，也点了一支烟，劝李穹：“李穹，说实话我觉得张小北在男人里面就算挺老实的，你就别老这么闹了。男人就没一个好东西，看见美女就改用生殖器思考了，什么老婆孩子都靠边站！张小北知道回避着你，就表明他还在乎你，再给他个机会算了。”

李穹冷冷地对着我说：“你也要小心了啊，这是给他自己做铺垫呢！”

我赶紧点头称是。高源这头猪哪壶不开他就提哪壶，跟自己过不去！

“初晓你跟我说实话，张小北带她来干吗？”

“这个……也没什么，就是随便找高源聊聊。”我是真心虚啊。

“哼！”李穹冷冷看着我，“你看着我！初晓你看着我！”我赶紧仰视她。“别以为伤害我能够帮高源和张小北，你等着看吧，到最后哭的那个是谁！”她很骄傲地抓起茶几上的钥匙包，向门外走去，关门的时候似乎脸上有眼泪掉下来。这些年她胖了不少，当年当空姐飞来飞去的时候她只有九十斤，单纯得像朵百合花。

我站在原地，望着关死的门发呆。李穹一个小时以前送给我的LV手袋还放在茶几上，精致得像一张女人化妆之后的脸。

15

那天李穹走了之后我的情绪非常低落，我想起第一次见到她的情景。那时候她可真美，张小北为了追她简直把所有的招数都用上了。

那时候李穹有一个青梅竹马的男朋友，是个律师。自从张小北在飞机上邂逅李穹之后，满脑子想的都是怎么样挖墙脚，而我则义无反顾地充当了他的狗头军师。其实，有时候我觉得我是真的适合做一个恋爱专家，所有下三滥的手段我都用上了。

李穹是独生女，父母都是知识分子，家教非常好。自从第一次去李穹家拜访过之后，张小北就成了李家的常客。我指导他如何讨李穹父母的欢心。李穹她爸喜欢吃皮皮虾，大冬天的，我委托一个当海员的高中同学从距离北京三百公里的秦皇岛往回带，活的。李穹她妈喜欢看样板戏和京剧，张小北利用他从事盗版光碟贩卖的优势成包地往李穹他们家送。毫不夸张地说，当时李穹他们家的光盘几乎够开一个音像店的。就这，李穹都不怎么愿意搭理张小北。我一看李穹的架势，不得不鼓动张小北使出了绝招。当时张小北同学已经黔驴技穷，对我的战略非常迷信，我像个总司令似的一挥手，“给丫造舆论，铺天盖地的！”

于是我跟张小北战士在李穹的家人、朋友、同学、同事中间造谣说李穹芳心早已被张小北攻破，甚至李穹家门口卖早点的我们都宣传到了。张小北一天一封情书往李穹宿舍送，一个礼拜一箱皮皮虾往李穹家里塞。大冬天的给李穹家买白菜，明明李穹她妈已经在八楼把门打开了，张小北愣站楼底下扯着嗓子喊："阿姨，阿姨，您把门打开，在屋里等着，我这就把白菜给您扛上去！"只要从李穹家楼门口走出一人来，不管认识不认识的，张小北都跟人搭句话。李穹有个二舅，卖报纸的，张小北一天三趟跟那老头儿买报纸，买完了不马上走，跟人家套瓷，吓得老头儿的报刊摊一天一个地方跟打游击似的，就为了躲开张小北。最后在海淀分局门口安定下来，不再换了，我估计是因为守着我们人民公安，心里踏实。

两个月下来，基本上在外人眼里，张小北已经是李家半个女婿了，包括李穹他爸妈也对张小北表示了肯定，就剩李穹本人了，她还死心塌地地跟那律师男朋友恋着。为了打散这对狗男女，我不得不亲自出马了。

我化装成李穹一个在北京上大学的远房表妹，跑到律师的工作单位去祸害那小子。那是个很帅的小伙子，说实话，张小北跟人家一比简直像个民工。为了把这小子拉下马，我化装成李穹家远房亲戚找那小子借钱，第一回我就借了三百，后来我又陆续借了一回五十的，一回一百的，第四次再去的时候他对我的身份表示了怀疑。

"你是李穹的什么亲戚来着？"他很客气地问我。

"妹妹。"我干脆地回答。迎着那小子有点儿愤怒的目光，我赶紧又补充说明道："表的。"

"李穹没有上大学的表妹啊，我上回还问她来着。"他自己跟那嘟囔。

"我是她妈妈的二哥的媳妇的外甥女。她告诉我先上你这儿拿点儿钱，过几天我就还你！"

那小子正犹豫着给还是不给的时候，从他们办公的楼上冲出一人来，打老远就喊我名字："初晓，干吗呢！"我抬眼一看，吓一跳，我们报社广告部一哥们儿手里拿着一档案袋从里面出来。我犹如五雷轰顶——这家伙是我们单位一著名的大嘴巴，要让他知道我跟这儿骗钱，我就得找块豆腐撞死了。

“嘿，真巧！我跟一朋友聊聊天。”我真恨不得自己有点儿什么功夫，能让那小子暂时失忆。我想起来那家伙正跟他家中的小红杏打离婚的官司，满脸都是菜色，远处一看跟马克思似的，一脸的思想。世界真小，男人真他妈的懦弱，这是我当时的想法。

李穹的律师男朋友当时用看天外来客的眼光看着我，让我甚是尴尬。“我是李穹一朋友，受委托来考察考察你。走了啊，有时间一起吃饭！”我撒丫子一路狂奔，心差点儿没跳出来。

第二天，我就收到张小北的电话，说基本可以确定李穹失恋了。那小子一怒之下，给李穹打了一个电话说分手。李穹那天晚上自己喝了一瓶二锅头，直接送医院了。张小北守了一晚上，感动得李穹他爸手脚同时颤抖，当时也下榻在病房了。医生护士抢救得那叫一个辛苦，李穹她妈恨那律师恨得牙疼，但就是硬挺着没给医生添麻烦。

我当时一听，觉得这一家子可叫张小北给坑得够劲儿了。

就这样，张小北硬是把李穹给鼓捣到手里了。为了表示对我的感谢，正式以李穹男朋友的身份进入李家那天，张小北在东来顺摆了一桌，我俩吃了十盘涮羊肉，席间把我的罪状抖落了一地，从撺掇他给李穹造舆论到最后亲自出马毁李穹的单纯形象，还严肃地提出了关于经济上的问题，说我三回一共从李穹前男友那儿诈骗了四百五十块，一分都没上缴。最后我不得不掏出那些诈骗所得钱款的一部分付了那天的账单。

16

我跟高源靠在床头，一人抱台笔记本在聊天。我们上 OICQ，他的名字是我给起的，叫“过来”，是妈妈曾经养的一只小京巴的名字；我的名字叫“英俊”，是高源养了多年的乌龟的名字，我们都把对方看作自己最心爱的宠物。

我俩没事的时候常常像现在这样，一人一台笔记本靠在床头各聊各的。有时候也一起到“联众”去打麻将或者玩“锄大地”，合伙出老千；有时候也一起联网打游戏，玩江湖。高源玩什么都差我一截，连上聊天室泡妞也不是我的对手。他对此颇不以为然，声称如果我给他一个机会，他将把妞泡遍。这让我想起了那句名言：“给我一个支点，我能撬起整个地球。”我才不在乎呢，那都是理论，实际上根本就没有支点，实际上我也绝对不可能给高源机会！所以我和地球一样，都是安全的。

我在网上看到高源一个同学，叫乔军，他管我叫小妈。他一看见我就说，今天晚上哥哥带你吃饭去，别高源不在家就把你闷坏了。

我在网上给高源发了一个消息：乔军说今天晚上带我去吃饭，你不在家，他怕我闷。

“操！”高源收到我的消息，抬起头看了我一眼，“孙子，挖墙脚，别告诉他我回来了，去！”

我嘿嘿一笑，给乔军发了一条消息：高源不在家，我就不去了。

他回过来消息：也好，懂得守妇道。

之后，半天没说话。我问高源：“去不去啊？”

“去！”

我马上给乔军又发消息：高源不在，我很闷，我去。

乔军好像很高兴似的，回复道：今天晚上一哥们儿请客，你临时客串我女友算了。

我问：有什么好处？

他回：我替高源缴公粮啊。

后面跟了二十多个“哈哈哈”，我都担心他笑岔了气。

我都原封不动地发给了高源，高源看过之后笑着骂道：“妈的，他到现在还想糟蹋良家妇女，看我今天不打得他满地找牙。”

乔军现在是个老板了。自从他的一部电影在柏林获奖之后，他就成立了自己的电影公司，拍了几部没滋没味的爱情片，然后就改行做发行了。高源有几部片子都是他帮着发的，据说他是他们这届毕业生里面最牛B的。

跟形形色色熟悉或不熟悉的人吃饭，其实一直都是我生活中的一个重点，好像从几年以前就已经开始这样了。我不止一次地感觉到，人上了饭桌就像演员化好了妆站到舞台上或者像战士冲锋陷阵似的，可能赢得掌声和尊敬，也可能一下子就废了。

我跟乔军约好了在二环边上的一家餐馆见面。那餐馆有姜母鸭吃，是高源他们另外一个同班同学开的，那人现在在法国，好像以前还跟高源他们一个宿舍。所以这些人一方面把那地方当成食堂，另一方面死命地照顾那儿的生意，哪位大款请客吃饭，一准儿在那。粗略地计算一下，光我跟高源就去过不下三百回了，我闭着眼睛都能点一桌子菜——最贵的。

晚上六点，天就全黑了。之前下了点儿小雪，地上很潮湿。高源穿上一件我给他新买的皮夹克，脚上蹬着厚重的靴子，牵着我的手，咣当咣当地走在路上，活脱脱一个二战时期的德国伞兵。

我光顾着享受手拉手朝前走的革命感情了，听见贾六那辆夏利的喘息声我才意识到应该绕着走。

“哎，高源，初晓，你们俩干吗去呀？”贾六把车停下来。我往里一看，奔奔在车里坐着呢，她的大学生男朋友隔着玻璃对我笑，特热情。

忘了什么时候听贾六说过：“丫奔奔净变着法儿地颠覆社会主义。操，最近刚找一小男朋友，大学生，人民大学的！操，真够枪毙丫的！”小伙子长得白白净净的，打扮得像个韩国男孩。

“哟，你们出去啊，”我跟他们打招呼，“我跟高源去一个朋友那儿，奔奔还没见过吧，这是我男朋友高源。”我给他们介绍，“这是奔奔，一小姐们儿。”

“人家高源是一大导演。”贾六高声地对奔奔补充道。

“嘿嘿，谈不上谈不上。”高源有点儿不好意思似的，他就这样，跟个孩子似的，别人一夸他，他就脸红，除了我，他巴不得我把他当成毛主席一样敬仰。

“别谦虚了您就，导演配编剧，简直绝了！就跟大学生配妓女似的，是不是？”她还推了推身边的小男友，特嗲地问了一句。我差点儿没背过气去，没想到她的小男友特豪迈地回了一句：“操，那还用问！”这世界疯了，全他妈乱套了。

“你别逗了奔奔，快忙你的去吧！”我哭笑不得地催促她，“衣服我朋友给带回来了，哪天你到家里来拿吧，我那儿还有点儿东西要给你呢。”

奔奔特喜欢和服。那天打电话问我北京哪儿有卖的，我一想正好有个朋友要从日本回来，就叫人给带了一套，在我家里都放两个多月了。

“行行行，过两天我过来拿，我们先走了，你们忙你们的。”奔奔把玻璃拉上，贾六又冲着我俩点点头，走了。

“你怎么什么人都招啊。”高源不带任何语气地说了一句，之后继续拉着我朝前走了一段，叫辆车，奔餐馆去了。

“那个奔奔模样长得倒挺像李穹。”坐车上半天，高源嘟囔了一句，“不是李穹的亲戚吧。”

“瞎扯！”我白了他一眼，“糟践李穹是不是？”

高源嘿嘿笑着，搂着我不再说话。

他一提起李穹，一路上我心里就没消停下来，老琢磨李穹，觉得对不起她。她多信任我啊，把我当成亲姐妹似的。我觉得自己真够孙子的，我有点儿恨张小北，好好的日子不过，玩什么二奶啊。再说了，李穹哪点儿不够好啊，说句难听的，就她现在这个模样，这个气质，被人养起来也不是难事！男人啊，一个比一个混蛋，一个比一个王八蛋！想到这里，我恶狠狠地瞪着高源说：“高源你要敢给我戴绿帽子，我杀了你全家！”

“神经病！”他特别特别轻蔑地白了我一眼，还不够，跟开车的司机搭话，“师傅您说女人是不是不能惯啊，惯得她毛病！”

司机干巴巴地笑了两声：“两口子的事，说不清楚，我家里那位也是，没事就跟你闹，累一天了回家还得哄着她，嘿嘿，谁叫咱乐意呢！”他这么一说，我们仨全笑了。我趁机在高源胳膊上掐了一把，疼得他直咧嘴。

我跟高源在姜母鸭门前下了车，里面灯火辉煌的，透露着繁华。快过春节的缘故吧，门外高悬起了红灯笼，所有服务小姐都穿着大红的旗袍，一见有客人光临，笑得可真甜。

小赵是领班，四川女孩儿，个子不高，皮肤特别好，眼睛水汪汪的，特别会说话。你想啊，我跟高源都来过不下三百趟了，能跟她不熟吗？她一见了我们，就笑嘻嘻地迎出来，高源一见她就开起玩笑来："赵儿，今天初晓不在家，一会儿你跟我走啊。"

小赵看看我，还是笑嘻嘻地对高源说："今天回家你肯定要倒霉了！"意思是说我回去肯定收拾高源。

他一听还真来劲了，捋起毛衣的袖子给小赵看："瞧见没有，都是她掐的，我没法跟她过了。"然后一把将小赵搂进怀里，"我不管啊，赵儿，一会儿散了，我就跟你走，跟你回咱家！"

小赵脸通红，一把将高源推开了，高源乐得上气不接下气的。他们这些人都喜欢这样和小赵开玩笑。有时候从外地回来，会带些小礼物给她，他们把她当成小妹妹一样对待。这些从四川或者云南来北京打工的女孩儿，在北京无依无靠的，每个月七八百块钱的工资，住在对面的居民区里，房子是以餐馆的名义统一租的，免费给她们住。

"小赵，乔军来了吗？"我问她。

"来了，在楼上，还有两个人，一个男的一个女的。"小赵很认真地回答。

高源又逗她："乔军有没有占你便宜啊，跟哥哥说，哥哥我教训他！"小赵骂了他一句"讨厌"就跑开了，脸红得像个苹果，我觉得她有点儿喜欢乔军。

我跟高源一起上了二楼。门开着，乔军跟个土匪似的坐在主人的位置上，我刚一探头，他就高喊起来："老婆！"

我骂他："滚蛋！你老婆还在你丈母娘家里养活着呢。"

"快进来，老婆！"他还是嘿嘿地笑着，对我招手。

高源从我后面跟进来，对着乔军吆喝："你丫的不干正经事，没事勾搭我老婆出来吃饭干吗？"

"操，你什么时候回来的？妈的，连个电话也不打！"乔军看见高源很意外，也很兴奋，"我没事带你老婆出来吃饭还落不是了？况且这是我小妈呢，嘿嘿！"

"哎，张小北！"高源一转脸看见了张小北。他一说话，我转身也就看见了张小北，他正坐在那里有点儿尴尬地看着我们，身边坐着张萌萌。

17

乔军有回跟高源在电话里念叨，说给高源的下部片子引见一个投资人，是他一个特别特别够意思的哥们儿。那天跟乔军吃过晚饭之后我才知道，敢情乔军以前跟高源说起的那个大款就是张小北。

那天乔军和张小北俩人玩命地喝酒，张小北喝高了，他跟乔军说了许多肝胆相照的话。我跟高源干巴巴地在旁边坐着，对面的张萌萌完全没有了那次在我家时候的随和，忙着给张小北夹菜、倒酒，一副奴才相。

我从来没有像那天那样儿厌恶张小北，他真丑陋。我越发坐不住了，我觉得我真对不起李穹。

那天离开的时候我跟张小北之间似乎有点儿别扭，说不出来的那种。乔军喝得也不少，自己坐在包间里不肯出来，非得让高源去把他初恋的女友给找来，他有两句话得告诉那姑娘。高源一言不发地守在乔军身旁，眼睛里充满着忧郁，我莫名其妙地心疼他。

我让小赵给乔军倒了杯热水。乔军就跟中了邪似的，在那儿喃喃自语，谁也不理，那杯热水都让高源吱溜吱溜给喝光了。

“怎么办哪高源？”我问他。高源的袖子挽着，露出一小块淤青的痕迹，是我来时在车上掐的那一把留下的。

高源想了想：“初晓，给李穹打电话，叫她来一趟。”

“叫李穹干吗呀？你嫌我命长了是不是？”我总觉得李穹现在肯定恨我恨入骨髓了，我不敢轻易在她面前现身，对她对我都是刺激。我想就让我心里默默怀着对她的忏悔这么下去算了，大不了以后找个机会偿还给她。

“没听乔军念叨初恋女友吗？”高源说得有点儿无可奈何。

“你捣什么乱哪高源！”我一下子火了，“你他妈当李穹是什么呀，成心的是不是啊？”我说得特义愤填膺，感觉眼睛里面酸酸的。

“李穹……乔军啊！”高源干瞪着眼，不知道该怎么说清楚，“乔军的初恋，李穹啊！”

我听到这句话的感觉有点儿像坐在飞机上。我特奇怪，每次坐在飞机上的时候智力就会下降，云里雾里一般不明白身在何处，脑子里大片大片的空白。

“为什么是她？我怎么觉得我这辈子注定要跟李穹搅和在一起了？”过了好半天好半天，我才反应过来，再看高源，他已经怒了，眼睛要喷火的样子，真把我吓坏了。我掏出电话，拨通李穹的手机。

放下电话没多久李穹就开着车赶到了。看见我和高源，她忽然很平和，好像完全忘记了那天的事情，客气得有点儿让我坐立不安。我知道，我跟李穹之间的交情完了。越是客气，越是疏远。

“李穹，你还真厉害啊，不是今天乔军高了我还真想不到呢，嘿嘿，你可真有两下子。”我没话跟李穹找话说，自己都觉得有点儿没意思，可又不能不说话。

李穹没言语，高源也没有任何表情地看了我一眼，叫我觉得脸上发烧。

乔军看见李穹真高兴啊，从地上爬起来要给李穹出去买八宝粥。李穹爱喝八宝粥这个我知道。高源强拉硬拽他才没去成，坐在椅子上耷拉着脑袋，一直重复喊着李穹的名字。李穹就坐在对面的椅子上，默默地点了一支烟，什么话也没有说。

忽地，乔军就从椅子上站起来，大吼一声："李穹，就两句话，两句话告诉你！"然后咣啷一声又坐回去。高源赶紧茶水伺候着他，又过了一会儿，他又噌地蹿起来，再吼一声："两句话，两句话跟你说！"来来回回折腾了五六次，这两句话也没说出来，我在旁边看着，急呀！

小赵从厨房拿来半杯子醋，高源扶着乔军，我都给他灌嘴里了。李穹在一边看着，闷头抽烟。过了一会儿，她走过去，对待儿子似的把乔军搂在怀里："你看见了，初晓，这就是生活，歌儿里怎么唱的来着？爱我的人为我付出一切，我却为我爱的人流泪狂乱心碎。你别净编排那些虚的东西，把我们普通老百姓的故事也写一写，多感人啊……"乔军把头埋在李穹怀里，眼泪鼻涕都抹到李穹毛衣上了，我心里忽然就想起来那天从"1919"出来，李穹也是像乔军这样，抹了我一身的鼻涕。

"两句话，李穹，我就跟你说两句话……"乔军还在叨叨那两句话的事儿，跟唱歌似的，究竟两句话是什么他也不说。

我看看高源，他黑着个脸。脸上本来就都是皮，眉头一皱，整张脸跟一块几个月没洗的抹布似的，纵在一起。

我怎么就不知道，这乔军跟李穹还有过一腿，光知道李穹跟那律师的历史了，那也是因为曾经参与了“舍得一身剐，誓把律师拉下马”的那场战役。

这事儿，直到现在李穹都不知道。我估计，连张小北也不知道李穹跟乔军的事，至于乔军知道不知道张小北就是李穹的老公，高源是怎么知道李穹就是乔军的初恋女友，这些我都有待考证。

“头一句，头一句话就是……”乔军终于换了一句，“李穹，你在吗？”

“我在，你说吧，我听着呢。”李穹眼睛里面充满着母性的温柔。

“好，你在就好，我得这么跟你说，两句话，头一句，头一句就是……高源，我想吐！高源……”这刚要说到重点的地方，乔军忽然提高了嗓子大喊高源。一听说他要吐，高源和李穹一起架着他往洗手间冲，随后我就听到惊天动地的呕吐声。

李穹又走进来，黑着脸冲我说：“酒！”

我叫小赵开了两瓶啤酒，我俩一人一瓶，又让人把桌子收了，点了几个小菜，李穹就坐在之前张小北坐的椅子上。我一看李穹这架势，心里就有点儿打鼓，准备着今天又得把她背回去。李穹目前的状态让我想起了高源常说的四大惹不起：喝酒不吃菜，光膀子扎领带，乳房露在外，骑自行车八十迈。她属于那喝酒不吃菜的，绝对我是惹不起。

“李穹，少喝点儿，这些日子你瘦多了。”我说完了心里觉得酸酸的。

“初晓，你说我离吗？”李穹特冷静，“张小北都说了，要是我同意离，家里的东西他什么也不要，家里的存款他说我要愿意给他就给他点儿，不愿意给他也都是我的，他说我跟他这些年也不容易……”李穹说着说着就哭了，一杯啤酒一下子喝干了，“我想着，要不就离了吧，你最了解我们。我琢磨着，我要那么多钱干吗呀，有点儿就行了，该怎么分就怎么分……我这模样还算说得过去，好歹也能找个人养活着，嫁汉嫁汉，穿衣吃饭，我后半辈子也就这点儿追求了。”说到这儿，一仰头又是一杯啤酒灌下去了。

“初晓，你是编剧，可是你能编出这样的故事来吗？多生动啊！”她说话又开始打结了，“你编得出来吗你？”她瞪着眼睛问我。

“我编不出来。”这是实话，尽管我当年参与了李穹这些故事的幕后策划活动，可是你让我生编，我还真编不出来。早几年谁能想到张小北能这么有出息来着，他比潜力股涨得都邪乎。

“我们家张小北现在恨不得比市长都牛B，你得找个机会写写他的故事，多经典呀！叫高源拍，我给你们出钱！”咕咚又是一杯下去，一瓶啤酒见底了，小赵又拿上来两瓶。

“少喝点儿吧李穹，喝多了难受。”

“唉，”她长叹了口气，“酒是穿肠的毒药，钱是惹祸的根苗！听听，说得多好哇，说得可真好哇！”没见过她自己这么夸自己的。

高源扶着乔军又回来了，乔军的脸型跟高源有点儿像，都那么瘦长，本来皮肤就有点儿偏黄，刚才这么一闹腾简直像个蜡人。吐过了，乔军好像清醒了不少，一看见李穹喝得那么敬业，二话没说，端起我跟前的酒杯就要跟李穹干杯，让高源把他拦下了。

“操，滚蛋，高源！”乔军气急败坏地把高源从椅子上推到地上，高源的额头撞在桌子的一角，破了点儿皮。

“干吗呀你乔军！疯了是不是？”我有点儿急了，我这人特矫情，就许我自己把高源掐得跟大花萝卜似的，别人要对他有点儿小动作我就心疼。

“没你事，初晓！滚蛋！”高源横了我一眼，叫我觉得真没面子，要不是看在乔军和李穹都喝得稀里糊涂的不会记得这档子事儿，我肯定得跟高源掐起来。

今天怎么谁见了谁都叫滚蛋啊，大过年的好容易聚到一起，说滚就滚?

见我没说话，高源立刻就温和起来了，很懊悔似的：“帮我看看，是不是出血了，疼！揉揉。”他摸着额头，皱着眉，孩子似的向我请求着。

我伸手轻轻给他揉了揉鼓起的包：“没事，没事，就破了点儿皮。”转过脸去却掉下两滴眼泪来，真奇怪。

18

我越来越喜欢写故事，越来越喜欢看电视剧和电影。我写的故事里总能有自己的痕迹，而我总能在各种各样的电影电视剧里发现自己的影子。所以高源总说我没什么大出息，是的，我承认自己真的不是一个好的作家。充其量，我也就是拿文字当工具混碗饭吃吃。

那天把乔军送回家之后，李穹开车带着我和高源在四环路上转了仨圈儿。我史无前例地在那天晕车了，胃里污七八糟的东西疯狂地往上涌来。李穹把车靠边停下，我打开车门冲了出去，那些污秽从我的口腔和鼻孔一齐喷发出来，颇为壮观。

李穹看着我的惨状说了句特有深度的话，她说：“看看，吐出来的都是思想！”我当时的思维有些模糊，这句话却听得格外清楚，它刺痛了我的心，很痛很痛。

深冬的北京，临近年关。午夜，空气里弥漫着潮湿，酝酿着一场风雪。

再回到车里，没有人再说话。李穹把车开得很平稳，一直开到我家楼梯口，我浑浑噩噩地被高源从车里拽出来，李穹很平淡地跟高源说了句“回去给她弄点儿开水，好好睡一觉”，就走了，连个再见也没跟我说。

我病了，发高烧，窝在床上蒙头睡了好几天。高源把我照顾得很好，有一天半夜里我烧得浑身发抖，高源一会儿找药一会儿倒水忙得团团转，好容易好了一点儿了。他在我旁边坐下来，手搭在我的额头上，来回摩挲了两下，用许愿的口气说道：“等你好了，我们一起回爸妈家过年。”

他说的爸妈指的是他父母。早两年，一到春节我们就分开几天，他回他家，我回我家，他从来没有提出让我跟他一起回他家过年，也从来不肯跟我回我家过年，因此我甚至觉得他是不准备娶我的。不知道为什么，骨子里我老觉得春节能在一起过才像一家人。我们因为这样的事情吵过架，不知道什么时候开始我已经不在意了。今年春节，我仍是准备跟我爸妈一起过的，我想带他们去海南过春节，机票也定好了。

我跟高源说：“你什么时候去趟普尔斯马特，把那仨椅子带回来，说话该回家报到了。”

我俩那天逛普尔斯马特的时候看见一种新型的按摩椅，全身都能按摩到。他妈特爱打麻将，老嚷嚷着颈椎难受，我爸的腰不好，我们就决定买三个，给两边的老头儿老太太，另外一个给张小北他们家老爷子。

“乔军说下午过来，回头他开车我俩一块儿去。”他正在擦窗户，忽然就跑到厨房的橱柜里把从宁夏掠夺来的两瓶药酒抱进来，“这个给你爸得了，我们家老爷子喝了估计上火。”刚拿回来的时候他当成宝贝，据说比路易十三还贵，我一时还真想不明白这小子的思想境界是怎样提得这么高的。

“哟嗬，懂事了啊。”我趴在床上，被子盖得严严实实，露个脑袋在外面，脖子伸得老长，表扬着高源。

他白了我一眼：“瞧你脖子伸的，怎么跟英俊似的。”英俊就是他养的那只乌龟，他这么说，我觉得很幸福。

有人敲门，高源把张小北放进来了。

我听见他俩在厅里寒暄了两句，张小北就跟着进了卧室。他穿一套米色的西装，直奔我床前。“怎么着初晓，大过年的生什么病呀。”

我又巴着脖子向后看，没看见张萌萌：“你怎么着，小妍呢？”我看见张小北就生气。

“回湖南老家了，真病啦？没去医院看看？”他在床边上坐下来，让我想起新闻联播里干部下乡慰问老百姓的镜头，胃里一阵痉挛，又差点儿喷出点儿思想来。

高源给他倒了杯水，张小北点了支烟，抽了两口，从他的小皮包里掏出两个信封来，我心想真没新意，年年都这么个样。

“老样子，压岁钱。”他把其中的一个信封放在床头柜上，那里面是一万块钱，我也忘了从什么时候开始，每年他都给我压岁钱。又拿着另外一个信封对我说，“这里是购物卡，北京的各大商场都流通。”这富人跟我们中产阶级联络感情的方式就是不一样，不是现金就是代金券。我有时候想，这十分具有象征意义，它预示着我们之间的情感就像人民币一样坚挺。

说起来，每年这个时候张小北都会像这样来我家里走一趟。我记得早几年我没什么钱，当个跑腿的小记者，一个月就那么点儿可怜的工资，偶尔能收俩小红包也不顶事儿，过年过节顶多我们单位发点儿烂苹果咸带鱼什么的。张小北那时候也来，送几箱子新鲜水果，信封里装那么几千块钱快赶上我半年工资了。我当时特满足，打心眼里觉得张小北是一好人，惦记着我们劳动人民的疾苦。这两年我不怎么缺钱了，张小北过年拿来的信封也越来越厚，我心里却没了那么多感激。有时候我也想，初晓你凭什么呀！人家张小北也不亏欠你什么，你至少也应该发自内心跟人说声谢谢吧。可我一看见张小北或多或少流露出的满足和惬意，我越来越理直气壮了。人跟人表达感情的方式就是不一样，我跟高源都属于比较人性化的那种，比方说我给张小北他家老头儿送一张按摩椅，肯定比按照折价直接送老头儿两千多块钱更让他感动。我不清楚是因为张小北真的不明白这个道理，还是因为他已经习惯了这种苍白的表达方式，要不怎么说国人素质有待提高呢。

要我说我跟高源这样的人肯定不能当领导，我们这类人属于性格上有缺陷的。收了人家礼物，我说话立刻就软了下来："没去看看李穹的父母？"

"去过了。"张小北显得很伤感，"留了点儿钱，老头儿这两年身体不好，我说等过了年给他弄本护照，新马泰去转悠转悠。"

"你还记得老爷子最喜欢吃什么？"我故意逗张小北，"什么时候你再给老爷子弄一箱子皮皮虾，活的。"

张小北苦笑了一下，"谁还吃那个？龙虾都能当窝头吃。"

"怎么着？真准备离？"

高源一边擦着玻璃，听我这么问有点儿不满意地看了我一眼，我装没看见。

“过了年再说吧。”

“张小北，人家都说女人是因为心太软而结婚，男人是因为很受伤而离婚，跟你们家怎么全不是那么回事啊？李穹当年是因为心太软结婚，如今也是因为很受伤要离婚，你丫的怎么一点儿良心上的谴责都没有……”

“初晓，你帮我看看这块玻璃干净了没有？”高源打断了我的话。

我看了一眼：“人心呀，要像玻璃这么容易清理就好了。”高源听了很气恼地把抹布摔到了窗台上。

“你当那抹布是我呢？摔也没用啊，一会儿你还得洗。”

“你他妈到底有病没病啊？”高源急了，他脾气还真不小呢，一跟我急五官就纵到一起，脸跟朵花似的。

“有病就是没病。”跟人叫板的感觉挺好的，特别是当你知道别人不敢把你怎么着的情况下。我就不明白，像高源这么有正义感的小伙子怎么对待张小北这种不负责任的男人连旁听我谴责他的勇气都没有呢？真是人心不古。

“你逞什么强啊？”高源的愤怒明显升级。

“逞强就是不逞强。”

“狗脾气！”张小北说我。

“她浑着呢！”高源也总结了一句，连个退场的表示也没有，扔下擦到一半的玻璃，一个人跑到客厅看电视去了，搞得我很被动。

“得，你这大破坏分子一来，我们家的安定团结也打破了！”我白了张小北一眼，给我自己找了一个台阶下，“快帮我哄哄！”

“高源要不让你给折腾出精神病来，我管你叫大爷！”

“哼，李穹要不让你折腾出精神病来，我管你叫大爷！”

“你来什么劲呀？”张小北的愤怒也爆发了，急赤白脸的。

“来劲就是不来劲。”我脾气真好，他们都这样对我了，我愣是和颜悦色。

“操，我他妈真想抽你一大嘴巴！”张小北拿起小皮包往外走。

“哎，等等，等等。”我一喊，张小北就停在门口，“给我拿张纸，擦鼻涕。”

人啊，真让我没法说。对于我这样一个病人提出让他帮我拿张纸巾擦鼻涕的要求，张小北显得如此激动，捡起地上高源擦玻璃的那块抹布丢向我，一点儿涵养都没有，哪像个首席执行官啊，要不是我迅速地把头缩回到被窝里，那块肮脏的抹布非摔我脸上不可。人心不古，人心不古啊。

哼，别以为世界变化快，我可是什么都明白。

19

乔军来的时候高源已经坐张小北的顺风车出去跑着玩了，我正擦着玻璃。

“高源呢？”进门就问。他穿件高领黑毛衣，灯心绒的裤子，打扮得跟花花公子似的。

“高源出去玩了，不惜以打破安定团结为代价逃避劳动。”我站在阳台上擦玻璃，风一吹浑身轻飘飘的感觉，咳嗽了两声，“你先客厅坐一会儿，我这儿还剩一角儿就擦完了。”

“好歹擦擦行了，弄得跟真事似的，将来你们要结婚也不能住这儿啊。”他一边说一边往客厅走。

我也觉得这房子有点儿不给我们提气，我倒没什么，人家高源好歹也是一导演呀。我准备过了年好好写个本子，蒙点儿钱换个房子。我早看透了，真要跟高源结婚，挣钱的事儿肯定得我扛起来。高源对钱没什么概念，我想绝对跟他出去之后大吃大喝总有企业家买单有关，他们一贯是吃喝拿一条龙，我给他兜里装上几千块钱，好几个月都不见少。

我好歹又擦了擦，把报纸抹布往阳台一扔，到客厅找乔军聊天了，我还想听他给我讲他跟李穹的情史呢。大概是因为职业关系，我对别人的感情故事充满好奇，说不准能成为我下一个作品的素材呢！

乔军跟高源一个毛病，除非出席正式场合，否则不穿袜子。大冬天也不穿，也不穿拖鞋，光着脚丫子在客厅走来走去的。

他一看我出来，问我："高源上哪儿去了？说好了我们一块儿出去的。"

"没说上哪儿，保不齐离家出走了。"我给乔军从冰箱里拿了罐啤酒，啤酒是乔军的情人之一。

"吵架啦？你怎么老欺负我们高源哪！"

"别逗了你！"我点了支烟，"就我这小样儿的还欺负他？还不被他给废了？我疼他还来不及呢！"

乔军就嘿嘿地笑着："你别说，初晓，女人里头最狠的就是你这种，别的女人给男人栓根绳子，叫人看了特别扭，你呢，你给高源栓根松紧带儿，乍一看挺宽松……"

我赶紧接过话茬："仔细一看还真是宽松。"

"屁！"他白了我一眼，"你真敢把高源勒死的！"

我听他这么一说自己都吓了一跳，我哪会那么狠啊？原来我的形象是这样的，而且深入人心？由此我推断高源在乔军面前没说我什么好话，不然的话，乔军怎么会对我有这么深刻的认识？

“哎，别说我了，说说你跟李穹吧，敢情你们还有这一腿呢！”

说实话我挺愿意听乔军讲故事的，他说个什么事儿都特投入，让人感动得一塌糊涂。

李穹跟乔军还是高中时候的事儿呢。说起来十年前了，俩人还是“同桌的你”。李穹老给乔军从家里带点儿剩饭和吃不了的糖果什么的，乔军一感动，青春期的那点儿激情全都给李穹了。李穹开始表示接受，日子长了觉得乔军天马行空的性格不适合自己，好了两年就弃暗投明，跑到那律师的怀抱里去了。乔军这傻孩子直到现在还深陷当年少不更事的纯粹情感里没拔出来呢。

其实就这么点事儿，两句话就能概括全面。乔军活生生给我念叨了好几个钟头，还只是他记忆里比较经典的几个镜头。比如他跟李穹在学校大门口的梧桐树上刻下两颗心，在心的旁边刻下彼此的名字；比如俩人骑着自行车去团结湖游泳，去北海溜冰；比如夏天里李穹穿着的碎花长裙子被风吹起，他从飞扬的裙角偷窥到李穹乍泻的那些春光，直到今天乔军说起来也还是充斥着小色狼的欣喜……我觉得乔军可真够纯的，纯得叫人心疼，他那点儿风花雪月哪经得起十年世俗的浸染啊，居然他保存得这么完好，叫我折服。

“你什么时候认识的张小北啊？”

“前年了吧，在一哥们儿的娱乐城开业典礼上，张小北人不错。”乔军点着头，“哥们儿特像个男人！”

“什么才是特像男人的男人啊？”

“这可不大好说。”乔军想了想，“就比如对女人吧，丫特负责！”

“操！”我白了他一眼，“负责？你说对小姘呀？那对他老婆呢？”

乔军也挺轻蔑地白了我一眼：“女人呀，你们得知道满足，明白自己几斤几两，女人一过了三十，踏踏实实享福就行了。男人给你们打天下，没事儿跟家遛遛狗、逛逛街、做做美容，让自己心情愉快点儿就行了，老跟男人打仗最后肯定两败俱伤，可惜呀，可惜你们却都不明白……”

“那李穹现在过得怎么样？”

“那丫头命忒好了，我巴不得她老公有钱把她飞了好赶紧接班，可就是不能得逞，丫老公是二十四孝的。”乔军说得有点儿无奈，“听说老公挺有本事的。每回只要见面，就跟我聊她老公，说他下班就回家，整天围着她转悠，弄得我一点儿机会都没有，特郁闷。妈的，丫就是命好，好男人都叫她赶上了。”

“是啊。”我附和着，“我要有她一半的命好也就知足了。”我真不是说假话的人，自己都感觉自己笑得特僵硬，“乔军，你说我跟高源合适吗？我觉得有点儿委屈了高源。”我心里真是这么想的，我老觉得我扼杀了高源许多的创作激情。我刚认识高源的时候他特有个性，像一匹狼，如今，他像条狼狗。

“你知道你高明在哪儿？”乔军微笑着，“你高就高在不知不觉的把自己变成高源生活的一部分了。一个女人如果彻底被男人征服也就离下课不远了，你自己不断地进步，高源也跟着你进步，如今我们高源有点儿傲视群雄的感觉了，丫特崇拜你！”

有点儿悲哀，高源这孙子把我当成教练了，说不准哪天就毕业离开我了，我得抓紧时间把这小子拿下。结婚！只有这一条路了。

我跟乔军聊了一会儿，他给高源打了一个电话，高源在双安商场自己逛荡着玩呢，叫乔军去找他。我接过电话问高源晚上回不回家吃饭，他特不耐烦："没准儿，你要饿了先凑合吃点儿。"我又嘱咐他回来别忘了把那仨椅子买回来，他急了，"我这会儿在双安呢，上哪给你买去？明天再说！"我说，没准儿明天就回去看看老头儿老太太们，送回去就省心了。高源那边一下就炸开了，"今儿刚腊月二十你着什么急呀？我们家老爷子用不着你那按摩椅，又不是家里没米等着下锅呢……"我没等他把话说完就把电话给挂了，我怕自己跟他再吵起来。

"怎么了，还真吵架了？瞧你嘴撅的，够栓一群驴了。"乔军跟我贫，"平常老欺负我们高源，偶尔也该灭灭你的气焰了，不然哥们儿出去怎么走江湖啊。"他笑得特坏。

"别逗了你，没瞧见高源把我训得三孙子似的。"我没事人似的跟乔军说，顺手把他喝空的啤酒罐扔到垃圾筒里，"我也就小打小闹还成，高源一急我就废了。"

"这就是爱，说也说不清楚。走了，估计晚上他不回来吃了，我找他玩去，没事儿，我把他送回来。"

送走了乔军，我又把阳台上的垃圾清理了一遍，觉得神清气爽的，忘了生病那码事了。

20

以前高源老爱说一句话："时光如水，哗啦啦又是一年；岁月如歌，稀哩哩唱不成调。"晚上没事我一个人躺床上回忆着我们这几年在一起的日子。

我以前总教导高源要遵循一种错位的关系，这几年他基本是按照这个原则跟我相处的。所谓的错位关系是我自己在长期的同居生活中摸爬滚打总结出来的相处经验，就是对待女朋友和情人要像对待自己老婆一样，而对待老婆则要像对待情人一样。这几年与高源的同居生活，我基本上受到的是老婆的待遇。想想在不远的将来，我将享受着高源女朋友的待遇，我有点儿激动。这一激动，体温噌一下就上去了，烧得我口干舌燥外带汗流浃背。自己制作了一个冰袋，没几分钟就化了，我一着急，阳台窗户打开了一扇，站在那儿吹风。才吹了一会儿功夫，就感觉满天金星闪烁，跟进了人民大会堂似的。

我想了想，还是给高源打了个电话。他跟乔军正在一个演员家里打麻将呢，喝高了，嚷嚷着叫我给他送钱，钱输光了。我刚要激动一把，感觉热血往脑门涌。由于考虑到自己的革命本钱要紧，我没敢再激动。听着他们在电话里吵吵，看样子很热闹，肯定红男绿女一大帮。有人在唱歌，有人在打牌，还有几个听着高源打电话在起哄。有个女人把高源手里的电话接了过去，问我："你谁呀？他喝多了，缴公粮估计有点儿难度。"周围一通哄笑。

这群人老这么闹腾，有时候怪没劲的。我说："你把电话给高源，我跟他说两句话。"

对方特轻蔑地干笑了两声说："你就是那什么萌萌吧，也不至于献身了一把就这么拿自己当盘菜呀，这么会儿都几个电话了？"我怎么听着有点儿不对劲呀，又激动了一把，一头栽在地板上。可还顽强地拿着电话，我他妈可真坚强。

"你叫乔军那孙子听电话，丫找我灭他呢，你快点儿……"我话还没说完，乔军就已经把电话抢过去了，“初晓啊，你别听她胡说八道，这帮人不是喝高了就是抽多了，高源里屋打牌呢……”乔军说话舌头也不利落。

“没事，没事，我就是问问高源怎么样了。玩你们的，你也少喝点儿，开车呢。”我在一秒钟之内改变了我的策略，没事似的。

“哦，没事没事，放心行了。”

乔军这孙子，跟我玩这套，我有的是办法玩他。

“好，那你们玩你们的，我睡了。”

“好，好，再见，再见。”

这孙子绝对喝高了，大概按错了电话的键，大概糊涂了，反正电话没挂就随手扔在哪了。我手里握着电话听他们在那边吵吵，我听见乔军数落之前接电话那女的：“操，高源小命差点儿了结在你手里，他妈的你嘴怎么跟破瓢似的，什么都往外漏啊，初晓要知道这事肯定出人命。”

接着是那个女人替自己辩护的声音，特尖锐：“我哪知道啊，再说这事儿就算知道又怎么样？这事儿在这圈子里也不丢人，她连这点儿承受能力都没有，干吗找导演呀！”

另外一个女人的声音也响起来，似乎是我认识的一个人，曾经找我帮忙要上一个我编的戏：“高源，废了她算了。”

妈的，过河拆桥，做人真失败。周围人跟着起哄：“废了她，小姑娘有的是……”我伸长了耳朵听，想听高源说句话。无奈，太嘈杂，我没听清楚，但从那些欢呼声中能明白一个大概。

这帮人可真没劲，好好的干吗撺掇高源废了我啊，难道我真像他们说的那么次？他们可真不识货，如果白痴会飞的话，这帮人现在肯定待在飞机场。

我最后不得不放下电话是因为一低头，猛然发现自己流鼻血了，而且已经流了很多，偷听他们说话太投入了，居然没发现。放下电话，我赶紧爬起来，找了点儿棉花堵住鼻孔，穿上厚厚的大衣，把自己捂得严严实实准备出去看看大夫，我估计自己是扛不住这么烧。

眼泪这个东西很奇怪，难过了会流出来，眼睛里进了沙子会流出来，居然发个烧也会流得这么厉害。听说人体有许多自我保护功能，好像也没听说过谁的身体发烧会自动流眼泪降温的。我操，由此可见我可真不是一般人！

我东倒西歪地走到胡同口准备拦辆出租车去语言学院的一个二十四小时急诊室看看，高源有一回半夜肾结石发作我带他去过。刚往那儿一站，我一眼看见了贾六，我喊他："六哥，六哥！"贾六一抬头看见我，开着车就过来了。我拉开前门把自己塞进去，贾六立刻惊叫起来，"哟，怎么了妹子！是不是病了？什么脸色啊！"他眼睛里满是特真诚特真诚的关心，我低着头，把眼泪憋回去了。

"六哥，带我去趟语言学院里那医院，给留学生看病那个，发烧。"

"哎哟你吓死我了妹子，你可吓死我了，怎么不早说啊，高源呢？"他一边说一边让他那车蹿了出去。

"高源出去了……"我感觉胸口有些发闷，深吸了一口气，好像从此睡过去了。等我醒来的时候正听见贾六跟大夫表决心呢："大夫，大夫，您先救人，先救人，瞧见没有，外边是我的车，钥匙我给您搁这儿，我这就回去拿钱……"我张开眼睛，看见贾六焦急的脸，没顾得上感动，就感觉头晕。

"哎哟妹子，你可醒了，你吓死哥哥我了，你真把我给吓死了。"好像我死了一回又活过来似的，贾六非常激动。

“没事，六哥，我没事，我就有点儿发烧，一会儿就好了。”

“大夫，这是一作家，真的我不骗您，我妹子，作家，您先安排进病房得了，我这就回去拿钱。”

“你受累了，六哥。”我鼻子一酸，眼泪又差点儿下来。我对大夫说，“你们这急诊的刘主任是我邻居，住我楼上。”值班大夫一听，才肯安排我进病房并让贾六回去拿钱交押金了。

从我住到病房里就开始睡觉，恨不得把一年欠缺的那些觉都补回来，睡得真踏实。张开眼睛看见高源在我床边坐着呢，正翻本杂志。

“你吓死我了，初晓。”这是我睡醒之后高源说的第一句话，没带什么感情，语气特平常，但随着他说话，眼泪大滴大滴地滑落下来，“好点儿没有？”

“你受累了，高源。”这是我说的第一句话，说完这句话我马上后悔了，感觉我们的距离一下子就拉开了，“呵呵，好玩不？”我赶紧对着他笑了一下，问他陪床的感觉，高源一脸的苦大仇深。

“笑一个，跟我笑一个！”我逗高源。高源却突然抓过我的手，放在他脸上来回摩挲着，眼泪流到我的手心里，凉的，舒服。

那一瞬间我下了一个决心，忘记那个晚上我在电话里偷听到的那些关于高源的秘密，统统忘记，就像根本没有那么回事一样，本来就没有那么回事。

我觉得事情是这样，有些事情本来已经发生了，就让它发生过也就算了。我知道自己无力改变那些既成的事实，还好我能掌握将来。我知道对于男人们来说，他们总有一个共同的弱点，他们都喜欢在众人面前吹嘘自己的女人在自己眼中是如何的微不足道，其实那些不经意的流露才是真实，真实的在乎。

“高源，我做了一个梦。”在我决定原谅高源之后我又决定给他一点儿暗示，“我梦见我自己特宽容，你和另外一个女人在床上，被我抓了现行，你特害怕，怕我跟你没完，我赶紧安慰你，说高源你别怕，我其实是来给你送安全套的……哈哈哈，你看，我在自己梦里终于扮演了一回你希望我扮演的角色。”我特自豪地跟高源说。高源仍然像刚才一样特激动地看着我，可是我看得出来，高源心跳加快了不少，在我的面前，高源逐渐变得透明，而我的理想是把他变成一块水晶。

21

我从医院出来的那天晚上，跟家看电视，我居然在电视里看见了张小北和李穹两口子。是北京台的一个栏目，在年底为张小北做了一个专访，主题居然是关于企业家幸福的家庭生活。张小北与李穹在镜头面前表现得恩爱有加，互相吹捧。张小北说感谢李穹在背后默默支持他的工作，感谢李穹对他早出晚归表现出的大度和理解。李穹则感谢张小北自始至终给她那么多的爱，在家庭里尽职尽责地扮演着一个丈夫的角色。俩人在镜头前尽情地表演，简直像真的一样，我看得直流口水。节目中间的一段公益广告里我还看见了那天跟高源他们一起玩牌的一个女孩儿，我与她见过几次。这个被人包养起来三天两头抽一次大麻的女演员居然担当起了什么儿童乐园的形象大使，在镜头前呼吁人们追求健康的生活，放弃吸烟，走向自然……我很久不看电视了，一打开电视，吃惊不小，镜头前的这些演员真的是我所熟知的人吗？我感到很疑惑。世界怎么了？

后来想想也没什么，我不也是嘛，在人前扮演一个好的自己，背地里做真实的我。

我问高源，为什么那么多人到了电视上就变得那么完美了，私底下那么龌龊又是为什么。其实我自己知道怎么回事，什么叫做戏呀？我是编剧我怎么能不明白呢？只是我想听听别人的看法，比如高源，他是我的生活战友，也是我的搭档。高源特坦率地跟我说："有一天我要是大红大紫地成了名导，就算贾六都能发笔小财。把我现在的生活往外一抖落，鸡毛蒜皮的小事都能换回银子，你也是。"他这么一说我忽然想明白了，那天为什么我一个很要好的朋友（她以前跟我一起跑娱乐新闻的，混得特别不如意，结婚又离了，自己带着一个六岁的女儿过生活。消失了几年之后杀回了祖国的演艺圈，居然打着台湾著名演员的旗号，还是走的青春路线。各大娱乐报纸介绍她一律说她二十刚出头，其实她身份证上的年龄早过"三张"了），刚回北京立马儿托人四处找我，请我吃饭，特委婉地请我为她保守秘密，说实话我觉得挺没劲的。

我跟高源开玩笑说，有一天我要写一本书，把周围这些大明星小明星的故事写一写，好歹也能发笔小财了。高源特严肃地警告我，说我要想多活两年就趁早把这念头打消了。

其实我也就是那么一说，这些圈里圈外的勾当我看得明白也就算了，再叫全国人民都跟着添堵，我还真是不忍。

眼看就要过年了，我跟高源着实忙了两天，看望亲戚朋友，这一年的人情账都还了还。最后一算，还的账和收的账基本持平，没赔没赚。

腊月二十六了，我跟高源商量过年的事。我爸他老人家最近鸿运当头，刚结束了他腐朽的官僚生涯，领了单位一套三居室的大房子彻底退居到权力第二线，年底在双安商场一个什么柜台购物又中了大奖——香港七日游。他特抱歉地给我打一电话，说:“对不起，香港旅游只能带一个家属，想来想去，以我跟你妈三十多年的生活感情比跟你瓷实，这趟旅游我们就不准备带你玩了，自己找地方过年去吧。”

他这么一说我想起件事来。有回我跟我爸一起去百盛给我妈买生日礼物，先是打算买衣服，选了几种适合中老年的款式，我帮着试了试。我搂着我们家老爷子的肩膀说:“我看这个不合适，显老。”他点头表示同意，导购小姐一听，马上撺掇我们买更贵的，“是啊，先生您看您太太还这么年轻，不如到那边时装区去看看吧。”人家好心说了错话也是可以理解的，侧面也反映出我爹长得比较年轻我长得比实际年龄偏老这个既成事实。可我爸当时脸就绿了，沉着脸问导购:“你就没发现我跟我‘太太’长得有点儿像近亲？”你说你那么大年纪跟人家一个二十刚出头儿小姑娘贫什么劲儿呀。小姑娘也是个弱者（弱智的弱），愣没听出来，还一个劲儿叨叨“要不怎么说夫妻相呢，感情好的都长得像”。我一听该我说两句了，我轻了轻嗓子招呼我爸，“爸，爸，爸，要不咱给我妈买一皮包得了，你就豁出点儿银子，也弄一‘瓦萨奇’！”我故意的，一连喊了好几声爸，一声比一声动静大，这比直接告诉她这是我爸还有力度，连个道歉的机会也不给她，我估计那导购这辈子是不敢再跟顾客瞎套瓷了，再跟我们说话的时候她脸红得跟烤白薯似的，那叫可爱。自从那回以后，我爸就不乐意跟我一块儿出门了，他胆子小。在如今这个“打破老婆终身制，推广情人合同制”的法制年代里，我爸他显然还是个法盲。

言归正传，我一听我爸说不带我玩，心里正乐意呢，但还是假装很失望地跟他虚乎了两句，我说你们不带我去香港玩，我半点儿意见也没有，只要你们玩得高兴那就是我最大的幸福，定好的机票和酒店也甭操心，退了就是，充其量也就损失一千来块钱……要说还是我爸了解我，我一说到这儿，老爷子立刻把话接过来："你说吧，你有什么要求尽管提。"

话到这儿了，虽然他是我亲爸，我也不能客气了，我说："爸，您原来单位给您配的那辆车不是说好了您退下来之后掏点儿钱就能买下来吗？"

老爷子立刻反应过来，拒绝道："那可不行，话是那么说，那不等于占国家便宜嘛，再说我也不会开车。"

"我会开呀，您就帮我这个忙，想想啊，我可没求过您什么事，再说我给钱呀！"

占国家便宜是我爸他们单位的老传统，他的前任领导们退休之后都是象征性地花那么三四万块钱从单位弄辆半新的轿车。我早把这事琢磨好了，这车我们家老爷子要不弄出来，也得给别人弄走。再说他勤勤恳恳了大半辈子为党为人民，临了为自己这么一回也不过分，确切地说是为他女儿，也就是我本人。

我做了半天思想工作，我爸总算同意帮这个忙，我放下电话洋洋得意地看着高源，我说咱这就算有车了。高源直勾勾盯着我看了好一会儿，最后终于由衷地感叹道："你个禽兽，连你亲爸你都不放过。"沉浸在即将跨入有车一族的喜悦当中，我没搭理高源，自己偷着乐了好一会儿。没什么大不了的，我向来是宰我爸没商量，谁让他是我爸呢，再说了，这也是我们家一传统。我记得我上大学那时候，同宿舍有个女孩儿家境相当优越，有一回我们俩一起回家过礼拜天，路过燕莎她充满希望地说一句："明天我要来燕莎购物，血洗燕莎！”然后问我，“你呢？”我想了想，“我，我回家……血洗我爸。”人家都说女儿是爸爸上辈子的情人，因为割舍不断想念才追到了今生，我想我上辈子肯定对我爸特痴迷，即便是到了今生，我爸他老人家还是那么优雅、迷人、幽默、智慧、善良……还是那么好蒙，我的良心告诉我，也就血洗他最后这一次了。

“老头儿老太太明天下午的飞机去香港，送不送？”我问高源。

“呃，”他正坐在地上看《海明威全集》，听我问他，抬起头想了想，“送！”

听他这么说，我感到很高兴，高源这小子一向是有点儿犯怵面对我父母的，我劝过他多少回了：“丑媳妇总要见公婆的，傻女婿也迟早要曝光的，我都不怕把你带回去丢人，你怕什么呀？”他除了用同情的目光表示我在他眼中是个病人之外，基本不做什么特别的回应，反正我也习惯了。

我跟高源商量着明天中午一起请我爸妈吃饭，他倒头睡了，特踏实，我不知道怎么回事却总是睡不着，最近我一直这样。爬起来，把 CD 机摸出来，带上耳机听音乐。

那歌很有意思。我听着里面唱道：我觉得有点儿累，我想我缺少安慰，我的生活如此乏味，生命像花一样枯萎，我整夜不能睡，可能是因为烟和咖啡，如果是因为没有人陪，我愿意敞开心扉……我想你说得对，寂寞使人憔悴，是寂寞使人心碎，恋爱中的女人才美，我想我做得对，我想我不会后悔，不管春风怎样吹，让我先好好爱一回……

我是听着歌睡着的，我在歌的内容里莫名其妙地找到许多共鸣，熟睡之前我想了很多东西，已经忘了，大概就是关于我跟高源之间的吧。

第二天早上起来，我先给我们家打一电话，定好了中午跟高源回家去吃饭，我知道我妈又得弄一大桌子菜，都是高源爱吃的，他们打心里特重视高源，说到底还不是看我的面子。

高源也挺正式，差点儿就要把去年年初参加一个新电影开机发布会的西装穿出来，把我气坏了，怀疑他脑子有问题，一共就那一套一万多块钱的好衣服还老想穿出来显摆，有本事你吃饭别往裤子上掉啊。高源一吃饭前胸和裤子上肯定掉不少菜汤，你洗都洗不掉，要不是他闪得快，我这一掌又打在他后心的位置，疼得他半天起不来了。

“初晓同志，我警告你，如果你再对革命同志动手动脚，我决定起义了。”高源闪过我的一巴掌，把那套西装放回去，接过我扔给他的牛仔裤和套头衫。

我乜斜他一眼：“小样儿吧你，就你还起义？我告儿你说吧，你生是我的人，死是我的……死人。要想从我这儿分裂出去，反正……反正这辈子是没戏了。”

“切，你个小样儿吧！”他还不服我，“我要不看着你都成老帮菜，再也捞不着我这样的优秀青年了，我早走了我！”他换裤子，两条腿特细，高源看着比我还苗条，身材好，他老损我，说我的身材是“空前绝后”。

“你别跟我叫板，我挥挥手兄弟们就站咱家门口等着灭你。”

“得了吧你，你什么兄弟们呀？你也就一个贾六兄弟。”他对着镜子照来照去的，特臭美，“哎，初晓，说实话，贾六是不是喜欢你呀？”

“别逗了你，”我也套上一个红色的套头衫，我妈老教导说过年要穿红衣服，喜庆。

“人家贾六兄糟蹋过的女孩儿可比你见过的都多，能看上我？”

高源咂了咂嘴：“难说。那天楼上刘大姐跟我说了你在他们那儿住院呢，我心急火燎赶到那儿一看，你那贾六兄弟愁眉苦脸地守着你，正拿毛巾给你擦脚呢。”说到这儿摇摇头，又咂了咂嘴，“我估计他不知道你患有严重的脚气。”

“真的啊？”我听了倒挺惊讶，我原以为贾六也就是为了我能常常坐他的黑车才对我表示那么热情来着，“说实话，贾六也是个有情有义的人，就是没捞着多念几年书，混出来的，好像还坐过牢。”我心里盘算着，我柜子里那两条小熊猫香烟又有着落了。

“哟，哟，哟，来劲了你还？你现在可真是饥不择食了啊，把我糟蹋成这模样倒罢了，你连胡同青年都不放过。”

我一拳头打过去，到底他这回没躲过，龇牙咧嘴半天。

“走，回家！”我们扛着带给我父母的礼物出门了，“别告诉我妈我住院的事儿啊。”我想起来赶紧又嘱咐了一回，不由得想起我许多年以前曾经说过的那句“回家血洗我爸”的话，竟禁不住笑了出来，高源又拿同情病人的眼光看我。

22

自从高源回到北京我就没怎么回过家，连电话打得都少。一晃好几个月没看见我们家老头儿老太太了，我妈一看见我就特激动地在我后背拍了一巴掌，我估计我爱打人的毛病是遗传了她的基因。

放下手里的东西，我直奔厨房好好表现去了，高源被我家老头儿拉着在客厅坦率人生，老头儿特喜欢高源。

“东西都收拾好了？”我一边择菜一边问我妈，“别忘了多给我爸带点儿药。”我爸血压有点儿偏高。

“都带了。你邓阿姨前天去世了。”我说我妈有点儿忧愁挂在脸上呢，邓阿姨是我妈她们单位托儿所的所长，小时候看过我，人特别好，主要跟我妈关系好，五十多岁了。前几年她老公携带小蜜和巨款外逃，邓阿姨一下子就病了，脑血管破裂，整个人变得又呆又傻，夏天的时候我跟我妈去过北医三院看她，居然还能认得我，当时我妈还掉了几滴眼泪。

“现在怎么这么脆弱呀，邓阿姨都那样了，真是活受罪，兴许死了还解脱了。”

“我就是说啊，要不是那姓宋的没了良心，你邓阿姨怎么会这个下场？要说呢，这找对象是一辈子的事……”

“哎，妈，咱家酱油放哪儿了？”我得赶紧把话给岔开，听我妈谈起婚姻生活比看新闻联播还难受。

“你甭不爱听，现在稀里糊涂的，将来有罪自己受。”知子莫若母啊，我这点儿花花肠子怎么都绕不住我妈。

“我爸不挺喜欢高源的嘛！”

“高源跟你爸过一辈子啊？”

“他要愿意我也不拦着。”

“你说的都是废话，他愿意我还不愿意呢。”

“哈哈哈，老太太你也忒幽默了。”我大笑着，她年轻的时候动不动就会打我，有时候嫌打我手疼，她干脆掐我，胳膊、大腿都曾经留下过她罪恶的痕迹，直到我考上大学那天，她摸着我的头笑眯眯地跟我说：“彻底长大了，妈以后也舍不得再打你了。”别说，那天我的心情特复杂，也是在那天开始我决定痛改前非，重新做人。

别看我一女孩儿，打从进幼儿园开始就没让我妈省过心。第一天上幼儿园，我上的是小班，却抢了大班一个小胖子的苹果，被阿姨关小黑屋，一帮小朋友站小黑屋门口等着听我哭呢，我愣是自己在里头睡着了，捎带大小便也在里头解决了，等把我放出来，我倒没什么怨言，阿姨差点儿没哭出来，一见了我妈就告状："这是一什么孩子呀？这是一什么孩子呀？"说起来我那时候也就四五岁吧，你说你一大人跟我一孩子叫什么劲呀，临了也没逃脱我妈一顿打，她还把人家幼儿园阿姨对我的评价当成一口头语，我一惹她生气，她一边打我还一边问"这是一什么孩子呀"。那时候我就老想，问得多新鲜呀，你自己生的孩子你问我？这样的情景也持续到我上大学那天，我变得懂事而且乖巧。

"初晓，你看着你那些发小一个一个结婚生子，都什么感觉呀？"

"没什么感觉，我觉得她们都老了。"我妈正切黄瓜呢，我捏了两块放进嘴里，觉得好吃，伸手想去掰半根，老太太照我的手就是一下，"别的不说，你看张小北，老成什么样了？"

"我前天还在电视里看见他们两口子了，他爱人长得挺好。"

"人好，命不好，跟了张小北算她倒霉，闹离婚呢。"我轻描淡写地说了一句。

"我就前两天看电视里演的。"我妈强调着，"看着小北可是比那时候胖多了，那孩子宅心仁厚的，我早就说有出息。"

"哟，哟，庸俗了啊，你也就看着他现在有些糟钱儿呗，幸亏我没跟他过一块儿去，两口子现在闹离婚呢，满城风雨的。"

"为什么呀？"

"张小北那孙子玩婚外情，找一小妍，前些天还找高源要让他小姘进高源下部戏呢，孙子忒不是东西。”

“唉，挺好一孩子……”我妈感慨着，“他父母现在身体怎么样？”

“老关心人家干吗呀，老头儿身体还行，老太太前年去世了。”

刚说到这里，我爸在客厅喊我，我跑过去一看，张小北也跟那坐着呢，愣了，这家伙大过年怎么跑到我们家来了？

“你怎么流蹿到这儿了？”我问他。

“我路过，去个朋友家，忽然想起来，也好几年没见叔叔阿姨了，上来看一眼，没想到你们今天回家。”他看见我跟高源有点儿不太好意思。

我妈也从厨房跑出来，看见张小北特高兴，非留他吃饭，高源也跟着起哄，盛情难却，张小北来我们家蹭饭的阴谋又得逞了。

说起来，他有好几年没吃过我妈做的饭了。我刚认识他的时候，他隔三岔五就来扫荡一回，剩菜剩饭他尤其爱吃，为这，我还曾经送他一外号，叫“圣（剩）人”，顾名思义，就是喜欢吃剩饭的人。

说起来，我看到这种场面心里着实有点儿不是滋味，说不出来为什么，但好像除了我本人，高源和我爸妈看见张小北都特高兴，仨人聊得热火朝天的，我也插不上嘴，干脆我自己躲进房间里翻了翻以前的旧东西。

我不知从什么时候开始就有写日记的习惯，满满一箱子日记本，我知道，自从我把这些东西扔在家里，我们家老头儿老太太多少遍当成毛选似的那么研读来着，还好没什么有价值的犯罪记录。我翻开其中的一本，里面除了夹着几张没用的纸条，还有我跟张小北的一张合影，在北海照的，冬天，身后是白塔，我们穿着当时很流行的三紧式的棉夹克，我还围一条五颜六色的围巾，张小北真瘦，头发乱蓬蓬的，搂着我肩膀，足足高出我一头，鼻子尖冻得通红。我看着照片，怎么也想不出来是怎么来的，我们那时候倒老是去后海，不知道为什么会有了这张照片，算起来，七年前了吧。

“看什么呢你？”高源从身后推了我一把，照片掉到了地上，正面朝上，对着我跟高源笑。

“什么时候我跟张小北拍的这照片啊？”我捡起来，看了高源一眼，“那时候张小北巨瘦，你瞧，让他演猴子都不用化妆。”我把照片递给高源。

张小北也进来了，看见高源手里的照片，大叫起来：“这照片你还有呢，我那早不知道扔哪儿了。”

“我不正琢磨这是什么时候照的嘛。”

“别说，初晓，搁那时候你看着还像个女的。”高源趁机挤兑我。

“你什么眼神儿啊，我分明就是一女的！”我又问张小北：“为什么照的这相片儿啊？”

张小北仔细想了想：“忘了，都多少年了！”

真奇怪，我跟张小北一块儿照相的时候并不多呀，我怎么就想不起来了呢？

我妈张罗着吃饭，我们仨出去在桌子前坐下来，有点儿过年的意思了，挺喜庆。老太太一高兴，破天荒地张罗着喝两杯，我们仨一一向他们敬酒，他们也对我们都表达了美好的祝愿。席间，张小北还问起了我跟高源结婚的问题，我没出声，想听听高源怎么说，高源乜了我一眼，说：“过了年吧，我们明年差不多了。”我爸妈听了这话感到很高兴，他们终于要把女儿嫁出去了，多年的夙愿即将实现，连我本人也替他们感到高兴。

张小北那天还说，到我结婚的时候他要像嫁妹妹似的在北京饭店摆几桌，也不枉吃了我们家那么多的剩饭，在场的人全笑了，我笑得最大声。

吃过了中午饭，我们仨把老头儿老太太送到了机场，和等在那里的一小队同他们一样幸运的人们汇合之后登上了飞往香港的航班。他们一走，我就开始琢磨着到高源他们家怎么好好表现。

张小北在机场高速上把车开到了一百三十迈，他今天又喝高了。

“准备哪儿过年呀？”我问他。

“没概念。”他拿出烟来点上，又递给高源，“我自己根本就没有过年的概念，忙。”

“忙离婚呀！”我漫不经心地一问，高源猛地回头瞪了我一眼，我知道，高源是觉得我老拿离婚这事刺张小北有点儿不适合，高源还是比较善良的。

“怎么着哇，你还认准了你那张萌萌了？”我从倒车镜里瞟了高源一眼，他也正瞟我呢，我心想，孙子有本事别心虚呀。“你玩不转她，她面相可没李穹那么旺夫啊，不是我吓唬你，人常说外面有个搂钱的耙子，家里有个装钱的匣子，这样生活才能蒸蒸日上，你那萌萌可是一花钱的机器。”

张小北又把车提高了一点儿速度，快到一百四十迈了，他问高源：“你下部戏投资预算有多少？”

“三百多万吧。”高源吸了口烟，“投资不大。”

“萌萌能行吗？”

“什么行不行的，都差不多。”高源这句其实是实话，现如今除了那些正儿八经吃过苦的老艺术家们，演艺圈里这帮人没什么大分别。

“我给你投资。”张小北后面的意思就不言而喻了。

高源“嗯”了一声，没说行也没说不行。

“要不这么着得了，张小北，我专门给张萌萌写一本子，就写你们的故事，她就演她自己得了，连感觉都不用找。”我觉得刺一下让张小北有点儿尴尬的感觉特好玩。

“扯淡！”张小北黑着脸吐出两个字。

“我说小北兄，还有你高源，我告诉你们一个原则，男人啊可以玩女人，但别对女人动真情，除非你想娶老婆，这是游戏规则。”这半天了，我总算说了句正经话，说完了，他们俩人都不说话了，我知道他们那是在思考呢。人类一思考，上帝就发笑。

23

去高源家里过了个年，回家之后我满心欢喜的。说是过年，其实也就是吃了两顿饭，我跟高源就回家了，临走，高源他妈给了我一个传了不知道几代的玉镯子，晶莹剔透的。戴在手腕子上我倒没觉出来有多好看，有点儿沉，干什么也都觉得不方便。我高兴是因为我觉得这东西要是按照高源他妈那意思，从高源的奶奶的奶奶那辈儿传到今天，估计怎么也得从慈禧老佛爷那个年代过来的吧，值钱。搞不好还能卖出一套商品房的钱来，我把这意思跟高源说了，高源想了想说：“你要敢给卖了，估计我妈会跟你拼命的。”我这人一向爱财，但更惜命，从此也就打消了这个念头，但总想知道这东西值多少钱，找了个懂行的朋友看了看，那小子特惊讶，恨不得用眼光把这镯子看他们家去。少说，这镯子也值三十多万呢，三十多万呀，半套商品房，我着实戴在手腕子上美了几天，就是有点儿沉。

那天我把镯子摘下来放在茶几上打扫房间，累了坐在地上抽根烟，习惯性地伸手从茶几上划拉烟灰缸，结果……烟灰缸没划拉着，把我的半套商品房给划拉碎了，我连个响声都没怎么听清楚，它就碎了，真像在做梦。还好高源不在家，我偷偷把碎片找个手绢包了起来，塞衣柜最底层了，刚鼓捣完，高源就回来了，跟他几个同学一起，有一个是高源的副导演。

这帮人一来，家里就算翻天了。我跟他们打过一个招呼之后就找个辙躲了出去。我约了一个演员的太太一起出去喝咖啡。具体地说，是演员的前妻，前天刚办完的离婚手续，特低调，京城的娱乐记者们盯了他们有小半年了，都没捞着这新闻。趁着小报记者们都回家过年的功夫，俩人把手续悄悄办完了。

“怎么样，哪儿过的年呀？”我问她。

“还在我们家，我一个人过的，他有演出。”叹了口气，“唉，这么些年了，恢复了单身才发现，我这单身的日子跟不单身也没什么分别，前几年跟着他也是一个人过来的。”

我想安慰她几句来着，一看这意思，我歇了吧。

这姐妹儿特神，整天开着她的宝马满北京转悠着吃喝玩乐，过得跟神仙似的。

“哎，一会儿去燕莎逛逛？”她提议道。

“你呀，别老去那种宰人不见血的地方。”

我跟她算是熟悉的朋友，自然说实话，燕莎商城那种地方根本就不是给人民开的，一个盛水果的玻璃盘子卖到六百多，稍微看上点儿眼的东西就成千上万的。反正我觉得那是一专门给腐败分子洗钱的地方，不适合像我这种中产阶级，偶尔也去，买点儿小东西，回家以后还心疼老半天，而且，这种心疼钱的感觉你还不能逮谁跟谁说，别人眼里好歹我也算有些糟钱的，说了怕被人笑话，做人真他妈累。

“一会儿我带你去新街口转转，那儿好些小店，专门卖出口转内销的衣服，质量绝对好，我给高源买的POLO和NICK没一个真的，全来自那边不知名的小店，谁看得出来呀！”

说起这些我就很得意，我花三十块钱给高源买的BOSS的衬衣，拿回家他也当两千多的穿着那么美，一边美还一个劲地怪我瞎花钱。本来那天我一口气买了五件呢，看他那么说我没敢一次都拿出来，分了三回拿给他，傻小子心里也没个数，那回跟朋友一起从燕莎往凯宾斯基饭店走，路过通道里那家非常有名的钻石店，高源想起我给他买那五件BOSS，当场掏出信用卡，刷出五千多给我买了一个戒指当生日礼物，我从他那儿占的便宜多了去了，自己都不好意思一一赘述。

“唉，初晓，我有个特不好意思的事跟你说。”她比我大十岁，显年轻，看起来跟我年龄差不多。

“说，跟我有什么不能说的。”忘了交待了，她名字叫杨小美，圈里知道她的都叫她小B，B是beautiful的第一个字母，她老公以前叫她老B，因为他说字母B有两个高峰，象征着她的两个大咪咪。我以前曾经想过让高源叫我小C，我想混水摸鱼，没准别人还能以为我是C-cup呢，高源不干，他说不能欺骗人民，因为我内衣的size是A，他坚持用“空前绝后”形容我，偶尔，他也会说我是一投错了胎的洗衣板，我已经麻木了，任凭他这种不懂得什么是骨感的农民侮辱我的空前绝后的美。

小B凑近我的耳朵，压低了声音问我：“知道哪儿能弄到那种药吗？”

我以为她要毒品，吓了一大跳："你不会也染上瘾了吧。”圈儿里许多人在吸毒，类似摇头丸那种东西更是平常得跟感冒药似的，他们管这叫 high 丸。

她白了我一眼："哪能啊？我是说那种药，就是帮助人提高情趣的。”

“春药啊？”我得确定一下，声音就比她用气声稍微高了那么一点点儿，她赶紧打了我一下，又向周围看了看，“你吆喝什么？”确定没人听见我的那声吆喝之后，才又接着用气声问道：“有地方弄吗？你们年轻人肯定知道。”

“你也知道我是年轻人啊？我跟高源用不着。”我这回也用气声回答她，“我们……我们……我们自身生产的那点儿激素已经足够了。”我还真差点儿找不着适合的词儿。“看不出来呀，小 B 同学，你还干这种坏事，要不我给你弄点儿伟哥吧，进口的，我有一大学同学那儿就有，现成的。”

“少跟我贫啊，谁不知道你们如狼似虎的年纪呀，我是说，知不知道哪儿能弄到。”

我上下打量了她一番，目光在她的大咪咪上打了好几个转儿，“好像你也用不着吧。”

我想我当时的表情足够下流。

“你甭管，我就问你有没有地方弄。”

我想了想，估计奔奔那儿肯定有这种东西，上回她来我家拿和服的时候接了一个电话，好像是她手底下一个小鸡头跟她诉苦，说搞不定一个什么人，似乎毕生的修炼都拿出来了，那个男人就是坐怀不乱，问奔奔应该怎么办，奔奔当时说：“操，丫不是阳痿就是一太监，连你都搞不定别人根本没戏，只能给他点儿化学反应了……”她挂了那电话以后拿了衣服就匆匆忙忙走了，我估计她说的那个化学反应肯定就是小 B 想找的东西。

我问小 B：“我认识一个朋友好像有，不过我不确定，我给你问问吧，你干吗呀？你……你……谁要这个呀？”我觉得特奇怪，感觉这些东西都跟犯罪联系在一起，我这个守法的大良民说起这些东西总会莫名其妙地紧张。

“你现在打电话问呀，你就甭管我干吗了，反正有用。”她好像马上就想尝试似的。

我听她这么说也不好再多问，拿起电话拨了奔奔的号码。下午四点多，我估计她该起床了，结果她一接电话还是睡意朦胧的感觉。我问她那天在我家说起的那个让人产生化学反应的药她有没有，她好像忘了，一个劲地追问我什么化学反应，我坐在咖啡店里，又不好说明白，只一个劲地提醒她拿和服那天她电话里说过的，这丫就是想不起来。要不说烂泥糊不上墙呢，这种烂人也让人没法夸，就是想不起来什么化学反应，我只好压低了声音特直白地跟她说：“就是春药，有吗？”

我以为她会哈哈大笑一阵取笑我呢，丫还是继续迷糊着，嘴里嘟囔：“哦，你早说呀，有，你要多少上我这儿来拿就是了，我再睡会儿，你什么时候来拿再打电话吧。”没等我说话就把电话挂了。

我跟小 B 又坐了一会儿，六点多钟，我估摸着奔奔那厮已经沐浴更衣完毕准备出来活动的时候，给她打了一电话，电话里奔奔说她一会儿要接待一个日本客人，好像是一个什么“猪市会社”社长的公子。我听她叨咕了一句没听太清楚，似乎是一个很有名的公司来着。我让她说个地方，我跟小 B 过去找她，她说她一会儿去远方饭店，我们约好了七点在远方饭店的大堂见面。放下电话，我又是一阵感慨，妈的，从什么时候开始，奔奔也开始为国家挣外汇了，还是皇军的硬通货，说皇军有点儿不太适合，似乎“日军”更贴切。

七点，我们准时赶到了远方饭店，大堂里灯火通明的，奔奔穿着我送给她的和服坐在一个角落的沙发上抽烟。我见她一身日本艺妓的打扮硬着头皮夸了她两句，她显得十分欢喜。

“东西呢？”

奔奔从随身的包里拿出一个白色的小瓶儿，“喏，拿去，正负极！”听听，这罪恶的东西连名字都叫得这么邪恶——正负极。

我挺好奇地从里面倒出来一颗，白色的小药片，好像我常用来治疗失眠的“安定”。我拿着小药片，对着灯光看了半天，问奔奔：“有那么神吗？跟我平常吃的‘安定’差不多呀。”小 B 也拿出来一片，自己在那儿研究。

“差不多？差远了。”奔奔有点儿不大高兴，严正抗议我对这种小药片的怀疑，“等着，我让你看看。”她朝对面的一个女孩儿招手，让她拿来一罐可口可乐，特神秘地看了我一眼，“看着啊。”我跟小 B 都不约而同地张大了眼睛屏息凝视她的举动。

奔奔打开可乐，拿着小药片在我面前晃了晃：“看好了。”她把小药片迅速地扔进可乐里，又迅速地捂住自己的耳朵。几乎是在她放进去的同时，一声巨大的响儿，可乐罐好像发生了一次小小的爆炸，里面的液体全洒了出来。

面对我和小 B 惊讶的表情，奔奔颇得意：“看见了吧，看见了没有？知道厉害了吧。”

我半天说不出话来。小 B 也是，张大了嘴巴半天合不上。

“管保你好使。我告诉你实话吧初晓，这些都是进口的，跟白粉一个价位，目前，全中国也就北京刚有。”

“你哪儿弄的？”我这人特爱刨根问底。

奔奔从座位上站起身，整了整衣服，特神秘地对我笑：“我？我有什么东西弄不来呀，嘿嘿，我除了原装的童贞，什么都能弄来！”

我操，奔奔这个大文盲外带大流氓居然还知道童贞这么文雅的措辞，不过我听着还是很别扭，我宁愿她说处女膜。

“好啦，今天先不陪你聊了，我的日本客人还等着我呢！Bye。”她今天有点儿反常，老从嘴里往外蹦那么官方的外交用语，我非常非常地不习惯。

“哎，等等。”小B把奔奔叫住，“我给你钱吧。”说得特真诚，一边说一边掏钱包。

“得了吧姐姐。”奔奔习惯性地白了小B一眼，“当我给你的见面礼了，以后你要有什么好生意照顾你妹子我点儿就行了。”

“这……我还是给你钱吧，挺贵的东西。”小B这家伙一向就这样，也是仗着自己有几个糟钱。

奔奔极其不耐烦：“行行行，五百块钱一片，那一瓶十片，给你打八折，你给四千。”

我扭头又看小B，她脸上写满了尴尬：“没带那么多现金。”她冲我说的，我看得出来，奔奔是成心叫她难堪的，这丫就这样，谁要不顺着她的意思，她就得绊谁一跟头。

“行了，什么钱不钱的，奔奔都说送给你了，拿着就行了。”我又打了个圆场。又对奔奔说道：“您赶紧忙您的去，回头再耽误您跟日军谈判。”

奔奔听了我的话，对着我坏笑了一下，嘴里又嘟囔了一句：“什么他妈日军啊，早改自慰队了。我操！”说完就扬长而去了，我本来想告诉她一句文雅一点儿又很能表达她双腿之间愤怒的话来着，没捞着机会，她实在是太忙了。

唉，要说也是没办法，今天在奔奔这儿又验证了一次真理，“金钱不是万能的”，要没有那些要钱不要命的三孙子们把“正负极”从国外弄到中国来，小B就算有得是money又能怎么样呢？想到这些，我忍不住在心里由衷地骂道：“我干！”这本来是我想告诉奔奔的“我操”这个意思的另一种说法，那是台湾宝岛上的新新人类风靡的表达方式，我想奔奔一定会喜欢这种含蓄的表达方式的。我干！

24

歇了小半年，我终于要开始忙起来了。有个影视公司找到我，希望我帮他们写一个关于都市情感的连续剧，二十集的。写电视剧这活儿是集体创作，影视公司找那么几个编剧，往一起一凑，你写什么故事他写什么故事那么一分配，就算完了，你带着自己的任务自己回去写就是了，等大家都写完了，再把各自写的部分往一起一攒，一部电视剧就诞生了。这回我分了四集，是写一个像奔奔那样的妓女找到真爱的故事。

我对特殊行当的从业人员认识还只是局限在表面，特肤浅，为了能把我那几集编得更深刻一些，我向奔奔同志提出申请，想到她们那儿体验体验生活。我没敢告诉高源，主要考虑到全国人民的利益，万一他没扛住卧倒在病榻上，我们人民又少看一部文艺作品，尽管我目前还不知道高源同志将折腾出的那部新戏是个什么爷爷奶奶样。

奔奔还算照顾我，每天上下班都坐贾六开的班车。我的角色有点儿像奔奔的秘书，协助她的工作，说白了就是她一小跟班。通过与奔奔一起工作的这些日子，我逐渐地认识到了，这是一个组织性和纪律性都很强的行业。奔奔的工作担子很重，压力也很大，我很努力地工作，希望帮她分担一些困难，比如说一次又一次地找关系把不幸被捕的人从局子里往外捞，这些都是我力所能及的。到目前为止，我还没有机会做业务工作。

有几次，我跟奔奔强烈要求深入到业务第一线，都被奔奔严词拒绝了。我想，她主要是怕我把她的客户都搞砸了。

如今，我的作息时间严格按照美国人民的习惯，北京时间早上八点睡觉，下午六点起床、化妆，穿上我们行业的职业装，跟着奔奔出入北京各大酒店以及酒吧、夜总会等场所。

那天路过唐人街，一眼看见李穹跟另外几个半老徐娘站在拐角跟一年轻的少爷谈着什么。当时我正坐在贾六的班车上，我跟贾六说："李穹这会儿跟这干吗呢！"

贾六把车速放慢，看了一眼："我早跟你说过她来找鸭子，你不信，这点儿，在唐人街，除了找鸭子还能干吗？"

"瞎说吧你。"

"我常在这儿看见她，还有她旁边那女的。"

"你停车，我下去问问她。"我叫贾六把车靠边停下，直接奔李穹就过去了，"李穹，这是干吗呢？"算起来，我得有两个月没见过她了，离婚的事也没听她再提起过。

"你怎么在这儿啊？"她一看见我就有点儿紧张，"没……没事，看见个朋友，聊两句。"

我一看她的朋友，小伙子也就二十四五岁，长得很秀气，属于奶油那一类。

我刚要再跟李穹聊两句，奔奔的电话打来了。我好不容易争取到了一次做业务工作的机会，她把我发配到怀柔的一个度假村，客人还等着呢。我赶紧跟李穹告别，赶往怀柔某客房。

以前我老跟高源的几个朋友一起到怀柔吃红鳟，偶尔也附庸风雅去爬爬慕田峪长城，说实话，那里是个嫖娼的好地方，警察一般找不着。

坦白地说，我很紧张。虽然奔奔跟我说那里到处都有我们的人，我多少还是有点儿担心要是赶上一超级色狼，我也是凶多吉少。实际上我已经做好了最坏的打算，既然要深入体验一把生活，我豁出去深入到底了，反正我现在也知道，高源已经和张萌萌深入过了。

车停在别墅的门外，我嘱咐贾六："你回去吧，开车慢点儿。"

"妹子，你真……你真要破罐子破摔……不，你看我这什么破嘴呀，我是说……你想明白了？"贾六比我还紧张，说话有点儿哆嗦。

"没事，顶多也就是被色狼强暴了，嘿嘿，为了人民嘛。"我故作轻松跟贾六贫，"六哥，回头高源要知道了你得给我做个证啊，我这是为了人民才做的鸡。"

贾六也不知道想到了什么，抓着我胳膊使劲往车里拉："走了妹子，咱回去了，丫奔奔真操蛋！"

"别介呀，来都来了。"我又坐回车里，给贾六做思想工作，捎带抽支烟，"放心放心，没事，不就是挣小费嘛，你不是常常教导我吗，'下岗妹，别流泪，挺身走进夜总会，傍大款，挣小费，不给国家添累赘'。"这几乎成了贾六教导堕落女青年的语录了，我接着说到，"再说，奔奔说了，我挣的钱她一分提成不要，回头咱拿着小费喝酒去。”

贾六特郁闷地瞧我一眼：“妹子我跟你说，你跟奔奔手底下这帮人没法儿比，人家随时都有勇气脱光衣服跟人……那什么，连三角裤都不穿……你行吗？……你别误会啊，我这意思是说……你肯定不行就是了，咱还是回去吧。”说着就发动他的破夏利。

我烟也抽完了，赶紧把车门打开跳了下去：“开什么玩笑！走你的行了，放心！”我关上车门给贾六敬了一美国式的军礼，转身往别墅里走。

“哎，初晓，初晓！”贾六又把车停住招呼我，“有事打电话啊，随时打电话，我二十四小时开机。”

“行了，行了，你回去吧，路上小心点儿。”我叫贾六忽悠得很紧张，忽然有一种撂挑子不干的冲动，又一想，来都来了，我干了，舍不得孩子套不住狼，不当婊子没人立牌坊！我想好了，将来我要作了古，请人写个墓志铭，告诉后人们：这里不止留下了高源一个人的痕迹。干！真豪迈。

我做了几个深呼吸之后，走进了别墅。

第二天早上，我从别墅里走出来，深深呼吸了两口山里的新鲜空气，伸了个懒腰，琢磨着怎么拦个车回家。我们行业的规矩是尽量不给客人添麻烦，出门的时候那几个孙子非说要开车送我，我一想他们也折腾一夜了，没好意思。

折腾了一宿，我困得眼睛都睁不开了。又往前走了几步，转过一个山口，我看见贾六那辆我熟悉的红色夏利正泊在路边，贾六披着个棉袄车里睡得正香呢，手边还放着他防身用的杀猪刀，我暗想，贾六兄的警觉性还挺高。

我敲敲玻璃，贾六一激灵醒了，看见我，赶紧把车门打开，跳出来，双手拉着我胳膊："哟，出来了妹子，怎么样，怎么样啊？"神情极其严肃，宛如旧社会里的穷爸爸把女儿送进了地主家。他对着我左看右看的，好像我身上少了点什么似的。

"你怎么没回去呀，怎么跟这儿冻一宿啊？"我困得都快说不出来话了。

贾六急得直跳高："你快说啊，怎么样，这孙子怎么折腾你了？"没文化就是不行，这种事哪能问得那么直接呢？

我笑眯眯从口袋里掏出五百块钱来，在贾六面前晃了晃，"See！今天晚上'谭鱼头'，我请客，现在你先受累把我送回家。"

贾六就不说话了，黑着脸发动了那破车，往回开。他一路上就没消停，一个劲儿地跟我打听昨晚的情况，我睡得迷迷糊糊的，哼哼唧唧说的什么话连我自己都听不清，别说他了。

从怀柔开到市里，一个半小时，做了一梦，梦见面前桌子上摆了一大堆钱，巴巴地数了一路。好梦，好梦啊，挣钱的感觉真好。

到了我家楼下，贾六还问呢："你还没说呢，妹子，到底怎么样啊？"

我闭着眼睛跟他说："晚上吃饭再跟你说，我这会儿……"一转身险些撞墙上，"我这会儿困着呢，腰酸背疼的。晚上我给你打电话。"说完了我就回家睡觉去了，我实在是太累了，很累，很累。

25

晚上七点，贾六的班车准时等在我楼下，见了我一脸的苦大仇深。睡足了觉，我精神百倍。开始跟贾六汇报我昨晚的工作情况。

我一进到别墅里面，给我开门那小子就特下流地盯着我的胸部，让我觉得很有信心，不过我心里还是有些怕怕的，毕竟这是第一次嘛。别墅楼上的一个房间里，传出几个男女调情的说笑声和哗啦哗啦的麻将声，那小子带着我进了门，我还没来得及打量打量环境和房间里的这些人，有人高声叫我的名字："初晓！这干吗来了？"我一看，小B的前夫。心想这回玩儿现了。

"你怎么也在这儿啊？"房间里七八个男女一看我们俩对上话了，全都愣在那儿。

"我，我躲这嫖娼啊。"他对着我挤眉弄眼儿的，"你又干吗来这啊？"

"我？我卖淫呀！"我一看人家对我这么坦诚，我也没什么磨不开的了，斗胆说了句实话。"你刚把你们家小B甩了就来这儿犯罪，过分了啊。"

"瞧你说的。"他把手里的牌让给身边一个女的，过来跟我聊，"几个朋友从外地来，跑这儿打麻将来了，给你介绍，这是刚从国外回来的，莫斯科电影学院导演系毕业的，跟你们家高源同行。"他指着我对面肥头大耳一个胖子介绍，"这是我一老大哥，人民公仆……"他把房间里的人都给我介绍了一遍，我一一打过了招呼，好像他们都挺尴尬，他又介绍我，"初晓，北京城里一祸害。"接着问我："吗来了？"

这回我倒真有点儿不太好意思了，拐弯抹角地表达了体验生活的意思，一屋子人都为我的敬业精神所感动。我们俩聊了一会儿，被他们招呼着打麻将，我本来不怎么会打，跟这帮正人君子往一块一坐还有点儿紧张，可小B的老公非叫我上阵，说既然来体验生活，不陪睡，怎么也得陪着打打麻将娱乐娱乐，我开玩笑说："五百的出台费一分可不能少啊。”就这么着，我跟这帮人渣打了一整宿的麻将，虽说不怎么会打，可手气壮，卷了这帮孙子一千多，早上出来，小费我也没好意思再叫他们多给。

我原原本本跟贾六叙述了一遍，贾六哈哈大笑，连说初晓你可真牛B。连我自己也觉得挺牛B的，估计我妈要知道了又得掐我。

我很小的时候住在四合院儿里，有个邻居是大学老师，没事的时候院儿里一帮孩子围着他听故事，他讲的最多的就是关于妈妈的故事，很多，我现在都忘了，只记得他跟我说过，说全世界有许多许多的语言，什么英语法语德语俄语的，只有妈这个单词的发音都差不多，由此可见妈是世界上最了不起的人。我倒没觉得我妈特了不起，不过我到现在还是有点儿怕她，也许是小时候她常常打我的缘故，我坐在车里的时候忍不住想，要是我去体验生活的事传到我妈的耳朵里，她会有什么反应，虽然奔奔是个孤儿，但她一定也是妈生的，她妈要是知道自己的女儿做这样的工作，会不会像我妈掐我似的，掐到她浑身花里胡哨的。

“昨天你六哥我才神呢，陪着两个日本大集团的太子逛友谊商店，出来之后路过一个性用品商店，我看见那孙子一个劲地看那带刺刺的避孕套，我跑进去买了两盒送给他，孙子乐坏了，我把他们送回酒店的时候，孙子结账一出手就是两千美金，两千美金呀妹子！”贾六说得天花乱坠唾沫横飞，破夏利险些与前面一辆红旗零距离地接触上，我吓地直冒汗。“今天六哥请客，你想吃什么哥哥请你吃！”

本来我说请你吃来着，就凭你刚才把我吓得直冒冷汗，吓死我不计其数的文艺细胞我也得吃顿好的补偿我自己！我这么想着，更何况贾六的小费一挣就是两千美金，我一晚上才卷了一千，还是人民币。

我跟贾六开车到了希尔顿，这里的日本菜足够贵的，既然赚了小日本的小费，当然得狠吃一顿日本菜了。

我刚下车，电话就响了起来，是李穹，我很疑惑地接起来，有多长时间了，她没给我打过电话。

她跟我说的第一句话是："你死哪儿去了初晓？"

我说："我在外面跟人吃饭呢，李穹你最近怎么样？"我以为她又郁闷到家了，要找我出去陪她喝酒，就接着说："要不李穹你过来找我吧，就在希尔顿。"

李穹冷笑了一声，说初晓你老公正跟人在床上运动呢，你还吃得下饭，赶紧回家吧。

我听完犹豫了一下，我想李穹不会拿这种事情跟我开玩笑的，我犹豫的是该不该揭下高源脸上的这层面纱，我知道，一揭开，我就结不成婚了。

我的脸色大概有点儿变了，贾六紧张地问我："妹子怎么了？是不是不舒服？"

我把车门打开，又坐了回去，"六哥，有烟吗？给我点一支。"贾六点燃了一支烟送到我手里，我狠嘬了一口，呛得直流眼泪，"六哥，高源正跟人在床上呢，你说，我去找他们吗？"我心里很悲哀，想当年我跟李穹雄赳赳气昂昂去拿张小北的时候我的感觉是那么轻松，甚至有点儿莫名其妙的窃喜，有点儿探险的激动。如今，终于轮到我自己了，还有一点儿，李穹和张小北之间是有那一张受法律保护着的结婚契约的，我跟高源之间可是什么都没有，全凭自愿脱光了衣服睡到一起的，我去抓他跟不去抓他又有什么分别？这些问题在我脑子里来回来回地转啊转啊转的，转到我想吐。

我看看贾六，他一脸的忧国忧民。

“妹子，按说你哥哥我这时候应该义不容辞地站出来给我妹子出气，不过你得想清楚了，你要这么一闹……男人都一个模样，不是你六哥我替高源说话，男人没一个好东西。”贾六又看了我一眼，“你六哥我虽然是个混蛋，可在这事上也得劝你想好了，我说句大实话，他心里肯定是有你，可这不耽误他搞副业，听哥哥的，装没事似的，好好吃这一顿，回头找个机会敲敲锣边儿。”

我烟也抽完了，一挥手说：“走，吃饭去！”走到饭店门口，我忽地一转身，贾六正低着头走路，跟我撞了个满怀，“走，六哥，跟我回家！”

回去的路上，我给乔军打了一个电话，我问他高源是不是跟他在一块儿，我到处找高源都找不到，打手机老说不在服务区。我的本意是想叫乔军给高源通风报信，赶紧把衣服穿好，省得正在床上一丝不挂的大家难堪。我觉得我的心真是挺好的。

乔军马上说他帮我找，找到了让高源给我回电话，问我在哪儿呢，我说我正在回家的路上，乔军马上说，我这就给你找他，让他给你回电话。

放下电话，我又让贾六往我家里打电话找我，我们家的电话是带来电显示的，我的电话一打，高源就能看出来。

通了，高源接的电话，贾六问他：“高源，初晓呢？”

高源跟他说我最近接了个本子，大概挺忙的，贾六又跟他套瓷，问他怎么有时间呆在家里，高源说回家拿点东西，然后说他正接着一个电话，不多说了，然后就把电话给挂了，我想，乔军真是个称职的消息员。

车已经到了我家楼底下，天都黑了，连半个星星都看不见，刮起了风，我家的玻璃窗里透出灯光，那些玻璃我擦得真干净。

我本来说让贾六回家吧，可他非得跟我一块上楼，我猜测，他是怕我一激动，从五楼往下跳，因为我下车的时候看着我家阳台说了一句："挺高的，要是从上面掉下来，肯定废了"。其实，贾六不了解我，我二十九岁了，还没为祖国做什么贡献呢，我舍不得把自己废了，要废也是高源。

我想的没错，女主角真是张萌萌。我进屋的时候她正坐在沙发上看剧本，高源坐在她的对面，茶几上乱七八糟地放着一摊打印纸。

"初晓回来了。"张萌萌看见我，笑得跟朵花儿似的。

我直接进了卧室，把外衣脱在了床上，卧室里很干净，我的床很整洁，橘黄色的床单平整得没有一丝褶皱。

我没事人似的，招呼贾六坐下，给他和张萌萌倒了杯水，嗔怪高源不懂礼貌，不知道给张萌萌倒水。

"聊什么呢你们？"我走向厨房，"都没吃饭吧，吃点儿什么我做。"

高源说："我跟萌萌说说戏，这两天就要开机了。"

我把头从厨房门口探出来，"萌萌想吃什么，说戏说得累不累？煮面条给你们怎么样？"

这句话我是从周星星的电影里学来的，当年我跟高源一起看这部戏，刘嘉玲演老婆，面对勾引她老公的那个病人她就是这么很热情地说："这位大嫂累不累？要不要我煮碗面给你吃？"我那时候跟高源开玩笑说，以后要是有人这么勾搭他，我也给对方做面条，看来今天得吃这一顿面条了，我说到做到。

我看了贾六一眼，他特疑惑地看着我，余光扫过高源的脸，他满面红光的，像刚被人打过耳光。

“好啊好啊，”张萌萌说，“我可是很长时间没吃过面条了。”她穿着一件领子一直开到肩膀的薄毛衣，披了一条黑色的披肩。

“萌萌，你这披肩可真好看，在哪儿买的？”我走过去，把她的披肩拿下来，“我试试怎么样，前几天还说要去买一条呢。”张萌萌的皮肤好得没挑儿，肩膀真光滑。

我在镜子前比划了比划，又把披肩还给她，说真好看，哪儿买的，她说张小北从香港买回来的，我又问张小北干吗去了，她说公司开会呢，我心里说张小北这个傻Ｂ！

“出去吃吧。”在我转身又进了厨房的时候高源说，他眼睛里都是恐惧，凭借我们这么多年从思想到身体那么深入的了解，我看得出来。

我还是很平静，我说，吃面条，萌萌说她很久没吃了，我给你们做手擀面，我保证用手把面揉得要多筋道有多筋道，我让你们都怀念我做的手擀面。

高源愣在那里，我提醒他：“你们继续说你们的戏。”又把电视打开，对贾六说：“六哥你看电视，面条一会儿就好，让你尝尝我的手艺。”

要说他们怎么没见识呢，我一恢复贤淑的本色，这帮丫挺的都有点儿不知所措。

26

我在厨房里又是和面又是擀面条的，忙得不亦乐乎，客厅里除了电视机里传来女演员假模假式的笑声，他们三个人都等着我的面条。

我擀好了面条，正切着肉的时候高源进了厨房，我用高深的内功感觉到他在我的身后站了好一会儿，眼睛一直盯着我的背影。“初晓，让他们都走吧，咱俩好好说会儿话。”高源近乎哀求的口吻。

“哎呀，我操！”我一分神，切到了手指头，血马上流了出来，高源上前刚要拉过我的手看，我马上把受伤的手指含在嘴里，吮吸着，疯了似的用右手挥舞着菜刀，指向客厅的方向，吼叫道：“你给我出去！等着吃面条！”

贾六冲到厨房门口，看见我挥舞着菜刀，着实吓了一大跳，直接跳到我面前：“我操，这是干吗呢！妹子，有话好好说。”说着，缴获了我手里的菜刀，我感觉我浑身的血液都往脑袋上涌，有点儿发抖。

“妹子，有话好好说，有话好好说……”贾六哪像打架打死过人的主儿啊，真他妈没见过世面，看我拿个菜刀就吓成这副筛糠的模样。

“你出去！”我继续对着高源怒吼到，他转身出了厨房，被我亲手切到的手指还在冒血，看来我下手挺狠的，我也走出厨房，翻出创可贴，盖住伤口。

张萌萌看见我铁青的脸，装得特疑惑的样子，“怎么了初晓，切到手指啦？要不你还是别麻烦了，我正好有点儿事，我就先走吧。”说着她拿起手边的皮包就往外走，一点儿也不在乎我站在那儿。

用来煮面条的水已经开了，水壶的报警器尖锐地叫起来。我拿起书架上不久之前卖回的花瓶，扔向门口的墙角，摔得粉碎。那个花瓶是我花了好几百块钱从燕莎商城买回来的，年前，李穹因为张小北的事怒气冲天地来家里找我算账，我怕把它打碎了，还给藏了起来，因为高源说过，那一对花瓶一个是雌的，一个是雄的，摆在一起的时候组成一个圆形，象征着美满，象征着我跟他之间美好的爱情。

张萌萌转过身来，对着我，“初晓，你犯不着发这么大火儿吃醋，我跟高源虽然单独呆在一起，可是我们什么也没做过。”上帝是很公平的，他总是宽容地对待他的每一个子民，给他们在生活当中适合的地位，像她这种此地无银三百两的做法，她低于三十四的智商，除了当二奶也没有其他的岗位可以回报社会了。

我扫了高源一眼，他听了张萌萌的辩解，眼睛放射出想杀人的光芒。高源不管是生气还是高兴的时候，他的眼光都变得贼亮贼亮的。

“初晓，我跟高源是纯洁的男女关系！”张萌萌又一次强调着。

操，你丫不是傻B，你丫真是一大傻B！我心里想着，都他妈的男女关系了，你还纯洁个头啊！

“张萌萌，你们做了什么，你心里清楚，高源心里清楚，我心里也清楚，你不用解释，要解释也轮不着你跟我解释。”我心平气和地跟张萌萌说话，我希望她由衷地佩服我们知识分子的修养。

听了我的话她仿佛受了天大的委屈，“初晓，你跟小北可是朋友，你这么说话对得起张小北吗？”她义正词严地质问我，“你这么说叫我今后怎么跟小北交代！”

我就见不得这种敢做不敢为的贱人，恨铁不成钢，我一激动上前就抽了她一个嘴巴，那叫一个响亮，我感到很满足，当然啦，她也抽了我一个嘴巴，可是没我打得那么响，我还要再打，大概她感觉打得我不够响，赶紧又补了一下，出手非常迅速，我反应这么快，居然都没有闪开，妈的。

“你以为你是谁？打我？”张萌萌喘着气，这个婊子显得比我还激动，“别他妈整天觉得我跟了张小北就得受你的气，你他妈的比我能好到哪儿去，好歹我跟着张小北还有钱赚，你这副长相的，恐怕还得往里搭钱！”

高源和贾六不约而同地冲了过来，我的手已经扬了起来，为了不给他们添麻烦，我又放下了。

电话响了起来，是我爸打来的，他说我要那辆车的事他已经帮我拿下来了，三万块钱给他们单位就行，他也已经帮我先垫上了，我说等过两天我就去开车。他问起高源，说高源那时候老说起的那种新型的数码相机他在香港看到了，看着比北京便宜一千多块钱就买了下来，让我跟高源回去拿，我说高源忙着拍戏呢，我刚接了个本子，也忙，最近可能没时间。我爸就骂我良心让狗吃了，白送给我们东西都懒得回家去拿。我妈也接过电话，问我跟高源结婚的事，说我都老大不小的了，再不结婚可真嫁不出去了，我们楼上的邻居又有一个结婚的，让我给她说准信儿，到底什么时候结婚。我跟我妈表了决心，我请她老人家放心，这个婚我一定结，我要在一个月之内把我自己嫁出去。我妈听了欢欢喜喜地挂了电话，我知道，她明天早晨肯定见谁跟谁说，说她女儿要结婚了。

放下电话，张萌萌已经走了，算她跑得快！

我的花瓶支离破碎地散落在地上，我转身看着贾六，“六哥，你也回去吧，奔奔不是有事找你？别耽误了挣钱。”奔奔已经打过好几个电话找贾六了，贾六都说他在拉活，没空。

“妹子，有话好好说，千万别干傻事。”贾六拍着我的肩膀安慰我。

我说六哥你放心，三条腿的蛤蟆找不着，两条腿的人可是遍地跑。我说完了这话，自己都疑惑半天，不知道我跟高源究竟谁是三条腿的蛤蟆。

贾六又在我的肩膀上拍打了两下，一脸参加追悼会的表情，打开门走了出去。

我深吸了一口气，双手在脸上来回摩挲了两下，指着门口我跟高源的爱情残骸对他说：“收拾一下，我去煮面条，炸酱面，你最爱吃的。”说着我转身进了厨房，我往锅里下面条，我的眼泪大滴大滴地滚落在锅里，跟面条一起煮。

如果你真以为我因为高源掉眼泪那就错了，我是因为我赶上了这种父母感到悲哀，也不知道他们是怎么当的父母，女儿长到这么大了，他们从来都不说来看看我，那辆汽车就三万块钱，我爸还非说是先给我垫上的，搞不好我还得还他，一家人，你就不能买下来送给我？又不是没钱！还有我妈，最让我感到羞愧的就是她，从小她就习惯了用以暴治暴，整天打我，到现在好几十岁的人了，还那么爱攀比，虚荣，看见谁家孩子又结婚了，就羡慕的不得了，巴不得把我扫地出门，他们俩好享受二人世界，天底下哪有这种父母啊，我真是命苦，命苦，我怎么能不掉眼泪啊。

我以前也给高源做炸酱面，可是从来没像今天做得这么用心，把锅里的油烧得滚热，热泪也滚到了油锅里，那些溅起的油花落在我的手上，带来一阵一阵疼痛的快感，不一会儿，胳膊上被热油烫起了红点儿，有的地方还起了水疱，高源冲过来，夺过我手里的铲子，扔到一边，拉过我的手在水池子里用凉水冲。

高源这个禽兽，一定是在报复我刚才打了他的情妇那个响亮的嘴巴，他妈的现在是冬天啊，冰凉的水冲我的手，冲了十分钟，感觉手都冻僵了。

“祖宗，我求求你了……”高源又把脸皱得跟朵花似的，跟我说话，我还没叫他祖宗呢，他倒先把自己跟贫下中农划到一个战壕里了。

“你们都干什么了？”我问高源，“高源我就要你句实话。”

“说戏，初晓你现在怎么这么多疑！”

“说戏？说床戏？”

“没有，就一般的戏。”

我想抽高源一个嘴巴来着，我又害怕，我害怕把他惹火了，他也抽我两个嘴巴，甚至更多个，没人拦着他，我打不过他。

“高源呀高源……”既然不敢打他嘴巴，我就只能拿起语言的匕首刺他的心脏了，“好歹咱俩一块睡了这几年，你跟我说句实话怕什么的？你别忘了，咱俩可没结婚，我自己未婚跟你同居这么多年，按照我妈原先的说法，一个女孩儿家做这种事也是没脸没皮的，我怎么敢像李穹对张小北那样跟你闹啊？没脸没皮了这么多年，我今天要回脸，就要你跟我说句实话，怎么这么难呐！”我掩面痛哭，我在高源面前总共哭过两回，第一回是我们刚认识的时候，我要搬出来跟他一起住，我妈不同意，骂我不要脸，说我这种女儿丢尽了她和我爸这种传统知识分子的脸面，叫我死在外头，永远不要回这个家。我横下心把行李从家里搬出来，高源在我们家楼底下出租车里等着我，我一看见他，就哭了。第二回，是前年，我跟高源安全措施做得不好，我怀孕了，从医院回家的路上，也是在出租车里，司机突然接到一个电话，说他老婆早产，孩子已经生出来了，儿子，他当时跟我和高源说，他当爸了，真高兴，把我们俩送回家，不要钱，我当时一听，就哭了，高源那回说我是因为捡了便宜，喜极而泣。这次是第三回我在高源面前掉眼泪。

“初晓，你现在怎么老是怀疑革命同志啊？”高源搂着我，“你别受李穹影响，没事瞎琢磨，再说，你不都跟你妈表决心要一个月之内结婚嘛，咱抓紧时间筹备结婚的事吧，工作都放一放。”

他奶奶的高源，说得跟真事儿似的，我实在忍不住要拆穿他的谎言了，我说：“高源，我不肯拆穿你的谎话是给你留着好大的面子，你们做了什么我太清楚了，如果你们真的没上床，那张萌萌的肩膀是怎么回事？难道你要我问问张小北是不是跟你有一样的习惯？”

听我这么一说，高源彻底没屁了。

我拉开张萌萌的披肩其实只是想看看她的肩膀，高源在床上的时候偶尔会喜欢咬人的肩膀，我也是带着侥幸想看看张萌萌的肩膀上有没有被咬过的痕迹，没想到真的就有。

“结婚？高源你别做梦了，我不会跟你这种人结婚，滚！从我家滚出去！”我发狂地冲到厨房里，“他奶奶的，还想吃我做的炸酱面？做梦吧你！”我把煮好的面条全倒在了水池子里，又冲了出来，高源坐在沙发上，面无表情，我拿起书架上另外一只花瓶，摔在他面前，“什么美满爱情，什么天长地久，都他妈的屁话，你滚！”花瓶里的玫瑰还是情人节的时候高源给我买的，天若有情天亦老啊。

27

我彻底爱上高源，是因为他在他们的毕业大戏自导自演的话剧《死不要脸》上朗诵的一首诗，在他们学校的小剧场里，舞台很空旷，高源扮演着一个其丑无比的文学青年，走在午夜空荡荡的马路上，高声地朗诵道：

如果我长得很帅，
就不会有小妞骂我变态，
我只不过想看看她内衣的品牌，
她居然叫我流氓，把我的名声败坏。
更可恨的是，
就算这样，
她都不肯赏我一记耳光，
嫌我的脸长满痤疮，
可能会把小手弄脏。

如果我长得很帅，
就不会躲在家里看黄带，
从不知道什么叫艳福，
我的小命可真苦，
痴长这么大的岁数，
从没吃过女人豆腐。

如果我长得很帅，
所有的男人都要歇菜，
该喂马的去喂马，
该劈柴的就去劈柴，
至于和女人谈情说爱，
兄弟我就吃点儿亏，

少睡几天懒觉，
多熬几个通宵，
我一个人全部承包。

如果我长得很帅，
大部分的姓氏都要绝代，
不再有赵钱孙李，
不再有周吴郑王，
多情而纯洁的女人们，
全部都削尖了脑袋，
一心想做我幸运的新娘，
不要莺飞草长的牧场，
不要世外桃源的农庄，
一心只想做我幸运的新娘。

如果我长得很帅，
就不会半夜还在女生楼下徘徊，
妄想着有位晚归的学妹，
见我孤身一人，衣单体薄，
立马欲火中烧，
冲过来对我又搂又抱，
甚至不经过我的同意，
把我强行按倒在地，
事后转身逃跑，
我反应神速，拽着伊的裙角，

边流鼻涕边说到，
我知道你不想对我负责，
我不怪你，
但我的清白已经被你糟蹋掉，
只求你能保守秘密，
千万不要让朋友们知道……

如果我长得很帅，
就不会受到恶妇们的虐待，
时装模特当我是空气，
空中小姐当我是垃圾，
坐台吧女把我当作开瓶器，
小女孩儿问我为啥天天带着万圣节的面具，
还是婚介所的大姐态度好，她说先生，
我看你也不用费劲登记，
你这千载难逢的外表，
瞎子看见也想逃跑。

如果我长得很帅，
我坚决不向任何女人求爱，
我宁愿爱上月亮，
我宁愿爱上星星，
我宁愿爱上自己水中的倒影，
因为女人们啊，
你们的无情，

已经粉碎了我的心。

……

这么多年过去了，我还能这么清楚地记得当年高源在舞台上的模样。比现在还瘦，戴个很夸张的黑边眼镜，乱蓬蓬的头发，穿件发黄的白衬衣，咖啡色短裤，澡堂子里的那种蓝拖鞋，那时候我刚认识他没多久，我看着他的样子一直想发笑，我在台下使劲给他鼓掌，对着他没完没了地抛媚眼儿……我那时候也真纯情啊！一转眼，也过去好几年了。实际上，高源是长得很帅，我怀疑他真的爱上了星星、月亮，爱上自己水中的倒影了，因为这么多年以来，他从来没对我说过他爱我的话。

“我爱你，初晓，我要跟你结婚。”高源坐在沙发上面无表情地说。“我爱你，我从来没敢告诉你，我怕你一高兴又哭起来，没完没了的，我怕你哭，我怕你。”他说得跟真的一样，妈的，都到这个时候了他还跟我说假话，我真想抓着他的小细脖子从阳台把他扔出去。

高源轻轻地拉我的手，拉我到他身边坐下来，抚摩我的头发，他叫我安静下来，我一下子也懵了，愣愣地坐了一会儿，听他鬼话连篇地说了一大堆废话，等我清醒了一点儿，我把头搭在他的肩膀上，抱着他，我亲吻了他的脸，在他的耳边喃喃地说道：“我的心很疼，你知道有多疼吗？”高源全身都开始抖动起来，我觉得是他哭了。

我像狗一样舔他的肩膀，然后张开嘴巴，狠狠地咬了下去，这孙子疼得直叫娘，无论他怎么挣扎我都不松口，最后他不挣扎了，满头大汗地倒在沙发上，特他妈像个受伤的人，我松开嘴，像野狼一样特满足地舔了舔嘴角的鲜血，告诉他：“我的心比这样还疼，疼上一百倍。”然后穿上外衣，扬长而去，丢下高源在沙发上呻吟，喘息……

28

我跑到奔奔经常出没的一家北京最高档的迪厅里，直接进了VIP包厢，是一个香港人长期包的一间房，知道的人不多，房间里摇头丸大麻一应俱全，许多许多的红男绿女在这个小世界里迷醉，玩命地折腾。

我进去，看见奔奔果然在里面，她像个领袖似的带领着一屋子的野兽振臂高呼：你拍一，我拍一，我们一起打飞机。你拍二，我拍二，我们一起做做爱。你拍三，我拍三，做爱其实很简单。你拍四，我拍四，一晚搞个七八次。你拍五，我拍五，脱光衣服来跳舞……喊到这里，这群牛鬼蛇神们开始疯狂地脱掉身上本来就不多的几件衣服，奔奔也脱，脱得上身只穿一件胸罩，疯狂地扭动着她的腰肢，她从领导位置上跳了下来，我身边的一个肥胖男人立刻接替奔奔充当了领袖。他在我耳边吹着热气，做着各种下流的手势，一屋子男女欢呼起来，继而，这个肥猪对着我高呼道：“小姐小姐你真美，让我摸摸你的腿。”他摸我的腿，手像蛇一样缠绕我的腿。“小姐小姐你真骚，让我搂搂你的腰。”他搂着我的腰，整个身体在我屁股上蹭来蹭去。“小姐小姐你真坏，让我跟你做做爱！”整个包厢都沸腾起来，我感觉这个胖子当众把我扑倒在地，将我压在身下，一张臭嘴在我脸上舔来舔去，我感到眩晕，朦胧当中我看到奔奔站在我头顶的地方，很疑惑地看着我……

“滚！”我喊了一声，那胖子压得我喘不过气来。他开始撕扯我的衣服了，我也不知道哪儿来的力气，飞起一脚，踏向他的两腿之间，他杀猪般地哭嚎起来，整个人在地上滚来滚去的，像个肉球似的，样子很滑稽。

整个包厢立刻安静下来，音乐停了，摇头的停了，墙角做爱的停了，所有人看向我，这种被人瞩目的感觉让我紧张，我从地上爬起来，整理凌乱的衣服，向门口走去。那胖子喘着气，吩咐道：“别让她走！”也不知道从哪里蹿出四个健壮得像保镖一样的家伙来，横在门口，其中的一个像抓小鸡似的，将我提起来，提到那胖子跟前。

“把她衣服全给我扒光了，给我扒光！”那小子俨然一个黑社会大佬。我感到害怕了，操，新闻舆论怎么净瞎说呀，不是说没有黑社会吗！

我当时一想，这回彻底玩完儿了，先是脱光了衣服，然后被轮奸，搞不好还会被卖到马来西亚、新加坡那种地方去当妓女。本来是想体验生活的，这会儿真他妈栽了，搞不好成了专职的。

我正愣神的功夫，门口的两个大汉已经走向我，将我的裤子撕开了一道口子，妈的，早知道今天穿牛仔裤出来了，叫你撕不动。我拼命挣扎着，下意识一只脚向其中的一个家伙踹了过去，却被他抓住了我的脚，将我整个人抬了起来，另外一个过来，双手伸向我的腰间，解开了扣子，我已经绝望了……

“等一下！”奔奔说话了，我几乎忘记了她也在这里，“这是我姐姐，龙爷你真要办她我也拦不住，可是我得告诉各位，这是我奔奔的姐姐，亲姐姐。”她说完了，转身出了包房，这个丫挺的，说句话就开溜，好歹带我一起走啊！

那胖子正犹豫着是把我办了还是不把我办了的时候，奔奔又回来了。身后跟着一个秃子，精瘦精瘦的，耳朵巨大，脑袋的形状像个枣核，两头尖尖的，目光很锐利，似乎所有人都很惧他。

胖子一看见他，也不顾得疼了，龇牙咧嘴地从地上爬起来，“小马哥！”他低眉顺眼地招呼奔奔带来的人，我一下明白了，原来来了个更狠的，我有救了。

“阿龙你玩得好过分！”小马哥一口标准的香港普通话，“好歹也是奔奔的人，你不好搞到大家尴尬！”

胖子赶紧对着抬着我的俩马仔挥手：“你们瞎啦？还不把人放下来。”于是我稳稳当当被放到了地上，小马哥看了我一眼，吩咐奔奔“找衣服给她穿上”，转身就走了，胖子随后也忿忿地出去。奔奔找来了一条裤子，我看房间里也没人，刚要脱衣服，被奔奔制止了，带我到储藏室换了裤子，我看着奔奔的神情就明白，这房间里肯定装着偷拍机。

我跟着奔奔从储藏室往包厢里走，我听见外面的红男绿女们还在玩命地跟着 DJ 喊口号，他们在喊：幼儿园是我家，阿姨爱我我爱她……我忽然想起了年前在我家吃饭，我妈说原来在幼儿园看我的已经去世的邓阿姨，她就曾经是我在幼儿园见过最漂亮的阿姨。现在，她早已化做了尘埃。我感到难过，没等走进包房，我已经流了很多的眼泪。

奔奔给我拿了一些纸巾，安慰我：“别怕，初晓，在这些地方，没有我摆不平的事！”

我又想起她跟那胖子说我是她亲姐姐时候的表情，哭得更厉害了。我要有这么一个妹妹，我妈恐怕早挂了。

不管我心里在想什么，都没耽误我掉眼泪，我想过很多让自己流泪的理由，我骗自己我是为他们而哭泣，为那些曾经对我很重要的已经死去的人们，然而，我只为高源。

奔奔一直当我是刚才受了惊吓，拍着胸脯跟我保证，保证叫那胖子摆一桌跟我赔礼道歉。我还哭，奔奔有点儿急了，冲我喊："初晓，胖子在北京的黑道上也是个响当当的人物，手底下几百个兄弟呢，我都说想办法叫他给你摆一桌了，你还怎么着？你不也就是个破编剧！"

我哇地号啕大哭起来，我上气不接下气地告诉奔奔我跟高源要分行李散伙的事儿，就像我想像的那样，奔奔哈哈大笑，她说："我以为是什么大事呢，敢情就为这个啊，这迪厅里的男人你随便挑！"这个只知道用生殖器思考的小流氓，我就知道，她是不懂感情的。

我正哭得可怜，李穹又打来了电话，问我："怎么样初晓，抓了现形没有？"我听出了幸灾乐祸的味道，我对着听筒破口大骂，"李穹你个没良心的，你看我的笑话！你看我这样你高兴了！"难怪人们老说，不幸的人最需要的不是安慰，不幸的人需要的是同伴，有了我做伴，李穹显得平和多了。

"你怎么不说话？李穹我告诉你实话吧，我根本不在乎，高源纯粹玩她呢！他要招妓我还得给掏钱买单，这种免费的便宜我们干吗不占！"

"初晓，这么多年朋友了，我还不知道你是什么操行？可是也甭跟我这装大头蒜，是个什么滋味你心里知道，我心里也明白……"

"李穹……来找我，我们喝酒！"我终于忍不住在电话里哭了出来，我像那天李穹在电话里对我哭诉似的，声泪俱下。

过了半个小时左右李穹来找我了，看着我哭得那么可怜，她也一脸的悲壮。

“你没扇那个小婊子两嘴巴？”李穹问我。

我回答得很老实，扇了她一个，她扇了我两个。

李穹一听，跳了起来：“高源这个王八蛋没出手？！”

我摇摇头，心里那个疼啊，我问李穹：“李穹，你说这个世界上还有没有天理啊？他们怎么能这样儿对我？他们凭什么……”我哭得几乎窒息了，奔奔从对面沙发上站起来，拿了两张面巾纸给我擦眼泪。

“两位姐姐，要我说，你们犯不着为了臭男人掉眼泪。”奔奔说起什么事来总是一副巨轻松的表情，“这个世界哪儿来的公道啊？就没有，所有的公道都是自己找回来的。放心，我奔奔一没有父母，二没有兄弟姐妹，我把二位姐姐当亲姐姐待，你们这个公道，你妹子我给找回来！”奔奔轻描淡写地说到，我知道，她是认真的。

奔奔被人叫出了房间，我跟李穹要了点儿酒，在房间里边喝边聊边流泪。

我问李穹张小北最近有没有再提离婚的事，李穹摇摇头，叹了口气说道：“前天晚上张小北忽然哭了，孙子抱着我哭得一塌糊涂，一句话没说，可是哭了一阵儿……”李穹叹了口起，将一瓶 BLUE 喝下半瓶，“我不怕跟他离婚，真的，初晓，我跟你说实话，我不怕跟他离婚，我怕他叫别的女人给骗了……你知道我这个人，从来不吃回头草……”李穹可真行，这时候了还惦记着张小北，“刚开始我想，那萌萌不过是爱钱，大不了我给她点钱算了，她也同意了，只要我给她钱，她就回湖南老家，离开张小北，谁知道张小北是真爱她，他明知道那婊子爱的是钱……”李穹也哭了，真是一塌糊涂。

我拍着李穹的肩膀，“别怕，我有的是办法……我有的是办法玩这些狗男女，我叫他们全都知道什么叫疼！你听我的，没错。”此时，我又像个总司令似的，仿佛当年我跟张小北一起密谋如何把李穹鼓捣到手里时的情景。

那天，李穹又喝多了，醉得像一滩烂泥。我也高了，处于半混沌状态，我把李穹交给了奔奔，自己打车回家了，临走我抓着奔奔的小细胳膊，指着奔奔鼻子问她："妹子，你刚才说的要帮姐姐我找公道的话还算不算了？别他妈的借着酒劲说些虚头八脑的话，等姐姐我要你出手的时候找不着人！"奔奔也不知道等着到哪儿去卖淫呢，心急火燎地要离开，一把推开我的双手，一边指挥着她的手下，一边跟我说："操你大爷的初晓，我奔奔什么时候说话不算过？"等我再抬头找她的时候早已不见了人影，不过有这句话也就够了。我心满意足地拦了辆车准备往家走，刚走了三五分钟，我就看见警车铺天盖地地向这边开来，我一下子明白了，奔奔刚才为什么那么慌张。妈的，原来她也有怕的时候。

29

高源不知道滚哪儿去了，我回到家里一片黑乎乎的，我跟个终于找到窝的流浪狗似的，倒在床上就睡。早上醒来，看见客厅茶几上这孙子留的字条：初晓，这几天新戏就开拍了，我跟剧组在一起，等我拍完这部戏，我们就结婚。我把他留的纸条卷了卷扔垃圾筐里了，哼，小子，给我玩这套是不是，过不了几天，我就让你知道马王爷究竟是不是三只眼！结婚？我是真想把我自己嫁给你呀。

我给自己倒了杯牛奶，忽然觉得心慌，慌得不行，端着杯子刚喝了一口，手一哆嗦，杯子掉在地上摔了一个粉碎，热牛奶洒了我一身。

好容易收拾完了，我正躺在沙发上闭着眼睛将我的计划设计得更加完美的时候，李穹又打来了电话，我听了她的电话差点儿没乐出声儿来，完美了，这次完美了。我冲了个澡，一头扎进了我的书房，昏天黑地地写我的剧本，洋洋洒洒一气儿写了两万块钱的字，再看看表，都下午五点多了，我爸打电话叫我去家里拿车，他原来的司机已经办好了所有的手续，我拿来就能开。放下电话，我心里又乐开了花，从今以后，我算彻底实现小康了。

我刚想出门，乔军又流蹿到我们家来了。我一开门，他流氓的脸上写满了莫名其妙的疲倦和强颜的笑，在我头上拍了一下，我一躲，没躲过去。

“干吗？欺负人是不是？”

“小样儿吧你，我欺负人还是你欺负人啊？你属狗的啊？”乔军这是替高源找我算账来了。

“我哪配属狗啊，我属猪。”

“新鲜了啊，以前光听说母猪会上树，没听过……”乔军一看我停下来横着瞅他，就不往下说了，嘿嘿地笑着，“好，好，好，我怕你。”他在沙发上坐下来，“怎么着，这回真怒了？”

“我告儿你乔军，我跟高源的事你少跟着搀和。那孙子都是让你们给带坏了。”

“你可别不识好人心啊，我是跟你一个战壕的，高源这孙子他就不该这么办。你说你初晓，也是有头有脸的人，他做出这么对不起你的事，于情于理，你哥哥我都得给你出这口气，按说呢，我今儿得揪着这孙子来给你赔罪，可是……可是高源这会儿他实在来不了。我……今天真不是他叫我来的啊，我今儿代他跟你赔个不是，你这些日子也别瞎琢磨，临进手术室高源说了，等他好了，要是不残疾的话，他就回来跟你结婚，要是他残疾了，也不好意思再耽误你了……”乔军的口气忽然变得跟死了人似的，眼睛里还闪着泪。

我心里纳闷儿：“你丫说什么哪？又喝高了是不是？”这家伙真能扯，这么会儿把高源鼓捣进病房了。

乔军一下子急了：“谁喝高了，我好心好意过来跟你说一声，你瞧你这脾气，怎么跟个狗似的，逮谁咬谁呀！”我的脾气跟狗似的这似乎已经被这帮爱造谣的人说成了事实，实际上，我脾气不知道多好，对谁不是和颜悦色的。“高源人现在躺在朝阳医院呢！今儿早上叫车给撞了。”乔军说得很轻松。

我一下子跳了起来：“操，你蒙谁呢！”我嘴上这么说，心里却慌张得够呛，“根本不用想，丫设的苦肉计，我告诉你们，给我使什么招儿都没用，这是苦肉计，跟我没关系！”我挥着胳膊一连说了好几遍“跟我没关系”，到茶几上拿烟的时候，发现我的手在哆嗦。

“你别担心，没什么大事，那我先走了。”乔军边往外走边说，“我得回去看着他点儿，做完了手术一直睡着呢，估计这会儿该醒了。”

他刚要走，我的手机又响了，是我一个高中同学，现在在朝阳医院当大夫，我还没说话，她就连珠炮似的说了一大串：“你在哪儿呢初晓，你老公出车祸了，送我们这儿了，我晚上一来上班，到病房一查，怎么他在这儿呢……”我都没听完她在电话里说什么，挂了电话赶紧套上一件外衣，拖着乔军往楼下跑，跑到三楼的时候，乔军差点儿从楼梯上滚下去。

我心里很慌乱，说不清的感觉，自己都觉得呼吸急促。半路上我爸又给我打了一遍电话，问我什么时候回去开车，我说：“不回去了，高源在医院呢，我得去看着他。”然后咣当就挂了电话，乔军一边开车，一边转过头来看了我一眼，似乎对着我笑了一下。我妈电话立刻又追了过来：“初晓，别着急，慢慢跟妈说，高源怎么了，在哪个医院？”

我说朝阳医院，我也不知道怎么样了，听乔军说刚做完手术，说着说着我哭了。电话里问我妈：“妈，怎么办哪？”我妈安慰了我一会儿，说别着急什么什么的，屁话，我怎么能不着急呢！

我问乔军是什么人撞的，乔军说肇事的车跑了，交警大队目前在分析事故现场。初步判断是轿车撞的，目前正在寻找事故目击者。

车开到了朝阳医院，乔军拉着我来到高源的病房，我一看高源躺床上的样子，腿都软了。

高源身上插着各种各样的管子，他的皮肤本来就偏黄，灯光底下那么看着，跟死人无异。我说不出来话，眼泪哗哗哗哗地往下掉，乔军拍着我的头，不停地说，没事，没事。

操，这哪像没事的啊。我一直以为是高源使的苦肉计来着，现在看来，没人能对自己下这么狠的手。

我走近高源一点儿，他睡着了，呼吸很平稳，裸露的肩膀上还留着我咬过的痕迹。从肩膀上看去，我的两个门牙长得有点儿大，还有点儿歪。

我妈和我爸也赶来了，每人手里都提着一个大塑料袋，里面装着洗漱用品和给高源换洗的衣裳。我一看见我妈，搂着她一个劲儿地哭，哭得特委屈。我爸在门外跟乔军那高声怒斥肇事司机，仿佛是乔军撞的。

过了一会儿，乔军进来告诉我，高源他妈在对面楼的病房里躺着呢。他爸守着老太太在那边，说上午高源他妈一看见他儿子的模样，心脏病发了，立刻也送进了抢救室，我妈一听，拉着我爸让乔军带路去慰问她未来亲家了。真够乱的。

就这样，乔军陪着我一起守着高源，他始终睡着，我在这里当大夫的高中同学跟我说，高源这种情况很糟糕，可能会失去记忆，最乐观的估计也会有轻微脑震荡。我听着她说，自己心里想着，只要他不死就好，本来我真没打算原谅他来着，可是看着他的样子，我又想，初晓你跟一个残疾人计较什么呢。那个时候我发现我一点儿也不恨高源了，就算他变成我脑子里想像的那种残疾人，我想，我还是会跟他结婚。人有时候很奇怪，你觉得你那么恨一个人，但你骨子里对他的那些爱，一旦被激发出来，你会发现，从前你给他的那些恨，也只是因为爱。

也许，这个世界上根本没有什么天公地道，特别是当女人爱上男人的时候，当一个有心的女人，爱上一个贪玩的男人。

第二天一大早，李穹和张小北来看高源，高源还没醒，乔军接了一个电话就出去了，我们三个人围着高源说话。张小北看着高源的惨状皱着眉头，不停地说："谁撞的，谁撞的，真够孙子的！"李穹帮我端着一盆儿温水，我给高源擦脸，我这人有点儿没出息，我的手指触到高源的皮肤，那么光滑，那些细小的皱纹，在高源每次笑起来的时候都会皱成一朵花。我想到这突如其来的灾难很有可能让高源不会笑，不会哭，不会横着眼睛跟我吵，我觉得我今后的生活真没意思，我抽抽嗒嗒地哭起来。

李穹和张小北安慰了我一会儿，张小北看了看表对李穹说："走吧，别迟到了。"李穹点点头，跟着张小北向外走去，走到门口的时候，我才想起来问他们一句，要去哪儿，李穹低下头苦笑了一下，抢先走出了病房，留下张小北沉着脸，说了一句："今天我跟李穹办手续。”说完了，他看了我一眼，我心里很难过，对着张小北笑了笑，说了一句：“你对得起李穹吗？”张小北看了我足足一分钟：“我连你都对不起，别说李穹了。”

说完，他特牛B地转身走了，留下我一个人在那儿寻思，什么叫连我都对不起呢？最后我想明白了，张小北说的肯定是我当年削尖了脑袋给他想那些坏主意追李穹，给李穹铺天盖地的造舆论，我现在想想，对得起我的究竟有谁呢？而我，我又对得起谁？

30

张小北两口子刚走，乔军就回来了。我告诉他李穹刚来过，乔军愣了一会儿，噢了一声，问我：“你早饭吃包子小米粥还是吃豆浆油条？”真让我纳了闷了，他现在怎么听到李穹都没什么反应了。

“我一直没跟你说过吧，李穹就是张小北的老婆，之前你跟张小北这么好那么好的，还帮着引见张萌萌给高源……现在知道自己傻了吧，算来算去，全算计自己头上了，该！”我说完了，看着乔军，乔军端着个饭盒也不动地方，在我面前站了一会儿，脸色由黄变红，由红变青，最后从牙缝里挤出两个字来：“孙子！”他咬牙切齿地说完就出去了，我也弄不明白他是说张小北呢，还是给自己的评价，反正我是觉得他们俩都够孙子的。

乔军说得好听，出去给我买早饭，直到中午了连个人影还没见着，就像当初高源不惜以牺牲安定团结而逃避劳动一样，我猜乔军亦是不惜饿着贫下中农来达到他反省自己罪恶的目的，我比较可以接受。

中午的太阳升起来了，暖洋洋地从窗户照射进来，照在高源的脸上，好像他始终是一个纯洁的男人，不曾与任何我以外的女人有过什么勾当。当时当刻，高源在我的眼中真是顶天立地英俊潇洒聪明绝顶得一塌糊涂，我情不自禁地在他脸上亲了一下，已经昏睡了两天了，他差不多该醒了。我一抬头，才知道我刚才的亲密举动被站在门口的高源父母逮个正着，我感觉脸颊发热，真是的，一个老头儿一个老太太，偷看我们年轻人表达感情，下流！我心里想着，嘴上却赶紧招呼他们："叔叔，阿姨。"

想起来了，高源他妈今天出院，我昨天还拜托我那同学给老太太办出院手续来着。

高源他妈笑眯眯地看着我："初晓，好孩子，这两天你受累了。"又对高源他爸说："看看，小脸都瘦了。"

高源他爸表示同意，跟我说："别着急，回头你阿姨回家煲点儿鸡汤，给你也补一补。"

这么一说我还真不好意思了，给高源把被子拉上来盖住肩膀，老头老太太要是知道他儿子肩膀那儿被我咬成这样，我那鸡汤估计就没的喝了。据说他们家三代单传，就高源这一个儿子，恨不得把儿子当成大熊猫那么养活着。老头老太太都是国外留学回来的，老头搞物理，老太太搞建筑设计。按照高源自己的说法，他们一个是浪费国家财力物力一辈子没什么大作为，另一个祸害城市容貌，糟蹋建筑材料。我知道老头老太太其实没有他说的那么性质严重，退休之后还继续为人民服务。前不久，老头还被北大物理系请回去做客讲学，继续误人子弟，"毁"人不倦。

我招呼他们坐下来，老太太摸着高源的脸，眼圈就红了。"我儿子这回可真是捡回了一条命啊，儿子，儿子，你可得快点儿好起来，别让你妈提心吊胆的，还有初晓，你瞧你把初晓给累的……”眼泪吧嗒吧嗒掉在高源脸上，看的我心里也是酸酸的。

“叔叔，阿姨，你们先回去休息吧，他肯定没事，有我看着呢，你们放心回去休息吧。”我安慰高源父母，他妈妈抓着我的手，一个劲地点头，掉眼泪，我心说你快别哭了，先回家休息好了，兴许还能回来照看他一会儿半会儿的叫我也好好睡一觉。

老头儿老太太刚要转身往外走，高源醒了，他们家老爷子跟小木偶似的，蹦到病床前：“儿子，儿子，我是爸爸，你认得吗？”他的眼睛张得巨大，嘴巴也半张着，等待着高源的回答。

“知道。”高源简短地回答了他，目光又被他妈吸引过去，“儿子，你吓死你妈我了，哪里不舒服？”

“疼。”这小子出了车祸之后说话真够简短的，没准真撞坏了。

他妈一听他说疼特高兴，连忙跟他爸说：“没事，他还知道疼，看来没事。”之后又招呼我：“初晓，来，快来呀，你还不快看看高源！”那神情跟刚发现了恐龙似的。

我就站在床尾的地方，含情地看着高源，不知道为什么我有点儿不好意思，我从来没有在高源面前像这样不好意思过。他也看着我，我们的目光在空气中交织着，我又找回了我们刚开始谈恋爱时候的感觉，那时候我们总是像现在这样用眼睛说话，只要看对方的眼睛，就知道对方要说什么，但是今天很奇怪，我看着高源的眼睛，却不知道他要说什么。

看了一会儿，我走向床头，刚要说点儿什么，高源开口说了一个字：“滚！”

他这人记仇，可能我真把他咬得太狠了，这么多年在一起我已经习惯了这种表达感情的方式。我一边拉他的手，一边跟他说话：

“你把大家吓坏了……”他躲开我的手，脸上有点儿厌恶的神情，跟他妈说：“让她滚，我不想看见她！”看那意思，不像是开玩笑。

我一着急，在他肩膀上拍了一下：“说什么哪你？！”

高源龇牙咧嘴地皱着眉头，大声地嗷嗷叫疼，然后使劲对着我吼：“滚你丫的，别站我跟前！”

“高源！”他妈看不过去了，低声地呵斥他，“你知不知道自己在说什么，初晓守了你两天两夜，怎么不知道好歹呀！”

我在旁边站着，不知道该滚，还是该留下来，但总觉得事情很不对劲儿，我不记前嫌来医院看你，怎么你还大爷了？我也就看他现在病着，不然按照我以前的脾气，早飞起一脚，让他上楼下大街上躺着去了，你大爷的！

病房里有短暂的几分钟沉默，我特坦然地看着高源，看他还能说出什么难听的话来。

他妈抓着我的手：“初晓，别跟他一般见识，走，跟阿姨回家，阿姨给你炖汤喝……”

“初晓，你他妈敢迈进我们家一步，我跟你拼了！”高源看他妈拉着我手往外走，赶紧补充一句，恐吓我。

“高源！”他妈又低声呵斥他，“耍混啊！”

我看着直着急，你老这么训斥他哪成啊，不疼不痒的，你揍他不好吗，要是我这样，我妈早扑上来又拧又掐的，还管有病没病！我看出来了，高源那些臭毛病肯定都是他妈惯出来的，我一想到这些，立刻激动起来了，我两步走到床头，照着高源脑袋推了一把，“你想干吗啊？我还没找你算账呢，你怎么还跟我没完没了哇……”我还要再说，高源嗷嗷叫唤了几声之后居然晕过去了。

赶紧找来了大夫，看了看说没事，可能病人太激动了，问了刚才的情况，我说我推了他脑袋一下，还强调说没使多大劲儿。大夫没鼻子没脸训了我一顿，问我是想让他活还是想让他死，说他本来脑袋就受了伤，你还推他脑袋，没准你这一推，能把他小命儿推歇菜了。我听了大夫的话，对自己刚才的冲动感到十分懊悔，特抱歉地看着他们家老头儿老太太。

“没事，初晓，别害怕，大夫不是说没事嘛。”她拍着我肩膀，对我表示了原谅，又问我，“你们俩是不是打架了？”

“没有……”我支吾着，“我们……我们闹着玩来着。”

刚送走了大夫，高源这孙子又醒过来了，我都怀疑他刚才是装的，来吓唬我的。

“你怎么还在这儿啊？滚！不想看见你！”这是他又醒过来第一句话。

我低着头，不说话，我让着你，谁叫你躺在病床上呢。

高源他爸拉着他妈出去了，大概是想给我们俩一点儿时间，单独说会儿话。

“大夫说你现在不能太激动，有什么话都等你好了再说吧。”我看着他的脸，他一副要吃了我的架势，“你要不愿意在这儿看见我，我这就回去，在家等着你回来，你想吃什么，需要用什么，叫乔军给我打电话，还有……”我刚想再说叫他别老想着工作的事，他打断了我的话，好像想明白了，语气很平和：“初晓，什么都别说了，咱俩两清，你不欠我的，我把命差点儿扔了，我也就不欠你的，走你的吧。”

虽然高源的话我听得不是很明白，但是我还是遵照他的意思，拿起皮包向外走去，我想，这孙子脑子进了点水，等他好了也就没事了。

走廊的椅子上，老头儿老太太看着我要走，把我拦住了。我说我得回家去睡一觉了，估计一会儿得有很多圈儿里的朋友来看高源，乔军现在又不在。我说一会儿我跟同学说一声，叫她帮忙请个护理，让他们也回去休息了。

我回到家，什么也没想，真的就睡觉了，还做了个梦。我梦见我结婚了，跟张小北，李穹和高源给我们当伴娘和伴郎，奔奔和贾六当司仪，俩人一唱一和地把婚礼搞得特别热闹……醒了之后，我呆呆地坐了一会儿，这个家好像变的空荡荡的，没有一点儿声响，让我觉得非常孤独，我把头埋在胸前，拼命地想，拼命地想，是什么原因让我走到了今天的地步，我想不出答案。

31

晚上十点多了，我饿得肚子咕咕直叫。没食欲，将就着喝了点儿牛奶，给我妈打了一个电话，她跟我爸说好了下午要去医院看高源的，我想问问他们高源怎么样了。

我妈一接我电话就说："你怎么样了，睡醒了？从医院回来我说要给你打个电话，你爸不让，说你正睡着呢……这两天累坏了吧，你想吃什么妈给你做，叫你爸打车给你送过去……"我爸在一边叨咕着："对，对，想吃什么跟你妈说，医院待了两天都瘦了，做好了爸给你送过去。"

我拿着电话不知道说什么好，浑身都开始抖动，生生把眼泪都憋了回去，喉咙里噎得我难受。

"妈，高源怎么样了？"我尽量放松，用平常的口吻问我妈。

我妈说，下午他们一进病房，就看见交警跟高源那儿问笔录，问他有没有注意到什么样的车，有没有看清楚车牌和车的颜色，高源一问三不知，对警察的态度还特大爷。送走了警察，我妈把煲好的汤给他放下，问我上哪儿了，高源说他叫我回家休息去了，然后就说自己累了想睡觉，我们家老头儿老太太巴巴地站了好一个阵子，等高源完全睡着了，才回家。

“初晓，这会儿高源在医院里，你把自己的事撂一撂，辛苦点儿，回头把你爸那个躺椅给你送到医院去，你要累了，就在那儿眯瞪一会儿算了，高源有什么事再找不着你……”

我妈没完没了地在那儿絮叨，听着她现在说的这些话，我真不敢想像，当初我跟她说我跟高源没打算结婚，就打算先在一块过一些日子的时候，我妈骂我死不要脸时候的情景，这几年过来了，我跟高源虽然一直没有结婚，在他们眼里，早把高源当成了女婿，甚至是儿子，他们多善良啊。

“初晓，冰箱里还有条鳟鱼，妈给你做点儿汤，叫你爸一会儿送过去，你自己喝点儿，剩下的明天拿到医院给高源……”

我再也忍不住，哇地大哭起来，我一边哭一边说：“妈，我想回家。”这一哭，把我妈哭懵了，以为出了什么大事，撺掇我爸打车来接我，等我回到家里的时候，我妈已经煮好了一锅汤，又做了点儿米饭，拿西红柿炒了一盘鸡蛋，坐在饭桌前面等着我回来。

我想起了我上大学的时候，我们家条件不是特别好，住四合院儿，冬天没暖气。每个星期六我从学校回家天都黑得不行了，不管多晚，我妈都给我炖点儿汤，有时候是羊肉和白萝卜的，有时候是猪蹄胡萝卜的，搁在蜂窝煤炉子上热着。我一进屋，满屋子都是香气，我一次能喝一锅我妈炖的这种汤，临了还总埋怨我妈不多加点儿水，这样我能多喝两碗。我毕业以后，家里的经济条件明显腾飞起来，我妈还老给我煲汤喝，弄得越来越精，我却从来都是象征性地喝那么两口，只为让她心里舒坦，其实说起来，我父母摊上我这么一个倒霉孩子也真不幸。

回家的路上，我把白天在医院发生的事儿还有之前高源跟张萌萌那档子勾当都跟我爸说了。老头儿一言不发地听我叙述，出租车到我们家楼下的时候，我一边下车一边问了我爸一句：“爸，我是不是挺没出息的？”老头儿笑着轻轻地捏了捏我的嘴巴子，只说了一句：“这些事先别跟你妈说。”所以，我和老爷子进了屋，面对着一下子就抓住我双手问这问那的老太太，我真不知道怎么圆谎。

“是不是高源有什么事啊？”我妈一边给我盛汤一边问我，套用她经常说我的一句话：“这是一什么老太太呀！”她自己亲孩子都遭受了这么大的打击，她怎么还关心别人家孩子呀。我看着她那么积极地招待我，我当然也没好意思把话说出来，只是一个劲儿地夸她做的汤好喝。

“好喝，明天给高源送一点儿过去，你别都喝了啊。”我看着老太太在跟前左一个高源右一个高源地念叨，特生气，要不是看在她是我亲妈的份上，我肯定揍丫！有了这个大逆不道的想法之后，我立刻在心里一连说了好几十个“善哉，善哉”，一分神，喝呛了一口，差点儿没把肺咳嗽出来，我就这着乱呼劲儿，抱着我妈脖子，一通狂哭，哭得我妈莫名其妙。

擦干了眼泪，我心里舒服多了，躺在床上开始琢磨白天那点儿事，他妈的现在搞得我很被动，我决定要扭转这个局面。

我猛然间想到，前一天晚上我在夜总会的时候，奔奔拍着胸脯跟我保证一定得教训教训这两个狗男女的情景，心一下子沉了下去，难怪高源见了我跟见了瘟神似的呢，估计那厮看见奔奔撞他了，用脚也能想得出来是我让干的。我爬起来跟奔奔打电话，开门到客厅，看见我爸正在客厅里发呆呢，不用问，这个老头儿肯定为我跟高源的事发愁呢。我一看他在客厅，又退回房间拿了手机，跑阳台上给奔奔打电话去了。

奔奔这时候刚开始办公，她一接电话，我就知道今天晚上生意好坏。通常她说话声音温和的时候，就表示生意非常之差，反之，当她用特不耐烦的声音接电话的时候，就表示生意足够好，她接了太多个客户的电话，已经烦了。今天晚上，看来生意不好，她说"喂，你好"的时候声音甜甜的。

"我！"

"怎么着姐姐？"她一听我的声音立刻恢复到正常状态。

"奔奔，你跟我说实话，高源是不是你找人撞的？"

"谁？"奔奔好像不知道高源是哪个？也不能怪她，她的工作性质决定了她每天要记住大量的男性的名字，一时想不起来也可以原谅。

"高源，我男朋友！"我又重复了一遍。

"他怎么了？撞了？那不正好？"奔奔显得很兴奋，"这是哪路英雄替天行道做了这么大的善事啊？操，要让我知道是谁，非见天的给丫提供免费特殊服务，什么酒水啊，所有消费，全部免单……"

"奔奔，是不是你干的？"

"我操，你说什么呢，姐姐？我没听错吧。"她把嗓门儿提高了八度，"我？我他妈从前天晚上警察临检开始，到现在，忙得脚丫子都朝天了，就这，还有几个没捞出来呢……"奔奔显得很委屈，我特喜欢她的措辞，每一句我都喜欢，今天她说这句"忙到脚丫子朝天”也很符合他们的工作性质，我甚至怀疑奔奔在长期从事这种行当领导工作之余，并不像大多数人一样放松了思想政治理论的学习。首先她对公安系统下达的每一项扫黄打黑的指令都吃得很透，甚至北京的每个区有多少个指标她都能研究得很到位。其次就是她的语言，总是平淡之中透露着很深刻的哲理。“对了，你不是跟那个局长的秘书挺熟的嘛，搭句话过去就行，把丫鼓捣出来搓顿饭……”

“我求求你了，别给我添乱了姑奶奶。”我知道了，肯定不是奔奔干的，她这个人敢作敢当，“高源被车撞得差点儿废了，他心里当是我找人干的呢……”

“丫就一小导演，废就废了，文艺工作者的败类，玩弄感情的孙子，死不足惜……”

“得，你忙你的。”我赶紧打断她，“我不是怕万一是你干的他看见了，回头跟警察一说……奔奔，我知道你对我好，真的。”

“这就对了，我虽然正义，可从来不血腥，开车撞人？！我操，多血腥呀，我看见血就晕，每个月一到血崩的日子我就哆嗦……”奔奔管来月经叫血崩，我第一次听她这么说是在昆仑跟人吃饭，邻坐的一位女士一起身，裤子后面一点儿血迹被奔奔看到，她立刻高喊起来：“嘿，大姐，血崩了嘿。”说得人家莫名其妙，连我脸上都觉得无光。

“好了，你赶紧忙去吧，贫起来就没完……”

“那我那几个小姐妹儿你捞不捞啊……”

“行，行，行，我给你捞，明天中午等我电话……”

“操，这还差不多！真像我姐姐，谁还没个父母啊……”

我没等她说完，把电话挂了，每回跟她通电话，我都一头汗！我想了一分钟，又打通了贾六的电话，我可是有几天没看见他了。

电话响了半天，他才接，迷迷糊糊的，估计正睡着。

我问他，我说六哥，你在哪儿呢?

河北，他说。

咣当，我心一沉。操！肯定是躲起来了！

我又说你怎么跑那儿去了，连个招呼也不打。

贾六哼哼唧唧地说，有个急活，跟个剧组来拍戏了。

我又问他什么时候回来，他说说不准，然后就说不跟我多说了，明天还得起早，临了又嘱咐我没事别老给他打手机，漫游，电话费太贵，还说他一回来就给我打电话，请我吃饭，然后就把电话挂了。

放下电话，我心里踏实了，丫挺的贾六这孙子，我一直当你是个已经改邪归正的劳改分子来着，感情你爷爷的时刻就跟人民过不去呀！

32

在家里待了两天，心情很不好，长到三十岁了，还被老太太像二十年前那么疼着、宠着、伺候着吃穿，虽然很舒服，但感觉上总有点儿别扭。所以，两天以后我又回到了六道口，一方面是因为我在家待烦了，另一方面也因为文化公司催剧本催得很紧，我得抽空写出来了。最主要是我们家老太太跟念佛似的，整天在我跟前弥哩摩勒地念叨说你怎么还不上医院去看看高源啊？你们是不是吵架了？你平常够欺负高源的了，这会儿高源出事了你怎么还不陪陪他呀……要让谁说，肯定都觉得她不是我亲妈！一来二去的，我一想，这家里我是待不下去了，还是回去吧。

回到我的狗窝第一件是就是大扫除，我把家里从里到外收拾了一遍，擦地，整理书架，把沙发和茶几换个新的位置，重新布置每个房间，据说经常像这样改变家里的布局会使心情不好的人换另外一种心情。我满头大汗地看着被我重新布置的这个家，心情的确好了不少，最后，我又把高源所有的衣服，他喜欢看的影碟、漫画、小说，都收拾在了一起，我想，万一他回来拿呢，省得一时找不着，抓瞎。

我还在衣柜的最底层把那只已经被我弄碎的玉镯子翻腾了出来，我看着它开始心酸，三十多万呢！就算是日元，换成人民币也不少呢，就这么碎了，早知道我得把它弄碎了，我还不如东西一到手就变现了呢！我很后悔。

正对着已经碎了的三十万想入非非的时候，乔军给我打来电话，大声地质问我为什么不去医院看高源。我说高源现在一个病人，一看见我就激动，回头再影响了治疗，落下一终身残疾，我不就吃不了兜着走吗？所以我不去。

乔军又教育我，说初晓你可真操蛋，本来是俩人的矛盾，不就是上上床，深入探讨一下生活嘛，你到圈里打听打听，哪个干这行的还没那么三五个小蜜呀，你就是再怎么恨，你也不至于跟真的似的买凶杀人啊。

我没等乔军把话说完，噌地从沙发上站了起来，左手拿着电话，因为不是跟乔军面对面，我只能用右手指着左手，假装指着乔军的脸了。我大骂乔军，我说乔军你丫真能扯淡，就高源那小命儿还值得我买凶？我随便两个手指头捏住他的小细脖儿管保他立刻歇菜。操！高源这会儿脑子进水，乔军你脑袋也让门挤了是不是？我还买凶？你也不想想他那小命值不值得我冒那个险……

乔军听我这么一咋唬立刻心虚了，连忙跟我解释，说初晓你别误会，是因为高源回忆说，他被撞倒之后虽然车就跑了，他恍惚看见了开车的是贾六。

我说那他为什么不报案哪，叫警察把贾六抓起来不就清楚了?

乔军顿了顿，意味深长地说："不是有你嘛。所以前天警察问笔录的时候高源装得特孙子，一问三不知，把那俩人气得直翻白眼儿。"

我大概明白了乔军的意思。他的意思是说，高源觉得撞他的人虽然是贾六，可是背后肯定是我在指使，一旦把贾六告了，顺藤摸瓜，我也跑不了。

我听乔军这么一说，心里还算舒服，仔细想一想，高源同学能有这种觉悟也是我平常以暴治暴教导有方到现在落下的后遗症。虽然他当着他们家长一再强调叫我滚出去弄得我十分的没有面子，但他还是懂得维护我的嘛！我很感动，就跟真是我叫贾六去撞的他似的。

"高源怎么样了？还在那儿昏睡百年呢？"我问乔军。

"操，我早说，你这种蛇蝎心肠的女人可怕，弄得他连做梦都向你求饶。"乔军说，昨晚上高源半夜里无数次高喊要炸酱面不要初晓的革命口号，吵得对面病房一老太太心脏病发作……"你瞧瞧你，初晓，差点又背上一条人命。"乔军用特别特别无可奈何的语气给我讲述这些。

我的感觉，乔军作为高源最好的兄弟，他对于我的印象始终是这种介乎于欣赏和不屑一顾之间的，在某些方面，比如创作上，乔军逢人便举起大拇指说我是个才女；再比如在为人方面，乔军认为我正直，善良，是值得结交的朋友；再再比如说，乔军非常非常赞赏我对名利的态度，他说过，如果没有高源，他会与我成为哥们儿，成为最要好的朋友。但是，因为高源，因为我对待高源的一些态度，乔军对我的好感大打折扣。他不是大男子主义者，但他不认为我在才华和外表上能够和高源相提并论，他甚至说过，我的创作是受到高源的指导和启发之类的话，言外之意，我应当把高源当作老师，当作哥哥一样的来尊敬，尽量在高源面前做得像个女人一样，而不应该把高源当成儿子一样非打即骂，限制诸如泡妞、和个别想为艺术献身的姑娘睡觉之类的高尚活动。

其实我知道，我这样一个平凡的女子，不美丽，不温柔，甚至谈不上有半点儿身材，想抓住一个像高源这么优秀的男人是何其的难呀！我没两下子的话，干脆关起门来自学当尼姑算了。

我说："乔军，你信不信我？"

"我不信，我不信你不是削尖了脑袋想给高源当老婆！"乔军说得特别肯定，我忍不住笑了出来。"到医院看看你老公吧！"

"你当我不想去呢，可是他一看见我就恨不得上蹿下跳，连喊带叫地让我滚蛋，幸好他手里没枪，不然的话，我估计他把我毙了的心思都有……"

"别跟我装可怜了，你什么时候怕过他吗？！"

乔军问对了，我还真没怕过。打从一开始我就彻底把高源给制服了。

我们俩第一次打架，好几年以前了，我跟高源在家里玩飞镖，记分的，谁输了谁刷碗。高源搅局，我一着急手里一把飞镖往地上一扔，说我就是不管干活，然后就听见高源蹦得有一丈高，特凄厉地嚎叫，我低头一看，原来一把飞镖并没有都扔到地上，其中的一支直愣愣地扎在高源的脚面子上。眼看高源扬起了他的小细胳膊朝我过来了，我极迅速地跑进了厕所，吓得不敢出来，高源在外面又踏门又砸门的，我就是不开，最后他自己洗了碗回屋睡觉去了。我觉得这小子肯定不会放过我的，坐马桶上睡着了，半夜高源又砸门说他要上厕所，我出于人道把门打开了，谁知道这小子跟我叫板，门一打开他就要翻脸，幸亏我跑得快，早一步进了卧室，锁了门，还算没耽误睡觉。高源在客厅委屈了一宿，第二天写下保证书：两个月之内，买菜做饭洗碗他全包。乔军有一回到家里来，看见高源系个围裙正在炒菜，我躺在沙发上看电视，恨我恨得牙根痒痒。

唉！也没办法，高源这种有勇无谋的家伙，遇到我这种智慧型选手他只能认栽了。

在我们俩刚搬到一起的时候，还没什么同居经验。在做家务方面思想境界都不高，俩人都挖空心思想逃避劳动，抓阄、猜丁壳，这些方法都用过了，周末吃包饺子往饺子馅里塞个硬币，说好了谁吃到硬币第二天洗衣服擦地板收拾房子就是谁的事儿。在那个带硬币的饺子被高源吃出来之前，我饿得两眼发黑也不去吃饺子……细想起来，好玩儿的事特多。最后我彻底转变思想，承担了所有家务，其原因有两件事，其中一件就是高源为了我跟人打了一架，另外一件事就是高源拍的一个电影得奖了，老有记者通过他的同学和朋友介绍到家里来找他，我想总不能叫他系着围裙满身油烟味儿跟人谈电影艺术吧，也就心甘情愿地接过了他手里的炒锅。

那回高源替我打架印象很深刻。我俩出去吃饭，在蓟门桥旁边吃拉面，我跟高源先到的，站那儿排队，有个小子带着他女朋友后来的，直接就插队插我们俩前头了，那收银台的小姐也不问，上来就叫他们点东西，我一想我这正义的热血青年在这种时候得说两句吧，走上前去，劈头盖脸地说了收银台的小姐两句，大概意思就说她做得不对，就不应该给插队的人先点东西吃。小姐态度挺好的，一个劲的跟我道歉。其实说实话，我心里气是因为我那天太饿了，我也希望早点儿吃饭，结果插队那小子带的女朋友不乐意了，也劈头盖脸地数落了那小子一顿，然后说不吃了，转身就走了。那小子一着急，出去追，没追上，火气全撒我头上了，连拉带拽地把我拖到外面，非让我把女孩儿给他找回来。高源随后跟了出来，一句话没说，上来就给了那小子一拳。他也就一米七左右的身高，哪打得过高源这个一米八几的活猩猩呀，结果叫高源给收拾了。回到店里，我死活让高源多吃了一碗馄饨。那天回去之后我就想，像高源这种小资家庭熏陶出来的准小资肯为我在大街上跟人打架着实不易，我还是好好做饭，把他喂得肥一点儿，这样下回再打架就有劲儿了。

其实说起来，这几年我跟高源都有了许多许多的变化，我的许多不好的习惯都跑到他身上去了。我以前不爱关厕所的灯，高源老说我，说浪费电，我每回都皱着眉头跟他说："费不了多少电！"后来我把这毛病改了，他反而不爱关厕所的灯了。我一说他浪费电，他就跟我急赤白脸地说："用不了多少电！"以前我很爱干净，一套衣服穿脏了脱下来，放到一个桶里等着洗，后来不知道什么时候开始也跟高源学着一件衣服穿一天，脱下来扔到衣柜里，第二天换另外一件，穿一天再扔到衣柜里，所以现在我衣柜里的衣服根本分不出来哪件是干净的，哪件是应该洗一洗的。

自从跟乔军通过电话，我就来来回回地把我跟高源之前的事想了一遍，一直想到那天他跟张萌萌在一起研究剧本。比较来比较去，我想，我跟高源还算有感情的吧，我想，还是算了吧，都过去了，我就原谅他算了，再说了，我把人家家里传了好几代的玉镯子给废了，万一我不跟高源结婚，我上哪儿弄一个还给人家呀，我认栽这一回了。

想到这里，我把高源的衣服、CD 机、游戏机、漫画书都装在一个书包里，带了一个全乎，背着就出门了。路过胡同口，看见卖煎饼的，我还给高源买了一个煎饼，加了两个鸡蛋，高源就爱吃这家卖的煎饼。我一边往朝阳医院赶一边觉得好笑，觉得自己大包小包的又是吃的、又是玩的、又是用的带了这么多，像是去看我儿子！

33

我叫高源他妈给拦在病房外头了，对我横眉冷对的。

透过门缝儿，我看见高源睡着，他妈跟换了一个人似的死活就不让我进去。我本来也没想走来着，可是我实在受不了她对我的态度，她跟我妈俩人有一拼，反复就说一句话："真是世风日下，初晓你也算受教育这么多年的人，怎么能做这种事！"口气极其轻蔑。

我问她："我做什么了我？"

"你做了什么还用我说出来？！你连我儿子的命都想要了。"她乜斜着看我，然后又说，"要不是高源阻拦，我说什么也让你们受到法律的惩罚！中国也是法制社会呀，你怎么能做出这种不理智、不负责任的事情来……"

他们家那个"毁"人不倦的老头儿也来了，倒没他妈对我态度那么恶劣，只说了一句话："初晓啊，做为父母，我们不能再看着我们的孩子这么错下去了，你回去问问自己的父母……"

我没听他们把话说完，把东西扔到地下，我就走了。给高源买的煎饼还是热乎的，被我一直放在口袋里，我自己掏出来给吃了，连口水都没喝，噎死我了。

出了医院，到交警队事故科把贾六检举了。我想好了，看结果出来之后，他们怎么收场，到那时候我特宽容地抓着他们的手，说没关系，没关系，不管你们怎么对我，我还是原来的初晓，我没你们想的那么坏，我天生就是一老实孩子，我看高源的父母会不会受到良心的谴责。

快到“五一”了，年前我就老想，如果我要结婚就选在“五一”，天气不冷不热的，全世界劳动人民都跟我一起庆祝，多好啊。现在想来，没戏了。

想回家，又觉得回去也是待不住，想去逛逛商场，一看见里面那么多人我就烦，我从王府井一路走到广场，一路上游人如织，我莫名其妙地感到郁闷。

广场有个剧组在拍电视剧，很多人围着看，我从人群后面绕过去，刚走了两步，被人抓住了胳膊，“小姐，一个人啊？”我一回头原来是何希梵这个大流氓，很著名的一个演员，“你干吗哪大米粥！”他姓何名希梵，与稀饭谐音，做什么事儿又都喜欢粘粘糊糊的，圈里人都叫他大米粥，“怎么打扮得跟个香港阔少似的！”我看见他有点儿惊讶，在我编的第一个故事里，他是主演，后来一直是很好的朋友，这两年就跟他没怎么联系了，听朋友说他自己成立了一个广告公司，看来是发达了。

“我在这儿客串个角色，没事儿了。”他掏出烟来点了一支，也给我一支，“这两年你忙什么呢？相夫教子？没你消息呀！”

“我能忙什么呀，混呗。”我眼望着长安街，车来车往的，真他妈热闹，“怎么着，发了？”

“还行，也就挣俩辛苦钱，走，咱找个地方坐一会儿，说起来两年没见了。”大米粥不由分说拉着我往前走，走了一段，指着一辆崭新的大奔问我，“怎么样，这车还行吧！”

“行啊大米粥，鸟枪换炮了你啊。”我记得两年前他开的还是一普桑。

大米粥一笑：“你不弄辆开开？我有朋友走私，弄一辆这车便宜着呢，还管给你弄牌子，你要喜欢，也弄辆开开？”

“得了吧你，我又不用嗅蜜，舍不得下这血本。”不过坐好车跟坐贾六那破夏利的感觉就是不一样，舒服。

顺峰门口，大米粥把车停下，我们俩往里走，门口有一侏儒，穿戴得跟党卫军似的，见人过来咣当先立正，吧唧再来一军礼，一看见大米粥那个亲就甭说了，迎上来：“大哥，又来了！”指着我，“今天这个大嫂比以往都漂亮！”满脸堆着笑，大米粥掏出一百块钱来，摔在他脸上，“眯着你的！不说话没人当你哑巴。”大米粥现在可真拽，妈的，也快拽成全国粮票了！

找位子坐下，大米粥闭着眼睛就点了一桌子菜，我估计顺峰这种我们劳动人民卖血才吃得起的地方，早被这孙子当食堂了。

“初晓，婚了没有？”

“没呢，谁跟自己过不去呀，娶我。”

“谁叫你那么能干来着，其实女人在家做做饭带带孩子挺好的，瞎折腾什么呀！”

“行啊，你愿意跟我结婚，养活着我，我就在家老老实实做饭带孩子。”

大米粥哈哈大笑起来，说初晓你就别跟我逗闷子了，谁不知道你跟那导演好得跟一个人儿似的。

他这一说，就勾起了我的伤心事，提出喝酒的建议，要了一瓶酒鬼，喝了个昏天黑地。

借着酒劲，我把高源骂得猪狗不如。

大米粥还真能喝，一瓶酒鬼，一点儿没糟践，都叫我俩给干了。酒足饭饱，大米粥说，这么着吧，你也别烦了，初晓，出去散散心，正好我有个兄弟想弄个二十集的都市剧的本子，你要想出去散散心的话，明儿我带你去跟人家谈谈，看给你多少钱一集适合，谈妥了，你就背着行李爱上哪儿写上哪儿写，反正吃的住的机票他们公司全包。我一听就答应下来了，我说多少钱我都去。

当时大米粥就给他兄弟打了电话，看来对方还真是跟大米粥够瓷实，二话没说，给我一万五一集，让我看着编。为了表示对大米粥的感谢，我们又开了第二瓶酒鬼，喝呗，回家干吗去呀。

那天我破天荒的喝多了，张小北一个劲儿的往我手机上打电话，我都没接，最后都把我手机给打没电了。

大米粥一直把我送到家门口，我本来想请他进去坐坐来着，抬头一看，张小北瘟神似的在我们家门口保卫着呢。大米粥以为张小北就是高源呢，一个劲儿地跟张小北道歉，说对不起，我们俩两年多没见面儿了，今儿冷不丁碰上了，多喝了两杯，然后把我交给张小北，撒丫子跑了。

张小北特操蛋，进了房间，到厨房拿着醋瓶子捏着我嘴就往里灌，简直太不人道了，从嘴里灌进去，从鼻子里喷出来，我几乎窒息了，推开张小北哇的一声吐了，真对不起大米粥请我喝的两瓶酒鬼还有那一千多块钱的极品官燕。

我两眼通红地瞪着张小北，抽不冷子踹了他一脚："干吗你？挨狗咬了是不是？发疯上你自己家去。"我用手背子抹了抹嘴，"都赖你，还不拿墩布过来！"

张小北十分没好气地从厕所拎来水桶和墩布，他刚要清理，被我抢了过来，真恶心，我自己打扫都觉得太恶心了。

“你瞧瞧你这点儿出息，你那点儿胡搅蛮缠也就给我使！”张小北看着我，恨恨地说。

“我操，你有病啊，我跟你使得着吗我？让开点儿！”

“你把高源怎么了？”

“我能把他怎么着哇？”我横着张小北，“你们这帮人也真操蛋，那孙子有点儿什么事，都往我这儿想，妈的，我以前在你们眼里是个杀人犯啊……”我是真觉得委屈呀，我心里翻江倒海的，又把胃里那点儿存货翻出来了，哇哇地全吐张小北脚面子上了，新皮鞋，花花公子，毁了。

“这回好了，我躲开你们这群人渣，我躲得远远的，明儿就走……”

张小北一把夺过我手里的墩布，瞪着我：“你怎么净干糊涂事儿啊！你这一走，跟高源就玩儿完了……”

“这你就不懂了吧，哥哥，中华儿女千千万，不行就换！谁像你呀，你也算个男人？八辈子没见过什么是好女人，叫那小蜜蜂迷得找不着北，我都觉得丢脸！”我一边数落张小北，一边往沙发里一躺，“弄口水喝。”

张小北耷拉着脑袋乖乖地给我倒了杯凉开水，这点他比高源强多了。我接过杯子，一口气喝完了，嘴里嘟囔着：“你走了把门关上，我睡了。”然后我倒头就睡，朦胧当中，我感觉张小北把我抱到床上，把我衣服脱了，守着我说了不少心里话，好像还掉了不少眼泪，都掉在我脸上了，我依稀只记得他说他跟张萌萌掰了。

34

早上我醒来，头疼得要死，转脸看见张小北在一边躺着呢，头枕着自己胳膊，睡得龇牙咧嘴的。我穿着睡衣和睡裤，所有的衣服都堆在地上，上面沾满了那些没消化的海鲜，满屋子弥漫着酸酸的味道。我赶紧翻身下床打开了窗户，转手把张小北的西服扒下来，搬着他的肩膀挪到枕头上，给他盖上被子，自己去冲了个澡。

张小北死沉死沉的，我搬他的时候扭了我的腰。一边冲着澡，一边疼得我吱哇乱叫，好歹冲了一下，我又倒回到床上，动弹不得。

张小北迷迷瞪瞪的，见我在他身边躺下来，往一边挪了挪，嘟囔着："别想占我便宜！"

我本想抬起腿踏他一脚来着，刚一动弹，腰像被人扎了一刀，疼得我啊啊叫起来，眼泪同时落了下来。

说实话，我从小就不爱流眼泪，我妈打我，最多也就哼哼两声，打从幼儿园开始算起，我哭的次数能数得清。印象当中，上小学的时候，上课玩火柴，把桌斗里的课本点着了，捎带把我自己眉毛也烧了一半，那回哭了，一是因为知道没了半边眉毛难看，另外也是怕学校开除我。上初中的时候我们班有个挺烂的女同学依仗着认识几个社会上的小流氓，向我们班的女生收保护费，个别胆小的男生也捎带收着，我气不过，上晚自习偷偷溜出去，把丫气门芯拔下来装到自己口袋里，车铃也顺手拧下来扔到垃圾箱里了。后来她通过种种渠道知道是我干的，纠集了二十多个坏分子，下了晚自习在学校门口等着我，那回我哭了，真吓着了。那时候我还是个孩子，没见过什么大世面，实际上，跟我站在一起的好分子也不少，好歹也有三十几口子呢，当然，跟我那时候当着班里的团支部书记有关，谁都想早点儿入团啊！高中的时候因为数学考了十九分和一些朦胧的感情问题哭过几回，大学因为没入党和另外一些不太成熟的感情问题也哭过几回，不过，最近一段时间，我掉的眼泪差不多是大学毕业之前的总和，过了年之后我运气确实有点儿差。

我这么一哭一叫唤，张小北醒了。翻身从床上坐起来，推了我一把：“哭什么呢你？”

“疼。”

“哪儿疼？胃疼？有本事喝没本事扛着！”他在说我昨晚喝酒的事。

“不是，腰，扭了。”我说话也带着哭腔。跟张小北在一起的时候感觉很奇怪，我可以跟他发脾气，骂人，甚至动手打人，也可以像现在这样像他的妹妹，他的女儿，跟他撒娇，可是在高源面前，我永远不会有女儿的感觉。我想让高源给我买什么东西的话，如果他愿意，当然皆大欢喜；如果他不愿意给我买，只有两种结果，一种是我自己买，另外一种是武力解决，我把他给打服了，他给我买。为此，我有一段时间花大价钱跟李穹一起报名参加过跆拳道的学习班。

张小北就不说话了，从药箱子里拿出一瓶药酒，把我的裤子往下拉了拉，上衣往上撩了撩，在腰上给我揉。手在腰上搓来搓去的，药酒好像燃烧起来，很灼热，疼痛果然就不那么厉害了。搓了将近一个钟头，张小北满头大汗，在我屁股上给了一巴掌，说：“好了。一会儿热劲过去了，就不疼了。真他妈累死我了！”

我没说话，继续在床上趴着，张小北在洗手间嚷嚷：“有没有新牙刷了？”

“没有，使我的吧，黄的。”我懒洋洋地回答他。

过一会儿传来哗哗的水声，他洗完澡又嚷嚷：“坏了，衣服全湿了，初晓，高源的衣服都在哪儿？”

“衣柜里挂着呢，自己找。”

他围了条浴巾出来，将头探进卧室，整个身体躲在墙后面：“不是，有高源的内衣吗，最好是新的。”

我抬起头，使劲乜斜着他，他有点儿不好意思，赶紧解释：“刚才我一穿，掉浴缸里了。”

我想了想，上次好像给高源买过一包新的内裤，他还没穿。想起来给他找，起不来：“过来，”我喊张小北，“拉我一把！”

张小北特扭捏地从墙后边出来，就在腰上围了一条浴巾，我一想他现在是裸体的，忍不住哈哈哈地大笑起来，也没管住自己的眼睛，在他的下三路来回打量了几回，张小北一巴掌又打在我脑袋上，警告我：“别跟我这儿耍流氓啊！又想占便宜！”

我一听他这么诽谤我这上进的好青年，也不能含糊，我说：“张小北，你可得搞清楚，就目前你的条件来说，要有流氓肯强暴你，那是你多大的福利呀！”我忽然想起来昨天晚上他帮我脱衣服的事来，“对了，你昨天还脱我衣服来着，你丫说实话，趁我睡着了，占便宜没有？”张小北眼睛瞪得灯笼大，我吓得赶紧转身，挪到衣柜里给他找内衣，感觉他在我背后挥了一拳，没打着，甩过来一句耐人寻味的话：“占你便宜，需要勇气。”

门口有人敲门，我吓了一激灵，真是怕什么来什么，张小北也有点儿紧张，我把衣服扔给他：“赶紧穿上。”不知道为什么，我心里闪过高源他妈的影子。

张小北刚要解下浴巾，看着我：“你出去呀！还说不想占便宜！”

我一遇到这样的时候我就不想出门，让她敲去吧，就当我没在家。想到这里，我趴到床上，用被子把头蒙住：“你穿你的，我不看。”

张小北踢我一脚：“开门去呀！你出去！”妈的，也不知道是谁家！

门口开始喊：“高源，初晓，起来了，谁在家呢！”我一听，一邻居大妈的声音，每个月义务收卫生费，一想，今天正好是交费的日子，我着实松了一口气，警报解除。我抓了一把零钱去开门，交了费，说了半天谢谢，老太太走了，刚要关门，又一老太太出现了，一看见她，我一阵眩晕，怕什么来什么，怕什么来什么，真是怕什么来什么……

“阿姨，这么早？”我想对她笑来着，咧了咧嘴，眼泪差点儿流下来。

高源他妈也不说话，站在门口，“高源要他的一个什么镜头本儿，你给找找，我拿了就走。”挺好的一老太太，平常慈眉善目的，这会儿不好好说话，一脸的阶级斗争，跟我装酷。

我彻底乱了阵脚：“别，阿姨，您进来坐。”我现在一看见她，比当年我妈喜欢对我动武的时候都紧张。

“不了。”

“高源……怎么样了？他好点儿了吗？”

“好了。”她看了我一眼，口气缓和了一点儿，“他爸陪着他……你去给他找出来，我一会儿带走，车还等着呢。”

张小北这时候蹿了出来，问我：“初晓，有方便面没有？”我心往下一沉，完了，这回我不死也是个严重残疾，这种事情谁说得清啊，果然，我心里马上闪过张萌萌说过的一句话：“我们是纯洁的男女关系！”没敢往外说，到嘴边的话，叫我又咽回去了。高源他妈的反应跟我设想的一个样儿，瞪着我，眼神比下午五六点时候北京的交通状况还要复杂，面无表情。

我心一横，干脆把门拉开让她进来。之前人们总说“没做亏心事不怕鬼敲门”，今天我才知道，原来一切都是扯淡，根本不是那么回事，比如我，当时当刻，虽然没做亏心事，面对高源他母亲，这样一个敲门的鬼，真是紧张得不行，没错，一切都是扯淡。

我死活把高源他妈拽进了屋里，张小北还好已经穿好了衣服，在厨房翻腾方便面呢，我指着张小北给老太太介绍，我说这是我堂哥，我亲大爷的儿子。管他呢，我先解除了警报再说。只是可怜我亲大爷他在十七岁的时候就去世了，死了半个多世纪以后却平白无故多出一亲儿子来。

我赶紧又招呼张小北：“哥，这是高源他妈妈，沈阿姨。”

张小北还算有点儿脑子，赶紧也跟老太太打招呼，装得特清纯：“阿姨好。”刚说完，一个劲儿给我递眼神儿，我一时还真不明白什么意思，光顾着编瞎话了，拉着高源他们家老太太坐下，吩咐张小北，一口一个哥，叫得我自己直反胃，为了躲过这一劫，我忍了。

“哥，你给阿姨倒点儿水，白开水就行，阿姨不喝别的。”

张小北倒水的功夫，我又接着编，“我哥在上海做生意，春节也没回北京，这不现在有空了，回北京看看我大爷……”

高源他妈一直没说话，水倒来了，张小北递给她，恶狠狠瞪着我，似乎是叫我闭嘴，他还使劲咳嗽了一声，特假。

“哥，下面柜子里有面，你多煮点儿……”

“初晓，你把高源要的镜头本儿找找，我等着走呢。”老太太这回说话带着点儿笑模样，我舒了口气，妈的，幸亏我脑子够快。

进屋找了镜头本，递到老太太手里，她看也没看我一眼，拿起来就走，我说阿姨我跟您一起去医院看看高源吧，看他还需要点儿什么……话还没说完，老太太打断我，冷笑着跟我说做人得脚踏实地，做人不能太狡猾，做人怎么着怎么着的，然后甩门走了，我听着脑袋直膨胀。

我倒在沙发上，扯着嗓子大叫：“可算他妈的走了，感谢菩萨。”

张小北从厨房冲出来，大骂我傻B，说这回你婆婆彻底把你否定了。我说为什么？

张小北说，你没看老太太后来眼神都不对了，一言不发的。我想想，也觉得张小北说的情况属实，愣愣地看着他，等着听他分析。

“我说完了你可别哭啊。”张小北就这样，说点儿什么都提前给你打好预防针。

“说啊！”我都要急了。

“你刚才说我是你什么人？”

“我哥啊，堂哥，我亲大爷的儿子，怎么了？”

“你真是一傻B青年。”张小北把给老太太倒的水端起来喝了两口，“上次见面你怎么介绍我的？”

完了，完了，彻底完了，张小北这么一说，我就想起来了。上回高源拍的片子得奖回来，我们包了一个酒店的小宴会厅请了很多朋友来庆祝，高源的父母也参加了，张小北带着李穹也在，我给他们介绍张小北的时候我说：“这是张小北，我一特好的朋友，大网站的老总，大财主！”当时高源他妈还夸张小北一表人才，年轻有为，张小北一激动，当场表示，那天所有的花费都算他的。妈的，我怎么就给忘了？！按说他让我省了小一万块钱呢，我应该不会忘啊，我心里翻江倒海的，说不出话来。

张小北也不说话，一边看着我：“看什么看？！”我发脾气也不对，不发火我心里实在堵得慌。

“那……那你打算怎么办哪？”

我叹了口气，我还能怎么办啊，是福不是祸，是祸躲不过，我认栽了吧，一会儿送走了张小北我再收拾一遍家，跟高源分行李，这回真的没路可走了，散伙吧。

妈的，我可真够背的，黑夜给了我黑色的眼睛，我却用它看不到光明……只可惜，我没占着张小北什么便宜。

35

最近我一直在忙，紧赶慢赶的，把分给我那几集故事写了出来。第二天就忙着去跟导演沟通，导演是高源的师兄，以前见过几次，见了面，先跟我打听高源的情况，问什么时候能痊愈，他的新戏什么时候开机，半真半假地跟我说，听说高源最近搭上一个小款姐儿，叫我留点儿神，我心说我还怎么留神啊，我再留神只能把高源栓我腰带上了。

侃完了剧本，影视公司老板说要宴请主创人员，晚上七点，在十三陵附近的一个农家院儿里，吃农家饭。我本来不怎么想去，觉得这帮文化商人整天附庸风雅没什么大意思，高源的师兄死活要把我留下，说有两个演员和几个圈儿里的大腕儿也要去。我看时间还早，就想先回趟我父母家里，把我爸给我弄的那辆车开出来，最近一直在忙，也没心思去拿车，都在我们家楼底下停了好几个星期了，我妈晚上怕丢了一直睡不好觉，我早点儿开回来一是自己方便，二是让老太太能睡上安稳觉。

等我开着我的马自达到达十三陵水库边上一个农家小院的时候已经快晚上八点了，院子门口停满了车，好像我还看见了李穹的白色现代。我想，她怎么会到这儿来呢？! 我到里边一看，还他妈的真来了！不但她，连张萌萌也到场了，我一问才知道，感情影视公司老板说的两个演员就是她们俩，我操！还有他们说的大腕儿原来是大米粥，我一进去，看见满屋子的老朋友，我想今天真热闹，欢聚一堂。

我坏坏地乜了张萌萌一眼，我心想，小样儿的，上回算你跑得快，今天看我怎么收拾你。心里这样想着，我不动声色地在大米粥旁边坐下来。

李穹和张萌萌都装得跟不认识我似的，只有大米粥一看见我就扑了过来，公司林老板一看人来齐了，赶紧张罗着介绍，指着我给大家介绍："这是初晓，本公司御用编剧。"

我让他说的都有点儿不好意思了，张萌萌在他边上，用一种暧昧的眼光看着他，李穹在对面冷冷地看着张萌萌，我真担心她忽然发作，抄起家伙又向她飞过去。事实证明，今天李穹的风头绝对盖过了张萌萌，她是作为这个电视剧的一号女演员出现在这里的。我跟大米粥挨着坐，我趁别人不注意偷偷问他："这俩演员哪儿挖来的？看起来都不像专业的，新人啊？"

大米粥一语道破天机，"一个是导演的新宠，一个是林老板的小姘！"我一想，高源这个师兄好像跟一个很有名的演员结婚了，报纸上还老说俩人挺幸福的，李穹是怎么插进去的，我真纳闷儿。

张萌萌也一直不动声色地观察我和李穹的动向，她有点儿紧张，这种场合虽然有林老板给她撑着，毕竟她现在还玩不转这帮圈子里的散仙。基本上到场的这些人彼此都是认识的，至少，都听过名字，哪怕是初次见面的，也没有陌生那一说儿，演艺圈的共性就是自来熟。

林老板简单给大家做了自我介绍之后，晚宴就算正式开始了，人们三三两两地聚在一起，我拉着大米粥跟李穹凑到了一块儿，李穹见我朝她过去，嘿嘿地笑着。

“行，姐们儿，你牛！”我对着她翘起了大拇指，“说说，说说，怎么跟方明方大导演勾搭到一起的。”导演叫方明，比高源高两三届。

离婚以后我第一次看见李穹，她比年前气色好多了，似乎离开了张小北她才真的找回了以前的那些自信。她含笑乜斜我：“偶然认识的，上个星期，跟乔军去方明家吃饭，他们非说我能演……”敢情李穹到底还是吃了乔军这个回头草了，我横了大米粥一眼：“少造谣啊，你当是个新人就傍导演呢！李穹凭的可是实力。”大米粥脾气好，呵呵地笑着，我偷瞄了张萌萌一眼，装得特孙子，用贾六形容奔奔的话说，丫打扮得跟个处女似的。

不管我心里怎么恨张萌萌，我不得不承认一点儿，在她的面前，无论我还是李穹，我们都是失败的女人，甚至我想起那天我在家里把她和高源堵个正着的情景，血会莫名其妙地往上涌……我招呼大米粥：“来，来，来，做游戏了啊，玩不玩？”

我所谓的做游戏其实是整人，这种场合经历得多了，玩起来也特顺手，比如我和何希梵先生，两年前在一起合作的时候玩过的游戏，在今天又是一拍即合。

游戏很简单，一个人敲桌子或者敲一个盆盆罐罐，其余的人随便传一个什么东西，敲打声停下来的时候，东西在谁的手里，谁就要站出来，要么说，要么做，说是回答众人提出的比较尴尬的问题，做是当场做一件别人要求的事情。

“来来来，游戏了，游戏了啊……”大米粥招呼着，这帮爱热闹的俗人们一听说开始闹了，呼啦全围了过来，大米粥把游戏规则一说，大家就开始哄笑起来。我从院子里找了一根像鼓锤一样的木头递到李穹手里，让她来控制大局，李穹忍不住呵呵地笑起来。

大米粥一喊开始，一个苹果就开始在众人手里传递起来，最后如愿以偿地停在了我的手里，我对李穹眨眼睛，李穹不动声色，妈的，她比我还狠。

众人异口同声地问我：“说还是做！”

我假装想了想，很干脆的回答：“做！”有人坏笑起来，因为以往做的内容很尴尬，而说又必须要说真话。

“好！”大米粥的呼声最高，“做是吧？那我们今天就推选主演李穹来要求你做一件事。”他又转向李穹，眉飞色舞地，“记住啊，让她做什么都行，亲谁一口啊，打谁一巴掌啊，让她当场做爱做的事啊……”他妈的何希梵这种大流氓才是文艺工作者当中的败类，我猜他糟蹋过的女孩儿肯定比跟他配过戏的要多得多。

李穹也笑起来，她今天不管声音还是神情，真是足够完美，表现得矜持又不紧张。

“那就打何希梵一巴掌吧！”李穹慢慢地说，大家一下子哄了起来，“一定得打脸，用力，足够响，让站在屋外的人都听得倒。这样何希梵才能满足……”

这帮牛鬼蛇神全都嚎叫起来，连连叫好。

大米粥特孙子地把林老板揪了出来，让他说句话。林老板喜欢当老好人，既然这样，他说，我们还是敲桌子传苹果，传到谁手里，谁认倒霉。

我偷瞄了张萌萌一眼，丫装得特无邪，我心里说等着你姑奶奶玩你吧。

听林老板这么一说，立刻有几个人说不玩了，退出游戏。那哪成啊，按照老规矩，这个时候再退出来，每人罚款一千块，就这样，还是有人退了出去，何希梵手里一会儿功夫捏了三四千，他们要知道我们仨玩得这么黑，非大嘴巴抽我们不可，我们仨有点儿坐黑庄的意思。

很紧张，气氛莫名其妙地紧张起来，李穹开始敲桌子，开始敲得很慢，后来越来越快，一个挺好看又好吃的苹果在我们这帮人渣手里转来转去的，好像很烫手，已经转了一圈儿了，除了我跟李穹，谁也不知道它要落在谁的手里，快传到张萌萌手里的时候，我赶紧咳嗽了一声，于是，苹果稳稳当当攥在了她手里。

我看到很多人松了一口气，我心里那种兴奋难以用语言描述，众人瞩目之下，我毫不掩饰，嘿嘿地奸笑着。

张萌萌感到不知所措，我一步一步走近她，带着兴奋，有点儿像一个强奸犯走向一个裸体的女郎。

林老板出来挡驾："初晓，算了，算了，这回就算了……"

"林老板，你这么做人可就不对了啊，"我豁出去撅他这一回了，"一起玩了这么多次，这可是游戏规则，你刚才可是救了大米粥一回了，忘了你刚才亲口说的传到谁手里算谁中彩的话了？再说了，这也不是什么难为情的事，对不对？这你还得感谢人家李穹，她亏得没说叫我把张小姐的衣服一件一件脱光了……”众人哄笑起来，有人起哄：“脱，脱衣服！”

林老板不说话了，脸拉得像个长白山，我心说去你大爷的吧，我今天就要当众给这小蜜蜂一大嘴巴，谁拦我灭谁，套句文化词儿，这叫“遇佛杀佛，遇鬼灭鬼”，我今天替天行道了，感觉真豪迈。

“对不住了，张小姐。”我走向张萌萌不怀好意地笑着，来回搓着我的双手。刚扬起来，要打下去，我听见李穹“啊”的一声尖叫起来，扭头看着她：“怎么了？”“疼！”李穹也装得特孙子，有人跟着起哄，笑起来，张萌萌看了李穹一眼，脸红了。

“别躲，别躲啊，没事，我不使劲。”我安慰张萌萌。

我想，当场的牛鬼蛇神谁也不会想到我会真的一巴掌狠抽下去，所有的人，包括大米粥在内，都把这当做一个玩笑，只有我知道，我自己心里知道这一巴掌意味着什么。

所以，当那响亮的一记耳光抽在张萌萌的脸上，并且留下那么鲜明的五个手指印儿的时候，所有的人都惊呆了，包括我自己，我惊讶于我体内爆发出如此惊人的力量。

短暂的两秒沉默，我凄厉地尖叫起来，抱住张萌萌的肩膀：“没事吧，没事吧，真是的，下手太重了，你怎么不躲呀，我以为你能躲开呢，你真是的，干吗这么实在……哎呀呀，手疼……”

听我这么一说，众人围了上来，七嘴八舌地跟张萌萌说：“真是的，就是实在，一躲不就没事了……”

我趁着乱乎劲，跑到了院子里，月朗星稀，鸡飞狗跳，我操，生活可真美好。

36

我一个人在院子里抽烟，北京郊区的夜很静谧，空气中弥漫着泥土的香气，我真觉得我们这帮乌合之众糟蹋了这么一个好地方。

小雨是个女愤青，曾经跟高源在一个组里待过，可以算作高源最要好的异性朋友了，她是个很怪异的家伙，化妆师。我很崇拜她，连我这样的一张脸，经过她用那些花花绿绿的颜料一涂抹也能像个明星似的。

我听人说过，一个女孩儿一旦成为愤青，就有了换男朋友的理由，小雨不然，她对爱情的态度挺执着的，这几年，她一直跟着一个上世纪70年代开始成名的诗人一起生活，她养着那老头儿，让我肃然起敬。

小雨出来，不知道从谁那儿弄了一支雪茄，叼在嘴里特滑稽，比她大拇指都粗。她在我身边坐下来，表情特冷峻。

“你们两口子够牛B的呀！一人给人小姑娘一大嘴巴。”我以为她对我竖起来大拇指，仔细一看，原来是把雪茄递到我眼前，我接过来，狠劲儿嘬了两口，差点儿呛出了眼泪。

“怎么着？”我问她，“高源这败类也参与我们人民的扫黄战争了？”

小雨这个大愤青始终很冷峻地看着我：“要我说句公道话，高源是个好人……怎么说呢，”她沉吟了一下，“今天这个年代里，身体上的越轨……应该不算背叛了吧，我觉得高源还算，还算对得起你吧。”

“小雨，咱俩虽然交情不深，我知道你的为人，我跟高源这事也不是一时半会儿能说清的……”我显得很沮丧，刚才打人的激动在瞬间泯灭，我郁闷至极。“说实话小雨，在感情上你比我纯粹得多，说白了，我跟高源这几年不过是打着爱情的幌子，挣点儿生活资本。”

“初晓，你跟高源其实都清楚，你们的感情不一般。”

我看看天边，群星闪耀，这些恒久的星辰它们见证过我跟高源刚开始相爱的那些日子里所有的花前月下，而如今，我不知道它们都消逝到了哪里。或许有一些已经随着星星的陨落而灰飞湮灭，我想哭，为了我的那些纯真年代啊。

“那天，高源到组里来，他跟我聊起你，他说你不是人，是个妖精，是他一个劫数……”

小雨挺讽刺地看着我，我不知道她是在讽刺我还是在讽刺高源：“张萌萌那天也在，拿蛋糕给我跟高源吃，我拿了一块，高源也拿了一块，张萌萌靠着高源坐下来，高源也不知道哪来的气，看她一眼，把蛋糕往地上一扔，让她滚……”高源这点倒是随我，狗脾气，说发作就发作。

我问小雨，她是什么时候知道张萌萌跟高源有一腿的。

她说从一开始就知道，张萌萌三天两头往高源那儿跑，在那儿又洗澡又睡觉的，开始的时候高源都扛住了，估计后来张萌萌下了点儿猛料，就把高源给办了。我想，也不能全怪高源，男人的生理欲望是很容易被视觉刺激起来的，但凡是个正常的男人，张萌萌这么折腾，也扛不了多久。我又想张小北，说实话，张小北跟高源比起来，显得有点儿木纳而老实，连他都对张萌萌爱得死心塌地的，她也着实不简单了。

据说，后来高源把张萌萌叫到另外一个房间里面说话，两个人说什么没人知道。小雨说，她只听见张萌萌母狗似的叫嚣，说只要高源不让他上这个戏就要把她跟高源的事抖落给小报记者听，捎带把我骂了个狗血淋头，高源一激动，挥手给了张萌萌一大嘴巴，叫她爱怎么抖落怎么抖落，该干吗干吗去，死活要把张萌萌换掉。

我刚才还奇怪呢，不明白张萌萌刚进了高源的剧组怎么又在方明的剧组干上了，感情是高源把丫蹬了，不带她玩了。现在我想到高源，觉得这孙子还有情有意的！起码不糊涂，分得出轻重，比张小北那断强多了。李穹也从屋里出来了，大老远看着我，嘿嘿地乐。

“笑什么哪你？转眼也当明星了！”我故意挤兑她，“怎么样？到最后还是我们乔军最有福气呀！”

李穹笑而不答，妈的，刚进了演艺圈儿就学会缄默了，我心里骂李穹。

“什么时候结婚啊？”

“五一。”李穹回答，着实刺了我一下，“五一”可是我给自己挑选的好日子，春暖花开的时候，面朝大海，穿着婚纱，大把大把地收着红包，数着钞票，多爽啊，想想我就流口水。

“你跟张小北……怎么打算的？”小雨离开了，李穹凑过来问我，吓得我一身冷汗，我怎么跟张小北打算上了，这不是没影儿的事儿嘛！

“扯淡！”我白了李穹一眼，“我跟他打算得着吗？”

“高源他妈跟乔军说了……乔军跟我说了，这也不是什么难为情的事，跟高源要没戏就趁早套牢张小北，真的，实在话！”李穹看着我，她今天真好看，化淡妆，一颦一笑都透着优雅，好像她当年做空姐时候的模样。我没必要跟她解释什么，我想我没有必要跟任何人解释我与张小北之间是不是纯洁的男女关系，在我的心里，只有一个爱人，那就是高源。我知道我豁得出去自己，为了利益会把自己嫁给另外一个不爱的人，那是另外一回事，我爱的人是高源，这是无疑的。

我看着远方，仿佛看到高源那张充满艺术气息的脸，又皱成了一朵花儿似的，对着我龇牙咧嘴地笑，没完没了的。有风，不远的地方就是水库，风吹得水哗啦哗啦响得特清脆，我仿佛听见高源第一次抱着我的时候高呼的那句："不要万寿无疆，只要你做我的新娘！"这个世界当然没有万寿无疆，直到现在我也不是他的什么狗屁新娘，可是我们爱情的小苗早已经疯长成了草长莺飞的牧场。

"我得走了。"我起身，拍拍屁股上的土，"我得走了。"我重复着。

"高源他们家老太太在那儿守着呢，你见不着他！"李穹真不愧是我姐妹儿，用脚丫子都能想到我要去看高源。

我转身，对着她："你有办法把老太太给我弄走。"我看看表，"现在十点，我开回去差不多十二点，两个小时你找着乔军，给我把老太太鼓捣走！"我跟总司令似的给李穹下命令，想好了，我今天一定要见着高源。

"要是高源不愿意见你呢？"李穹提出了一个实质性的问题，叫我显得很尴尬。是的，我的确不能确定高源现在愿意看见我，或者我的出现不至于刺激他脆弱的神经。

打电话！我给高源先打个电话探探他的口风。想到这些，我走了几步路走到水库边上，拨通了高源的手机，电话响了三声，被对方给断掉了，我再打，关机。

我有一种挫败感，来自一个很遥远的地方。以前我老说，感情这种东西没法说谁对谁错，之前只是凭感觉胡诌的，现在，我终于明白了，为什么一跟奔奔提起感情，丫就表现得特轻蔑了，真正看透的是奔奔啊，这男跟女压根就他妈的没感情。我感到绝望，对我自己，对高源，对生活。

坐在野地里抽烟的感觉不错，很安静，虫叫声很亲切，当年我跟高源也是坐在像这样的草地上，背靠着背，说很多没边儿的话。在清华大学的草坪上，在北大南门的榕树下，在电影学院门口叫黄亭子的茶馆里，我们说过许多许多话，关于我们自己和未知的生活。在我坐在那儿的一瞬间，我蓦然发现，这一切都离我那么遥远，忽地一下就飘到了一个我再也够不到的地方，我害怕了，前所未有的害怕失去，并且自责。我知道我做了许多糊涂事，包括交友不慎，认识了贾六……

我的电话忽然响了起来，我一看是高源把电话又拨了回来，我第一次发现我拿电话的手居然会发抖。

"喂？"我的眼泪比我的声音先出来。

电话那边没有说话，我能听见他的呼吸。

"高源……高源你说句话。"我用从来没有过的近乎哀求的声音跟他说话，我前所未有的害怕，害怕失去他。

"……我不想理你，一点儿不想搭理你！"高源说话有点儿激动，"初晓你，你忒混，再没比你更混的人了……"

我听着，一边听高源给我下结论一边掉眼泪。

"你说你怎么那么混呐？"他问我，"你说，你说说！"

"高源，我爱你……"在一起五年多了，我第一次告诉他我爱他，我自己很感动。

我的声音跟风声一齐灌进电话的听筒，高源半天没说话，我觉得他在那头哭了。

他可真脆弱。

37

在开车去医院的路上，我思索着我这几年的生活。那些光华的背后隐藏着我一颗畏缩的心，其实我一直在害怕，害怕失去我的生活，而高源是我生活里很大的一部分，当我跟他争吵，当我挥动拳头将他打倒，当我想尽一切办法控制他一部分思想，当我挖空心思表现我虚伪的宽容……所有这些时刻里，所有我做过的真真假假的一切，我都是想把高源抓紧，因为他是我的生活。

这些年，我编故事，我随心所欲地让故事里的人们肆意说着死不要脸的情话；我让那些没影儿的人在假设的生活里爱得死去活来；我感动在虚构的别人的故事里；我为那些和我八竿子打不着的张三李四王二麻子策划各种各样的情节去赢得他们的爱情；我在别人的眼泪和欢笑里感受激情……我觉得这些年，我过得浑浑噩噩，一塌糊涂，像一个终日沉迷于黄色录像带的阳痿患者享受假设中的高潮，我不得不承认我的失败。

然而高源对于我来说，是唯一真实的故事。如果这几年我在编故事之余也在书写我的人生履历的话，那么高源是我唯一的收获，我爱他，我不想失去他。

车开得飞快，车窗和天窗都开着，我想着跟高源见面之后会是什么情景，也许高源会抱住我哭得稀里哗啦的，那样的话，他又成了我盘子里的肉，一只煮熟了的鸭子，任由我处置了。我喜欢这种游戏，明知道自己会赢，还是认真走完每一个过程。

车开到四环边上，我的手机疯了似的响起来，我一看号码，是奔奔，想想她这个时候找我应该也没什么大事，没接。接下来我开车走了大约十分钟，电话一直响个不停，我隐约感觉到奔奔是有什么紧急的事情找我，我把车靠在路边，拿起电话。

“我操，姐妹儿，哪儿呢？”刚一按接通键，奔奔火急火燎的声音就传了过来，“怎么这么半天才接电话呀！”

“我开车呢，怎么着？”

“操，还怎么着呢？！你丫惹大麻烦了！”奔奔一着急说话声音就不清楚，我得使劲听才能听清楚她说什么，“上回你带那姐妹儿跟我那儿拿那个正负极兜了，我操，那傻B姐妹把我兜出来了……”我就怕这样的事儿，没听奔奔说完我心就开始凉，胳膊腿一齐开始哆嗦，我知道这不是小事，正负极算毒品，一个是买的，一个是卖的，我就是中间那小桥儿，妈的，一不留神，我还犯罪了。

“那……那现在应该怎么办哪？”我一时也没了主意了，不知道该怎么办。

“你也赶紧找个地方躲起来，你那姐妹一被抓住全兜了，说你带着她跟我这儿拿的货……操，婊子！”奔奔叹了口气，听那意思她已经躲起来了，我知道她心里肯定窝火，她一躲起来，整个由她负责的这摊子事就陷入瘫痪状态了，影响经济建设呀！这直接跟经济挂钩的事奔奔能不急吗！她的心情我十分理解。

在这种跟政府打游击的突发事件上，我永远得听奔奔指挥，我几乎已经迷信她了，光我知道的，有多少回啊，人民警察在各个娱乐场所布下天罗地网，地毯式地搜捕她们都没收获，我绝对相信奔奔有的是道儿！

“我操，丫小B怎么回事呀！”我一急，差点儿把电话给甩出去，大骂小B，“真他妈操蛋！”

“初晓，要我说你那姐妹儿也真他妈该枪毙，我操，丫找二十刚出头的大学生干这事，这是犯罪呀，我操，残害祖国未来跟希望呀……”奔奔说得义愤填膺的，仿佛她从来没残害过大学生，仿佛她做的全是为人民服务的勾当。“一把年纪了，人家都能管她叫阿姨了，真他妈的没道德做出这种事来，有钱了不起啊？！有钱就能玩弄处男啊，有钱……”我本来一听这事就哆嗦，一听奔奔又这么说书面语我大脑立马就开始缺氧了，头晕得不行。

我说，奔奔，咱先别讨伐小B，咱先说怎么办？你说个路子，花钱，找关系，姐姐我现在就动弹，法网恢恢疏而不漏，你丫能跑到哪儿啊？

“我操，姐姐你说什么呢！”奔奔急了，“你还不跑？！你当这是小事呢？！不是妹妹我吓唬你，毒品呀这是，全中国就没几个地方有这东西，你还当是卖淫嫖娼的，抓进去给俩银子就能捞出来呢！你赶紧收拾收拾跑路吧……”听奔奔说话那意思，她恨不得现在能长出一对翅膀飞起来才好呢。

我觉得像我这种知识分子跟奔奔这种社会败类最大的区别就在于，关键时刻知识分子总是显得比较冷静，运用一切思想来分析研究问题，特别是当我运用辩证法客观实际地分析一下这件事情之后，我觉得完全没有奔奔想像的那么严重，只要问题交代清楚了，我本人肯定是不会有什么大问题了，顶多就是交点儿罚款。只要奔奔一口咬定，这药是别人从国外带回来的，估计也不会有什么大问题，何必一定要跑路呢？我把我的想法跟奔奔说了，我还没说完，奔奔就气得挂了电话上机场了。

我用三分钟时间在路边抽完了一支烟，大脑高速地旋转着，想尽快想出一个什么办法来。我给小B打电话，原来以为肯定电话关着，她人待在局子里呢，没想到她还能接电话。

“小B你丫的找什么事啊？怎么拿那两片药还把奔奔给折进去了？”我气得发抖，想不到小B拿这药是去做违法的勾当。

“谁知道我这么倒霉被查到啊！”小B说起来也是满肚子委屈，“你说我这脸还往哪儿搁？！你说啊初晓！”小B说话带着哭腔，她好像挺怕的。

“我操，你问谁呢，你问我啊？你早干吗去了！”我真是快气疯了，“你那么大的人，怎么做这种糊涂事啊！你现在在哪儿呢？咱俩见一面，商量商量！”

“你在哪啊？现在我家肯定不能待了，我估计有警察！”小B说话特神秘，跟当年地下党似的，“你在哪？我过去找你。”

我告诉她我在四环上，她说那就直接去我家得了，一会儿在我家见面，商量商量怎么办。

我放下电话，开车往家走，一边走我一边觉得窝火，心说真他妈的操蛋，我怎么这一会儿就卷进了犯罪团伙了。妈的，人要倒霉喝口凉水都塞牙！

38

我跟个耗子似的溜回到家里，感觉很滑稽，他奶奶的我并没做什么坏事啊，怎么就会成了政府的打击对象了呢？我就想不明白。

我看见小B的宝马就停在我家楼下，我先给她打了一个电话，我在车里看着她很慌乱地拿起电话，神色紧张。

我说没事吧，她说你在哪儿呢？我说就在你对面车里，小B一抬头看见了我，把电话关了，从车里跳出来，向我走来。

她一坐到车里就点燃了一支烟，深吸了一口，吐出来，闭着眼睛倒在靠背上，眉头紧皱着。我看她这副德行，一肚子火也没好意思往外发，自己憋回去了。

我问她，怎么回事啊？

小B又抽了一口烟，斜了我一眼，把事情原委倒了出来。

小B这厮也不知道从什么时候开始有这个爱好的，开始的时候有人专门帮她介绍，那时候她跟前夫还没离婚，她还是著名演员的太太，养着一个十九岁的大学生，当儿子养。我想，如果小B真有个儿子的话也差不多该十九岁了。男孩刚开始很听话，小B说什么是什么，后来到了他快毕业的时候，开始耍脾气，小B给了丫五万块钱送走了他。离婚以后，有回跟朋友们出去玩，有人跟她说花钱买来的不好玩，要想点儿办法把自己变被动，一来不用花钱，二来也特刺激，小B所以找我来弄药，通常隔三差五的就换个人，离了婚，在家里搞也更随便了。上个月，她招了一个小演员，才二十岁，把人家糊弄到家里给办了，结果人家孩子事后觉得不对劲，到公安局把小B告了，警察一找小B，丫把药怎么来的，祸害了多少孩子全招了，据小B说公安局那帮人正到处找我跟奔奔呢。

我听着听着，真是没了主意，看着小B那张青春消逝的脸，我竟一句责备的话也说不出来，心里酸酸的感觉。

我也抽完了一支烟，拍了拍小B的肩膀，安慰她："算了，算了，别急，想想办法，总能解决的。"我紧皱着眉头靠在椅背上又开始检索我脑子里的电话号码，不知道这回哪位神仙又得被我请出来消灾。

"你想想看，谁能帮上忙，钱我出！"小B说得也不那么理直气壮了，她自己也知道，这个时候钱不一定管用。

乔军从家里给我打来电话，问我怎么还没到医院去看高源，我看看表，快十二点了，我想无论如何我得先去医院看一眼高源，我想他了，要是他睡着了也没关系，哪怕只看看他，摸摸他的脸，我心里也踏实了。

我将车发动了，带着小B一起往医院的方向开去，小B特紧张，一直叫我别去，说没准儿警察已经找到高源那儿了，我不信，把车停到医院停车场就往高源的病房走去，小B坚持留在车里，说万一有事就让我往外跑，她开着车在外面接我。

午夜，医院的楼道里阴森森的，我想起我之前写过的一个故事，一个杀人犯在最后被击毙，就是因为去医院看望自己的爱人，而警察就在病房里埋伏着。我一边往高源的病房走一边开始寻思我之前胡编滥造的那些故事，居然跟我现在的处境有几分相似！

高源病房的门半开着，我刚要推开，就看见了里面正有警察跟高源问话，我听见他们最后一句说的是："如果初晓跟你联络，请通知我们，或者请她到市局把情况讲一下，应该不会有什么大问题。"我赶紧把头缩了回去，调头往回走，心脏像是要从胸口蹦出来似的。一边往停车场走一边给小B打电话，我说小B赶紧开车，到医院门口等着我。

坐到车里，我的心还在狂跳，大口大口地喘着气。

我真没想到这点儿事他们还能到医院找高源，高源大概从来不会想到我也会跟这样的事情搅和在一起，也不知道他现在在心里怎么看我。

车刚开出朝阳医院没多远，高源的电话就追了过来，我犹豫了一下，不知道是不是警察用高源的手机拨过来的。接通了电话，我不由自主压低了声音跟高源说话，高源第一句话就问我，初晓你现在在哪儿呢？我看了正在开车的小B一眼，我说我在十三陵回来的路上，高源就说初晓你先到李穹或者别的朋友家待两天吧，刚才警察找过我了，好像说有点儿什么事叫你去解释解释，你也别解释了，说不清楚，干脆等事情过去了再说吧。

我拿着电话，手不由自主地开始颤抖，我不知道跟高源说点儿什么。

“初晓，你是不是做了什么糊涂事了，你别怕，跟我说。”高源这时候跟我说话的声音真温柔啊，他真像个父亲在安慰女儿。我记得我小时候不管做错了什么，打破了什么贵重东西，躲在桌子底下不肯出来，我爸都是用这样的口气哄我，安慰我，都说：“初晓别怕，不管你做了什么跟爸说，爸爸不会生气。”从小到大，我爸像我的保护伞，我妈打我的时候总是会第一时间冲出来，把我搂在怀里。自从我上了大学，我妈良心发现不打我了以后，这么多年，我很久没有听见谁用这样的口吻跟我说话了，我心里感到格外踏实，感受到一种久违了的温柔。

“高源，我做了糊涂事，不是故意的……我真不是故意的。”印象当中，我从来没像现在这样像个孩子似的跟高源哭诉过什么，但是这次我真的忍不住了。

“没事，没事，没事。你拿出跟我打架的精神来，跟拼命三郎似的，怕过谁呀！没事……”高源用这种特别的方式安慰我，我想乐，却流出眼泪，要是现在高源就站在我的面前，我肯定一猛子扎丫怀里，一辈子不出来了。

“没事，真的初晓，没什么大不了的，别害怕……我知道你心里害怕，装得挺牛B的，其实心里特虚，你就这一毛病，没事啊，别怕……”高源还在那儿絮絮叨叨的，“你去找我们家老头儿，他有个学生后来当了警察，挺牛B的，刚升的副局长，什么事都能压下来，现在就去，回我们家找老爷子……”

我一听高源这么说，心里立刻踏实下来了，眼泪也不流了，他们家的社会关系是挺复杂的，老头儿老太太道儿都挺深的，我就是拿不准他们会怎么看待我在这件事情里面扮演的角色，怎么说都不太光彩。

“高源……”我在丫跟前装孙子。

“怎么了？”每次我跟他打完一架刚刚和好的时候高源都像现在这样特别温柔体贴，你叹一口气，他都恨不得赶紧跑过来问问怎么回事，这时候你要跟他要点儿什么东西，哪怕是星星和月亮他都恨不得给你掰下来一块儿！有时候我使坏，比如我那套七千多块钱的夏奈尔套装，我算计了很久都舍不得自己掏钱买，我找茬儿跟高源打了一架，趁着刚和好的时候拽着他买了回来。虽然到现在也没捞着什么机会穿，可想起来我就拿出来看看，偶尔也穿上试试新鲜，每次高源看见都肉疼。自从那次之后，高源轻易不敢跟我打架了。

“我不敢跟老头儿说！”我横下心，将孙子一装到底！说得特可怜。

高源想了想：“没事，有我呢！”我等的就是他这句话，“明天老头儿来医院，我跟他说。你这儿会别回家啊，没准儿警察等着你呢，去李穹或者乔军那儿睡一晚上吧。”

“知道了。”我嗫嚅着，装得跟个干了坏事的孩子似的，特清纯，特无辜，心里偷着乐。

我乜了小B一眼，丫跟看天外来客似的盯着我。

放下电话，我一身轻松，连我自己也没想到这么容易就把这事摆平了，刚才的心虚早飞走了。我安慰小B：“没事，没事，真的，回家去好好睡个觉，高源他爸有个学生，现在当局长了，回头找他把路趟平了……”

小B看着我，忽然哭了，眼泪把她脸上的色彩冲得乱七八糟。作为女人，半老徐娘，青春不再的女人，我明白她的心。

那天，回到我家楼下，小B开车回了自己的家。我停了车，走到楼上，看见我家门口站着两个黑影，看见我，立刻走了过来，很严肃的声音问我：“你是初晓吗？”

我在黑暗中看不清楚他们的表情，但我能感觉到他们的态度非常地生硬。

“我是。”我点着头，懵懂地看着他们。

“我们是市局的，请你回去协助我们调查一件毒品案子！这是逮捕证！”其中的一个把手里一张纸扬起来给我看。

我怎么觉得跟电影里演的似的，怎么可能就真实地发生在我的生活当中呢！我发誓我之前写的类似的故事全部都是编出来的！

“我能给我爱人打个电话吗？”我忽然很平静了。

“对不起，不能！”其中一个警察严厉地拒绝了我的要求。我觉得今天这俩警察是我所有遇到过的警察当中对我最客气的，既然他们对我这么客气，彬彬有礼的，人家又是说带我回去协助调查，协助啊，是每个公民应尽的义务嘛，我也实在没有什么好推辞的了，虽然我很想说我很忙。最要命的是，他们的手上拿着一张盖了大红印章的逮捕证！我干！

就这样，我坐上了政府的专车，走进了北京市公安局的大门。

39

我在市局的小屋里待了三天。三天里我回答了各种各样的问题，包括我跟哪个明星关系比较好，他们每一天的生活内容是怎样的，还包括拍戏的时候男女演员上床是不是全脱了衣服，接吻的镜头都是不是真的……反而对于要我交代的，关于做中间人帮小B弄毒品的案子没问多少。

第四天，我出去了。小B动用了包括她前夫在内的一切关系来处理这件棘手的事情。我看得出来，她对我心怀愧疚，豁出去丢人了。看到她这副样子，我除了暗自后悔当初做了这样的糊涂事，竟然一点儿埋怨的情绪也没有。

我硬着头皮跑到高源家，找高源他们家老爷子。老太太正好不在家，我心里踏实多了。说实话，男人跟女人在对待个别事物上的看法有着与生俱来的差异，男人天性都比较宽容。大多数情况下是这样的。

我把事情的经过原原本本跟老头儿叙述了一遍，老头儿听完了，沉吟了片刻，问我："现在有一个关键的问题得搞清楚，你的那个叫奔奔的朋友，她究竟是不是贩卖毒品的？她又是从哪儿弄来的这种药？如果像你说的那样是别的朋友从国外带回来给她的，那么这件事情就完全是个误会；如果不是，那这可是个大案子。这个关键问题关系到这件事的性质。"

我连忙肯定，说奔奔手里的药肯定是朋友从国外带回来的。

老头儿又想了一会儿，说他晚上会给他学生打个电话，把整件事情跟他说一说，如果真是个误会，应该会很好解决。

虽然老头儿这样说，但我心里却更加沉重了。我第一次意识到这是一件很严重的事情，奔奔做的什么我心里再清楚不过了，她是一个特殊行当的领袖，同时也是一个贩毒团伙的中流砥柱。这一点儿是无疑的，我感到很恐惧，前所未有的。

我跑到一个公用电话亭给奔奔的秘密手机打电话，我不知道为什么那么敏感，我不敢在家里打电话，老觉得家里的电话会被人监听。

我跟奔奔说，赶紧回北京吧，就说药是朋友从国外带来的，不知道违法，送了小 B 一瓶儿。奔奔马上拒绝说她不能冒这个险，她知道自己犯下多少事儿，一旦抖出来都够枪毙的了。

我又连忙向她保证，说北京这边路子都趟得差不多了，估计不会有什么大事儿。回来也就是交点儿罚款，肯定不会有大问题。

任我怎么游说，奔奔铁了心先在外地躲着。放下电话，我显得心事重重。

晚上回老头儿老太太那儿，一看我妈的脸色我就知道，警察肯定也来家访了。我妈也跟我似的，平常咋唬得特猛，一遇上事就安静了，不知所措。我进了屋，她先给我冲了一杯奶粉，让我喝了回屋睡觉，光说看我最近瘦了不少，关于警察为什么家访的事儿一句也没问。

我原先也没想跟他们说那么多来着，老太太不问，我反而沉不住气了。我坐到沙发上，头靠在老太太腿上，对着屋顶，巴巴地想了一会儿，想这事儿应该怎么跟他们说。

“爸，妈……我这回恐怕遇到麻烦了……”

老头儿老太太交换了一下眼色，继续缄默，等着我说下去。

“前段时间有个朋友问我知不知道哪儿能买到……买到一种药，”我没好意思说是春药，说正负极他们也听不明白，就说一种药估计他们也能想到不是什么好东西，这是我的感觉。他们又相互交换了一下眼神，“是一特好的姐妹儿……问我。我还真知道另外一个朋友那儿有，我就带她去了……后来……后来这不出事儿了嘛……”我说完了，没流眼泪，就是觉得喉咙堵得慌，酸酸的。

老头儿老太太都没说话。我知道他们这会儿肯定都在琢磨，琢磨怎么样帮我解决这破事儿。

“高源说，他爸有个学生刚升上去做局长，能帮上忙的，尽量会帮……嗨，其实也没我什么事儿，我把情况都跟他们说清楚了，没我事儿了……”

我话还没说完，我妈照着我的脸就是一巴掌，倒是不重，可我还是觉得特堵心。

“初晓，你多大的人了？成天跟不三不四的人狗扯羊皮的，早说你，你不听，现在找上事儿了吧……从小到大，我就没法不替你操心……”我妈说着说着眼泪就流下来了，流到我嘴里，涩涩的。我脑子里一片空白，品着眼泪涩涩的味道，心里暗暗地想，原来亲情和爱是有味道的。

我知道我妈胆子小，作为像我这样一个孩子的母亲，她承受了比别家孩子妈更多的风险，从小到大许多的意外已经证明了这一点儿。我一直以为，她已经习惯了，但看来我跟高源搬出去住的这几年没给妈妈找什么麻烦，我妈已经放松了这种心理承受能力的“锻炼”了，所以现在会显得这么束手无策。

“从一开始我就不同意你往这什么文艺圈儿里混，多乱哪……要不是你铁了心要在文艺圈里混个什么名堂出来，现在好好在报社待着，也不至于跟小北那孩子……”我妈妈还要说下去，被我爸用眼神制止了。老头儿干咳了两声，说：“初晓，先到屋里躺一会儿，让你妈给做点儿好吃的……”

我看了看老头儿老太太，这些年他们老多了。特别是我妈，她头发少了许多，白了许多，她流出的那些眼泪有不少都渗进了眼角的皱纹里。

我感到了辛酸，一种很沉重的责备来自我的良心。

在我妈心里，张小北永远是比高源更踏实、更厚道、更有责任感、更适合娶我做老婆的人。

最早的时候，我妈说，张小北宽容，除了他没人能受得了我的脾气。事实上也是这样，关于当年跟张小北是怎么好上的我自己已经记不清楚了，好像那次我把他送到医院，他为了表示感谢请我吃了一顿涮羊肉，又请我看了几场电影，之后就频繁地到我们家来蹭饭吃。我当然也不肯吃亏，频频地到他们家回访。他妈那时候身体很好，老太太做的油炸糕很好吃，包的茴香馅饺子也是被我扫荡的内容之一。常常他们已经做好了饭，我又去了，他们家老太太还再给我包饺子吃，吃完了饺子，老太太还给盛一碗汤，说是“原汤化原食”，我也乐意喝。倒是张小北对此颇不以为然，常常跟老太太抬杠，说要是按照这个理论的话，那吃完了油炸糕就得喝油了。

我跟张小北正式好了一年多，现在想来，他的确比高源厚道。从来不像高源那样，总跟条狗似的和我打架。我的脾气一直就是这样，说一不二，还时不时爱欺负人。那时候我说一件什么事，张小北永远都微笑着点头，即使不赞同也绝不公然反对。跟张小北在一起的日子，特别的波澜不惊。没有大喜大悲，有的只是他给我的不求回报的呵护与爱，这些感情成为压在我心坎的大石头，即使现在想起来，我还是觉得沉甸甸的。

结婚是张小北提出来的。刚过完年，那天我俩在地坛逛庙会，他买了两串糖葫芦，一串山楂的，一串橘子的。我刚开始说我要吃山楂的，咬了一口，太酸；我又说我要吃橘子的，张小北又把橘子的给我，吃了几口，又觉得太甜；又要吃山楂的……最后两串糖葫芦都叫我吃了。张小北给我擦了擦沾在嘴边的糖渣渣，特朴实地跟我说："初晓，要不咱结婚吧？"

我当时愣了几秒钟，又看见一吹糖人的，我就说那你再给我买个糖人吧。张小北巴巴地跑过去买了一大把，我都给吃了。

那天回去之后，我们就向双方家长宣布了要结婚的事儿。第二天，张小北他们家老头儿老太太就跑我们家串门儿来了，还给我妈带了礼物。我妈受宠若惊，跟张小北他妈聊得特投机。

我常想，我妈那么喜欢张小北，是不是也与那时候张小北他妈给她带来那件挺好看的呢子大衣有关？我妈这人就这样，难怪当了大半辈子领导也没发财呢！

我跟张小北为结婚准备了一个月。说好了第二天上午去领证，晚上我睡得很好，早上起来坐在桌子旁吃饭。外面的太阳很好，照得一切都亮堂堂的，我趴在窗户上往大街上看，车来车往，川流不息，不知道为什么，忽然就在心里决定不去了。大概当时看到那种朝气蓬勃的景象，到处都充满着活力与希望，自己很不甘心就那么平庸地过一辈子。

张小北说得没错，我骨子里充满着躁动，一刻也不能安分。

我记得张小北那天捏了捏我的脸，傻笑着说，你这种女人，老这么让人不省心，不娶也罢。

40

在我父母家待了几天，随时等候政府传唤。关于这种等待的滋味，早在我上大学的时候就用几句朦胧的爱情诗句表达过，其中有一句是“等待永远是慌乱而令人心焦的”。在很长一段时间里，我自认为这是自己写过的最有哲理和最经得起推敲的狗屁文章了，而在等待警察传唤我的日子里，没有慌乱也没有心焦，衣来伸手，饭来张口，早上起来我们家老头儿把挤好牙膏的牙刷放杯子上。部长什么待遇呀？我想，也不过如此了吧。总之我的日子平静得一塌糊涂，踏实得空前绝后。

“五一”快到了，到处鸟语花香。我在这一片欣欣向荣的大好形势下彻底堕落了一把——陪我妈去白云观烧香。像我这种追求自由和真理的时代青年到底没抵制住我们家庸俗老太太迷信思想的侵蚀，陪着她特虔诚地跪在菩萨面前，我脑子里一片空白。老太太紧闭着双眼，嘴里叽里咕噜，把肚子里那点儿不痛快全抖落给观音老人家了，只希望没给神仙添堵。

回来路上，我问老太太，都许了什么愿，说出来听听。

她白了我一眼，说初晓你算哪根葱啊，从今往后你别想再从我这儿听一句掏心窝子的话。你和老头儿都算上，我白为你们操心受累了这么多年，你们一点儿不知道让我省心。

说这话的时候我们正悠闲地走在小路上，听老太太这么说话，我腿一软，差点儿一屁股坐在地上。这是什么世道啊，挺好一老太太怎么不正经说话呢？

我远远的看见高源他妈跟乔军从对面走过来，我扭头看看我妈，她正欣赏着路边的花花草草，脸上老年斑散发着青春的光华。我心想，这是多么阳光明媚的一个上午啊！不管我做错了什么，上天安排这两个庸俗透顶的老太太在这里相遇，这种惩罚对我来说也有点儿过了。

我捅了捅我妈的肩膀，低声告诉她："看见没有，前面来了一个比你更俗的。"说完话，我就躲到老太太身后了，像小鸡跟老母鸡出来散步出门看见老鹰那样。

远远地，她向我们走过来，带着笑，我妈看见她也快走几步，迎了上去。两人一边相互寒暄着一边握手，还是四只手搭在一起的那种握法，有点儿像朱毛井冈相会，并且各自带着一个警卫员。

"哎，真巧，在这儿遇上了……"

"谁说不是呢……今天没事，我看天气好就叫乔军这孩子跟我出来转转，难得这么好的天气……"

"哟，乔军儿，这两天变漂亮了啊。人模狗样的你还！"我懒得听老太太白话。

我妈在我后腰狠掐了一把，我强忍着没叫出来，规矩地跟高源妈妈打了个招呼："沈阿姨。"跟她打招呼，我感觉那么别扭，小时候我妈骑车带我上托儿所也老这样，遇见个人我不说话，我妈就掐我屁股。

"嗯，"她点头答应着，神情不阴不阳，"你堂哥呢？走了？"

"哦，回上海了。"我表现得特坚强，死扛到底，斜了我妈一眼，她的表现不错，装得什么都知道，给我挣了点面子。

俩老太太跟首长似的，全都端着自己的架子，在那儿拉家常，听得我直反胃。我妈这人比较庸俗我知道，可是我没想到她那么庸俗，都快赶上高源他妈了，乔军在一边也听得龇牙咧嘴，我朝他挤挤眼睛，努努嘴，他就明白了，向高源他妈告假："阿姨，我跟初晓有点儿事，要不您跟初晓妈找个地方先聊着，回头我来接你们。"

"哎，咱还没去拜拜呢……"她有点儿不乐意。

我豁出去我妈了，把她往前一推："妈你就陪沈阿姨上去一趟，把您没跟菩萨说完的话再叨咕叨咕……"

不等她俩做出反应，我早拉着乔军跑出八丈远了，走了几步，扭过身子对老太太吆喝："玩够了自己打车回家啊，别让老头儿着急！"我跟老太太说话颇有她当年训我的风范，说完拉着乔军撒丫子溜了。她在我身后骂了句什么，我没听清。

我拽着乔军朝朝阳医院去了。除了高源出去拍片子，在北京这是我们分开时间最长的一次了，我怎么也得表示表示我对他的关心，顺便叫他催着点儿他们家老爷子公安局那边赶紧给我找人。

夏天快到了，满大街的姑娘们穿得蝴蝶似的，都那么好看。我开着车，叼着烟，穿件白背心，外面套了件毛坎肩，一条洗得发白的牛仔裤，脚上趿拉双旅游鞋，别说，要搁上世纪九十年代初，我这可是全国最流行的打扮了，那时候港台明星也不过这样。可是，现在都21世纪了，听奔奔说，这个年代里女性最流行的打扮就是"无上装"。说白了就是光膀子，可惜，我"空前绝后"，惟恐一光膀子就被人以为胸前钉了两颗图钉。

我对着镜子照了照脸，还行！要是一深度近视还死撑着不带眼镜的大龄未婚男青年兴许还能将就着一咬牙一闭眼把我给娶了。

到了朝阳医院门口，停了车就拽着乔军，问他，乔军，你丫跟我说句实话，我现在能打多少分儿。

高源跟乔军他们老没正经的，经常在大夏天里坐我们家胡同口马路牙子上看姑娘，打分儿。有时候我也加入他们，按照他们的审美标准评判我自己，我印象当中的最高成绩是八十五分，那是三年以前了，多少还有点儿水分，他们亮分之前，我跑了两站地给他们买冰棍儿。

“你嘛……”乔军上下打量我一溜儿够，把嘴撇得跟歪瓜似的，“看在咱俩关系还不错的份儿，我给你个及格分儿，千万别声张，没准儿我出去得被群殴！”他说完飞似的往病房跑。

“你好好看病去吧，病糊涂了你！我操！”我在后边骂他，他一边跑一边哈哈哈地乐，“小样儿的，有种你丫别跑啊，看我不废了你！”

我紧追着乔军到了病房，刚要进门，看他又转身出来，把门关上了。看见我过来，拦住我：“嘘，别出声儿，睡着呢！”

我当胸给了他一拳，开玩笑地说：“闪开！我就是来陪睡的，床上没我，他能睡着才怪呢！”

“你别嚷嚷，真睡着呢……”乔军有点儿急。

“谁在里边？”我瞪着眼珠子问乔军，声音不大，充满杀气。

乔军一笑：“你是作下病了吧！”

“切！”我白他一眼，顺手把门推开，张萌萌坐在床头的椅子上，眼睛红红的，高源好像刚发过脾气，刺猬似的，头发都竖着。

“你来了。”高源看见我，招呼了一句，“提前怎么没打个电话过来。”他一点儿不慌乱，语气平和。一边跟我说话一边把床上的被子往里拉了拉，张开双臂，让我坐过去。

我做了两个深呼吸，咽下了一口气。斜了乔军一眼，这突如其来的事件显然叫他也不知所措。我瞪着他，想杀人。

“……别看我。”

“你不看我怎么知道我看你？！”

“……你看我我也不知道怎么回事。”乔军说得无可奈何，也挺没好气地看着高源，眼睛里都是不满。

我看到乔军的表情，感到一丝欣慰。

“没事，没事，你们都别瞎琢磨！”高源特不耐烦地朝我挥手，使唤我，“倒杯水喝。”

我还真有点儿蒙了，难道他最近功力进步这么快，连我都不怕了？我又看看张萌萌，丫眼睛跟灯笼似的，又红又肿。

“怎么了你们？”我提出了一个疑问，没理会高源要喝水的请求，看看乔军，他跟我一样疑惑。

“没事，没事，跟你说没事了。”高源不耐烦地看着我跟乔军，“快点儿，我喝水！”

高源待在医院这些日子胖了点儿，也白了，一着急，整个面部表情特像个很多褶儿的肉包子。他的病床边上放着《七龙珠》、《阿拉蕾》和《挪威的森林》之类充满低级趣味的漫画书，还有一本我极力推荐他看的余秋雨先生写的《文化苦旅》，正放在枕头边上，从书的折旧程度上看，他至少已经看过了三遍。看来这小子多少有点儿进步，搁以前，这样的书打死他也不看。每当我充满敬仰地提起余秋雨这样我喜欢的学者时，他都不屑一顾地白我一眼，然后不冷不热地抛过来一句：“可悲呀你，看他的书，那是个情感压抑者。”最后还强调一句，“不折不扣的！”好像他什么都懂，特会装大尾巴狼。

我看着他，站着没动，乔军推了我一把：“倒水去呀！”

“凭什么呀！”我叨咕了一句，“我他妈的该他的？惯得他毛病！”

张萌萌这时候摇晃着小屁股，给高源倒了杯白水，递到高源跟前。高源刚要接，我大喝一声："不许接！"这一声吆喝得特响亮，把我自己都吓了一跳，他们三个人，六只眼睛跟听见首长喊立正似的，齐刷刷地看着我。高源看了一会儿，把杯子从张萌萌手里接了过来，刚要喝，我又喊了一嗓子："你他妈的敢喝？！不许喝！"

乔军又从背后捅我，我抬起腿照着他脚面子跺了下去，乔军一下蹿了起来。

"不许你喝她倒的水！"我又说了一句，真怒了。

我看得出来，高源犹豫着，他想跟我较劲。

有那么半分钟的沉默，他把杯子放到嘴边，喝了一大口，我觉得心凉透了。高源啊高源，我们这回真完了，你为什么就不能想想我的感受？你爱我我知道，你怎么就不能哄着我点儿！

我一跺脚，转身就要离开，刚要走出门口，就听身后"扑"的一声，高源把喝到嘴里的一口水给喷了出来，喷到我胳膊上的恐怕不光是白水，还有口水。

"我吐了，我吐了……你看你看，初晓，我没喝下去！"高源在后边机关枪似的放了一大串儿，同时，我听见乔军特夸张地捂着肚子开始大笑，一边笑一边指着高源："你个傻B，哈哈哈……"

我在门口的地方转回身去看高源，他正眼巴巴地看着我，见我转身，仿佛踏实地松了口气，骂了一句："操，你干脆一刀杀了我算了！"

41

高源的伤好得差不多了。张萌萌一走，我就把他从病床上轰了下来，我自己躺了上去，听着音乐，看着漫画书，高源坐病床前张萌萌刚才坐过的椅子上给我削苹果。乔军大骂我无耻，最后实在看不下去了，摔上门出去找那俩老太太了。

“她干吗来了？”我一边大吃大嚼，一边问了高源一句。

“你瞧你现在这德行，跟个蝗虫似的！”高源拿我欠他八百块钱的眼神特藐视地看着我，瞧那意思欠的还是美元。

“我就问你她干吗来了？”

他从茶几上又拿了一块苹果塞住我的嘴，“你现在怎么这么不自信哪！”感慨着，“这回在医院住了这么些日子，我想明白了好多事儿。”他一拍大腿，“其实都是今儿早上想明白的……初晓你说，你说人跟人之间什么最重要啊？”

“情。我觉得情最重，别的都是扯淡。别人我不知道，咱俩之间情最重，我要不是看在这么多年跟你一起的情分上，早把你甩了。”我说的都是实话，经历了这些事，我一下子觉得自己真是长大了。其实我跟高源都是心理年龄比实际年龄小很多的那类人，我俩豁出命在家里打得天翻地覆那会儿，谁也不会想一想打完了怎么办。不想，打完了就好了，顶多我不解气，再把他拎过来一通暴打，之后总不忘给他揉揉。“高源我跟你说实话吧，前几天我在我爸妈跟前把话撂下了，不管怎么说，我今年都得把我自己嫁出去，要是这回咱俩真掰了，前脚你滚蛋，后脚我立马找个替补，我爸妈挺不容易的……我肯定还想着你，咱俩好歹好了这些年，我是为他们……”我自己说着说着眼泪就要流下来了，自己都觉得特煽情。

高源闷着头不说话，他现在也变得越来越不像他自己了。以前他喜欢说话，让别人听，现在他喜欢听别人说话，小眼睛里闪烁着狡黠的智慧，我喜欢，发自内心地看着欢喜。

“嗯，此屁有理。”他想了一会儿重重地点了点头，“你终于长大了，孩子。”他拍了拍我的头，像个父亲一般，说得语重心长。“小北跟李穹离婚，我自己出的这个车祸，你又给卷到小 B 那破事里头……最近事儿还真不少。”他总结了最近一段时间这些大事，我心里暗暗地想，你不知道的还多着呢。

高源把头搁在我腿上，长长舒了口气，胡子也不知道多久没刮过了，足足有半寸长，头发乱蓬蓬的，像个鸟窝，越来越像鲁迅了。我看着他，忍不住笑了出来，“还别说，高源你现在这个样子真有点儿像 80 年代的大学教授！整个一个猛男！”我一边说着，趁他不注意，拔下了他一根胡子，这小子一下子从椅子上弹了起来，“哟哟，你干吗呢！”眼睛立刻瞪了起来，张牙舞爪的。“别生气，别生气。”我赶紧哄他，“你瞧你瞧，说急就急，我不是跟你闹着玩嘛！”我拽着他又坐回来，把他像狗似的搂在怀里，手在他乱发上来回摩挲着。

“初晓，跟你商量个事儿。”

“说。”

“你以后能不那样吗？”

“怎么样了我？少他妈找我麻烦，我觉得我挺好的。”

“我是说，脾气，改改。”他在我怀里把头仰起来，眼巴巴地看着我，那种眼神特像一条野狗，好容易被人带回了家，死也轰不走的。

这一刻真安宁，谁也不说话，我感到心跳有点儿快，高源也是，我觉得这才是真正恋爱的感觉。

“又该给我买袜子了，夏天的衣服也都是旧的，鞋也该换了，还有回头你给我买新的保龄球，说好了，等我出院跟乔军一帮客户到锡华打比赛……”

我差点儿没晕过去，每当我刚感觉到一点儿浪漫，找到点脸红心跳的感觉，他肯定把我拖回到活生生的生活当中。

一巴掌打在高源脸上，我没好气地从病榻上跳下来，“我不管，出院之后自己买去！”

“有小费！”他立刻用经济来诱惑我，说明他真有点儿了解我了。

“一套范思哲！你可有日子没给我花过钱了。”

高源立马掏钱包，往我跟前一扔，“拿去！信用卡在呢，你随便花！”装得特像个爆发户。

“少拿你那信用卡吓唬没吃饱的俗人们！”我白了他一眼，“谁还没见过钱哪。”我又蹿回床上，“先睡一觉再说，估计你妈快回来的时候叫我啊，跟她相遇就是我的噩梦。”

高源对着我屁股打了一巴掌，也爬上床，跟我一起睡。很久没在一张床上睡觉了，高源枕着医院的脏枕头，把我搂在怀里，我枕着他的小细胳膊，把脸埋在他胸口的地方，听得见他心跳。

做了个梦，梦见我在大学里，高源站在我宿舍楼底下，用河南话扯着嗓子喊：“安红，鹅想你，鹅想你想得睡不着觉，错错错，是想睡觉……”我一听见高源这么喊，光着脚丫子就往楼下跑，半夜里，冬天，我穿着背心裤衩，冻得直哆嗦，我一直跑，一直跑，却怎么也跑不到楼底下。那个看公寓的大妈，在我的梦里特健康，面色红润，根本就没什么半身不遂的毛病，在后边追我，叫我回去睡觉，手里用红布托着一个像耗子一样大小的东西，一边追一边喊："初晓，初晓，你的孩子，你的，你的……孩子。"我就停下来，等她追上，往她怀里看，果然有一个小孩子，像耗子那么小，粉红色的皮肤，瞪着两个小眼睛，手指头放在嘴里吮吸着，一见我看他，忽然笑了，挥舞着两只小手，喊我妈妈，特快乐，兴奋……我感觉自己心跳加快，然后有一点儿恐惧，我大喊高源，高源，那个孩子忽然跳进我的怀里，哭着说："妈妈，妈妈，你别丢下我，别丢下我……"我一下子就惊醒了，一头汗。

高源还搂着我，不断喊我名字："初晓，初晓，怎么了，做什么噩梦了？"

我愣愣地看着高源，看着他眼睛里流露出的那些爱情，我忽然感到很难过，我想了一会儿，跟他说："高源，我梦到你了，还有……还有我们的孩子，他跳进我怀里，搂着我的脖子，一个劲儿的央告我，说妈妈你别丢下我，妈妈你别丢下我……"我跟高源描述那个孩子的模样，我说："他长得和你一模一样，很瘦，小眼睛……"我绘声绘色地跟他描述梦里那个孩子的模样，双手学着梦里的样子缠绕在他的脖子上，不停地重复那句："妈妈，妈妈，你别丢下我。"

最后我没心没肺地嬉笑着说："真逗！好玩！"

高源的脸色忽然之间就变了，一眨眼功夫眼泪就流了下来，把我搂得很紧，说初晓，我对不起你，我知道你想要那个孩子。

我背对着高源，他就那么抱着我，听我给他讲我做的梦，讲到孩子，我的眼泪默默地流下来，嘴里却说："没事，没事，不就是一小崽子嘛，赶明儿咱要是闲下来，找个人迹罕至的地方，一窝一窝地生！”高源哭得特别可怜，一个劲儿的检讨：“我不好，我不好，要是我那个时候同意结婚，他就不会跑到你梦里求你把他留下了……”最后我还是没忍住，转过身打了高源一巴掌，我说都赖你，都赖你，最后我们抱头痛哭。

关于那次怀孕，的确是个意外，那个孩子在我们完全没有准备的情况下到来了。我在最快的时间里做出反应，我跟高源商量结婚，如果我们结婚的话，我就有勇气把他生下来了，不结婚我也想生，高源不让，死活不同意，一哭二闹三上吊，他能使的办法都给我使出来了，最后为了保持我们纯洁的同居关系，我屈服了……

我们正哭得稀里哗啦的时候，听背后我妈说话的声音：“作孽呀你们俩个真是……这么大的事，你们都不跟家里说，你们，你们真是作孽呀，两个祖宗……”

我赶紧从床上爬起来，抹了一把脸上的眼泪，看见我妈和高源他妈，还有乔军，三个人站在门口的地方，老太太气得直打哆嗦，脸色蜡黄，大滴大滴的眼泪往下掉，再看看高源他们家户主，也没了那股子嚣张劲儿，眼圈也红着，看得出来，她强忍着没落泪，乔军怵在门口像根木头。

“哟哟哟，俩老太太都够煽情的啊！”我赶紧跟她们打哈哈，走过去，把我妈眼角的眼泪给抹掉了，搂着她肩膀说：“这我得批评你两句了啊，你也忒脆弱了……”

我妈甩手给我一大嘴巴，把我打蒙了。看她下手这么狠，不是一般的恼怒，我捂着脸，站在一边，没喊疼也没哭，什么也不说，房间里安静地像个停尸房。

我妈给了我一个嘴巴之后，大口大口地喘着气，让我当着高源和他妈的面儿给他们一个交代，为什么叫一些不三不四的小流氓开车把高源撞成这样。

我一听就明白了，肯定是高源他妈跟我们家老太太探讨了这件事情，并且着实把我们家老太太奚落了一顿，我妈这么要强的人，她一辈子光明正大地做事，最不能容忍的就是别人奚落她。高源他妈这招还真狠，既打击了我们家老太太的气焰，叫她在自己面前横不起来，又激得我妈恼羞成怒对我下手……真他妈狠！当年皇军什么样啊？

在人前，我妈最不能容忍的就是跟她顶撞，我知道她心里窝火，又刚好听到了我跟高源的对话，心肯定在滴血，我什么也没说，坐在病床上耷拉着脑袋。

我妈又逼进了一步："你跟沈老师说，初晓，你要不把这件事情交代清楚了，你就别回家……今天我就要你一句话，'是'还是'不是'。是你叫人干的，妈把你送到公安局，不是你干的，你跟妈回家……你爸妈养活你一辈子……"

"你是个不分黑白的混蛋！"我听我妈这么说，心里实在难受，跳起来打了高源一巴掌，之后又对他妈说："你也是。"说完了，我拉着我妈的手，我说，"妈，我跟你回家，不是我。"我妈一听，眼泪又下来了，伸手在我脸上刚才她打过的地方来回地摩挲着，问我，"疼不疼？"我搂着老太太肩膀，实话实说，"疼，我回去就告诉我爸……"

"初晓……"高源一下子蹦到门口，堵住我们的去路，"别走！"他使劲拽我的胳膊，往自己怀里拉，我使劲挣扎着，"初晓，你听我说，我知道了，不是你，我真他妈的不是东西，我怀疑你，我知道不是你……"

他说得特肯定，仿佛已经得倒了答案。

“张萌萌。”几双眼睛一齐盯着他，高源蹦出了这三个字，“她今天来，就是跟我说这事儿的……”

42

张萌萌是低着头走出高源病房的，我只在刚进来的时候看到她红灯笼一般的双眼，感觉她整个人有点儿浮肿。我觉得她有些可怜，一个挺好的女孩儿，怀着一个挺好的想当演员的梦，只有靠陪男人睡觉去实现了，我甚至想，如果她能像奔奔一样，把卖淫当成一个事业，并且干得鞠躬尽瘁，可能她会比现在快乐一百倍。人为什么要有崇高的梦想呢？比如当演员。

张萌萌走出去的时候，我跟乔军、高源三个人默默看着她，我忽然就想起了张楚的一首歌——《姐姐》。

我记得上大学的时候，我们班那些瘦得跟麻杆儿似的男生们，一到冬天下雪的时候，就跑到实验楼的楼梯口坐着，野狼一样的在雪地里嚎叫，他们的声音已经飘到了很远的地方。不知道为什么，当张萌萌红着眼睛在我身边走过的时候，我又想起我们班那个已经在车祸里死掉的，很瘦、很腼腆，却能在任何时候旁若无人放声高歌的喜欢张楚的男生。他总是在嘴里唱：“感到要被欺骗之前，自己总是做不到伟大。听不到他们说什么，只是想人要孤单容易尴尬，面对我前面的人群，我得穿过而且潇洒，我知道你在旁边看着，挺假……”

想着想着，我居然小声地哼了出来，我哼唱道：“姐姐我看见你眼里的泪水，你想忘掉那侮辱你的男人到底是谁，他们告诉我女人很温柔很爱流泪，说这很美……”

高源听到我唱歌，恶狠狠地瞪着我，我看他还病着，又是冷战刚结束之后的缓和期内，我没好意思再揍他，立刻闭了嘴，爬到他病床上去了。

我想，原本高源是不想告诉我张萌萌今天来的目的的。要不是中间这俩老太太从天而降，高源不会告诉任何人是张萌萌找人撞的他。他这种人遇到这种事就喜欢死扛着，说到底，他是怕我奚落他，怕被我看了他的笑话，要不是为了我，要不是为了我们，要不是因为我妈抡圆了给我的一个嘴巴，这个秘密肯定就烂在他肚子里了。

乔军使劲地清了清嗓子，像往常一样，他在高源最需要他说点儿什么的时候说话了：“两位阿姨，走，我带你们出去散散心，甭跟他俩这儿较劲，回头自己生一肚子气，这俩又好得跟一个人儿似的，干吗呀！走……”不由分说，乔军把俩老太太拽走了。

一下子就安静了，仿佛一锅沸腾的水里突然被人加了一瓢凉水。

值班医生来了，大概又有病人被我们的争吵吓出了毛病。他进来一看，病房里只有我跟高源两个，安静得跟停尸房似的，没说话，关上了门又出去了。

我深吸了一口气，咣哨一声把自己摔到病床上，问高源：“你能不能让我省点儿心？你要是没钱给小费，你跟我说啊，我找张小北借点儿钱，给足了她，你也用不着受这份罪了，对不对？”

高源也一屁股坐在椅子上，斜着看我，极其不满意地看着我。

本来好好的，睡觉做了个噩梦，接着又冲进来俩老太太跟这儿搅和着打架玩，我真是累了，什么也不想再多说，倒在床上又睡过去了。

恍惚地，我听见高源和一个什么人说话，偷偷张开眼睛，敢情是贾六。我心里斗争半天，该不该爬起来，跟贾六说点儿什么。想起那天我跟个女土匪似的冲进事故科办公室把贾六给举报了，我就有点儿脸红。

俩人说了点儿没用的话，贾六又交代高源好好养病什么的，就回去了。我一骨碌从床上爬起来，盯着那扇被贾六刚刚关上的门。

高源也不说话，看我愣了半天，问了我一句："你发什么呆哪？"

我下了床，趿拉着鞋，走了两步，在椅子上坐下，系鞋带。

"要回去啊？"高源干巴巴地问了一句，我嗯了一声，算是回答。"那回咱俩在图书大厦你不是买了好几本余秋雨的书吗？明天再给我带一本过来吧，这本看完了。"

他穿件洗得有点儿褪色的大背心，坐在床上，两条小细腿晃来晃去的。我系上鞋带，斜了他一眼，学着他以前说我的口气说道："那是个情感压抑者，看他的书恐怕不会给你带来什么好心情吧！"

"别说，有时候你还真随我。"高源凑过来，双手捧着我的脸，看了半天，让人心里热乎乎的，觉得这小子变得温柔了，不再像个孩子。我骨子里其实特别喜欢高源现在这样，比较深沉地凝视我的脸，感觉上，相互凝望的眼神里，充满爱情。"左边脸上发现两颗青春痘，有一个刚要冒出来。"高源说得特别严肃，气得我差点儿挥手给他一大嘴巴。

"妈的，少跟我贫啊！"我站起来，往外走，停在门口，"给你个任务，催着点儿你们家老头儿，把那件事儿赶紧了结了。"我说的是那件正负极惹出来的事，小B都快疯了，我没她那么厉害，也快了。

"你瞧你现在这脾气，跟个村长似的。"高源在我后背上打了一巴掌，把我送出了病房。

我本打算在胡同口遭遇一把贾六的，开车到家才晚上七点多，那帮开黑车的又围在一起玩扑克，报纸和几个茶缸子在马路边摆了一溜，就是没见贾六。停了车，我跟一个平常和贾六关系比较瓷实的哥们儿打听，贾六这会怎么不在啊？那哥们儿跟我说贾六拉着他小蜜去长富宫搓大饭去了。我一边停车一边还在寻思，神速啊，两个月没见着，我们工人阶级也开始嗅蜜了！话又说回来，这男人有了女人就是不一样，都当自己是大款了，贾六之前要请我吃个煎饼我都觉得他够意思了，最放血那回是请我在希尔顿撮了一顿日本菜，还是因为钱来得太容易。

刚把车停好了，我就接到乔军打来的一个电话，说带那俩老太太去簋街吃羊蝎子了，刚给送回去。我问俩人还相互较劲吗？乔军哈哈笑着说，放心吧你，俩人革命友谊算是结下了。放下电话我就想，我们家老太太也真没追求，一顿羊蝎子的功夫居然跟那老太太成革命战友了。放了电话掏出钥匙刚要开门，张小北门神似的在门口站着，把我吓了一大跳，自从那回被俩民警同志在家门口给抓个正着之后，我就落下了这个毛病，看见站在门口的人心里就哆嗦。

“你这干吗呢？”我没好气地问了他一句，往前又走了两步，看清楚张小北一脸的萎靡，酒气熏天。这孙子又高了，我白了他一眼，“你现在可够牛B的啊张小北，这革命的小酒是天天喝啊。”一边说我一边拿了钥匙开门，被张小北一把推开，整个身体结结实实撞到了墙壁上，胳膊一阵发麻，我刚要发作，张小北指着我破口大骂：“初晓你别他妈的装得跟圣人似的，谁你都敢拿过来吆五喝六的，你丫也不想想，你算他妈老几啊？……我告诉你啊，瘊盂儿什么德行我心里有数，你？还差点儿……”一边数落我，这孙子一屁股还就坐在地上不起来了。喝多了的人有一个共同的特点，就是一句话能絮叨上百遍，有点儿像电视剧某些镜头里设计的回声，张小北耷拉着脑袋，一遍一遍跟那儿重复："你还差点儿，你还差点儿……"

我也一屁股就坐在地上了，自己点了一支烟，默默地抽着。

我脑海里忽然就浮现出李穹拽着我出去喝酒喝高了那回的情景，她苦闷地咽下一口酒之后对着我深沉地说道："酒是穿肠的毒药，色是刮骨的钢刀，初晓，你听听，这话说得多好啊，多好啊……"我忽然觉得特别痛苦，使劲闭上眼睛，却怎么也甩不掉李穹的影子和她近乎绝望的声音，我想我是不是也需要喝点儿酒了。

拿钥匙开了门，我把张小北拖进屋里，找出上回他灌我时候喝剩下那半瓶醋，捏着张小北腮帮子都给他灌进去了，没几分钟，他冲进厕所，抱着马桶，吐得那叫一个惊天地泣鬼神。

一会儿的功夫，在片刻的沉寂过后，我听到洗手间里传来张小北悲哀的呜咽声，断断续续的，继而，是哗哗的水声，这个蠢货为了掩盖他的眼泪把淋浴器打开了。一直以来，他都太看重男人的尊严，那些哗哗哗哗的流水声，掩盖着一个男人绝望而受伤的心。我想起许多年前那个美好的早晨，当我终于决定摒弃与张小北安定的情感，决意去追逐我骨子里向往着的所谓的不俗的生活，并且坦率地告诉他我的决定的时候，张小北展现给我一个来自男人特有的宽容的笑，用手轻轻地捏了捏我的脸，若无其事地说道："你这样的女人太闹腾，这么不省心，不娶也罢。"这么多年来，我一直没敢告诉他，其实我当时感觉到他的手在颤抖，我坚信，当他转过身进了洗手间的时候，那些哗哗的水声，同样掩盖了他的泪水，掩盖了他不再坚韧的心……想到这些，我的心中一阵微微的抖动，十分酸楚。

我猛地从沙发上跳了起来，踹开洗手间的门，我想看看张小北哭的模样，我不知道是否他流泪的模样也像李穹或者高源那样让我心碎。

张小北躺在浴缸里，脸上盖着毛巾，热气腾腾的洗澡水顺着脸上的毛巾流下来，他听见动静，把脸上的毛巾拿下来，露出通红的眼睛。

我们对视了足足有两分钟，我从牙缝里挤出一句话来："你丫装什么孙子啊，想哭就痛快哭，躲浴缸里掉什么眼泪啊！"

"你管呢？"他说得有气无力地，伸手把帘子拉上了，长长地叹了口气，"初晓，跟我结婚吧。"张小北的声音颤抖着，伴随着水声一齐灌进我的耳朵里，"我跟你说真的呢，结婚吧，跟我。"他又重复了一遍，把水关了，周围一片寂静。见我不说话，他继续说道："你跟她们不一样，我对她们跟对你没法一样，你他妈的从一开始就让我死心塌地听你的话，你说不跟我结婚，我听你的，不结；之后你又说李穹不错，搞丫，我听你的，把丫捣鼓到手了……"

"张小北你别他妈的死不要脸啊，全世界就数你最不是东西，到现在你婚也离了，李穹也让你甩了，张萌萌你也玩够了，你还想怎么着啊？"我气坏了，顺手抄起洗漱台上的香皂朝张小北的方向扔了过去，被浴帘挡住，掉在地上，一直滑到马桶旁边。

"我跟你闹呢，就你这样的，打死我都不娶！"张小北像换了个人，声音特别坚决，"别站这儿好不好，我来一回你就想占我一回便宜……"

"德行！"我咬着牙骂了一句，把门摔上退了出来。

电视里正播放着一个娱乐节目，李穹当嘉宾，电视里看她十分漂亮，她跟一个现场的观众合作玩二人三足的游戏，非常轻盈。另外三个嘉宾都被他们远远地甩在了身后，到达了终点，她和那个观众拥抱了一下，笑得很灿烂。我不知道她做了演员之后是不是真的比以前快乐，但我想，至少她获得了一种金钱以外的满足。

我给李穹打电话，通了，她正在青岛拍片子。我说李穹我刚才在北京台的一个综艺节目里看见你当嘉宾了，你现在可比从前漂亮多了。李穹反问我是哪个综艺节目，我说就是现如今中国最红的女主持人主持的那个，她就很高兴地说，哦，是那个啊，那天那个主持人有点儿烦，去参加了那一次之后再请打死也不去了，并且问我现在怎么样。我跟她说我在家看电视，张小北喝多了，在洗手间吐呢，我没好意思说张小北在洗澡。李穹一听立刻就笑了，虽然她极力掩饰，我还是觉得她的笑声里充满了讽刺，她说："初晓，我之前说什么来着？我就知道你跟张小北不简单哩……张小北连做梦的时候叫的都是你的名字，我跟他睡了这几年，也不知道听他喊过多少遍了。前年有一回，是一边哭一边喊的，我都给你记着呢，初晓。"我说李穹扯淡，李穹就哈哈笑着说："初晓今天我跟你说句实话，我跟张小北离婚不为别人，就为你……这么多年了，在张小北跟前，你他妈就明里熄火，暗里煽风，我恨你恨得牙根都痒痒。"她说完就把电话挂断了，我再打过去，她已经关机了。

我把酒柜上的杰克丹尼拎了出来，对着瓶口一口气灌下去小半瓶，长长地打了一个嗝之后，恍惚看见张小北从洗手间出来了，忘了对着他说了一句什么话，我就睡过去了。

43

初夏早晨的阳光很刺眼，我发现自己躺在床上，连鞋也没脱。

昏昏沉沉，头重脚轻，像昨天晚上被谁用锤子砸过一般。

我晃晃悠悠地进了厕所，抱着马桶一阵狂吐。每次我喝醉了，只有吐过了才能真正清醒过来，心里才能觉得舒服，吐过之后我又洗了澡，然后一头扎进沙发里，又跟死过一回似的。

手机响，我看了看号码，是大米粥，叫我给断掉了，又响，我又按断，我心说孙子们怎么一个比一个执着啊，你再打一次，我就把电池抠出来。果然电话就不响了，改发短消息了，我看了一眼，"姑奶奶，快给哥们儿回电话，急事。"滚蛋吧你，我想着，妈的像这种混迹文艺圈的大流氓最急的事莫过于找不到姑娘。

喝了点儿热水，舒服多了，我打开电脑开始上网，在键盘上挥舞着我的鸡爪子一头扎进一个叫"北京之颠"的聊天室，我用GUEST，一进去我就看见一个挺有意思的名字，"我与你硬件相同软件不同"，一看是个IT行业里捞饭吃的主儿，赚着大把大把的钞票不说，还意淫着我们人民的大脑，我一下子冲上去，揪住这家伙就问："你什么配置啊？"他显然没想到我能问出这么有深度的问题，过了片刻，反问我，我的硬盘坏了，部分重要文件丢失，怎么办？我心里暗笑，这小子还真有意思，又问他，到底是什么类型的文件，有多重要。他说是EXE执行文件，爱情程序。我说既然坏了就把硬盘格式化吧，所有文件重新安装一遍。他说他特别后悔，应该把爱情文件留个备份，要是当初拷到软盘里就好了。最后我又问他究竟是因为病毒感染还是文件本身就不完整，若是有病毒就杀毒，若是文件本身的问题，还是赶紧卸载吧。

我送出去这行文字之后，点燃了一支烟，思索着我们刚才的对话，思索着我自己的爱情。我拼命地回忆昨天我喝完酒之后跟张小北都说了什么话，怎么想都想不起来，可以肯定的是，我说了很多，好像声音还特别大，很激动。

我想可能我们每个人都像一部电脑，相同的配置，安装了不同的软件，有不同的用途。

我本人这台电脑安装了许多的编辑软件，好像就专门用来做文字处理的，高源是用来编辑图像的，张小北应该算一个大的数据库，李穹就像一台486，退回十年以前刚有486的时候，一万多一台，用惯了386的人们都会感觉再没有比486速度更快的电脑了，谁也不知道奔腾处理器是什么东西。现在，李穹这台486的硬件被换到一个新的外壳里，看起来像是一台新电脑，但许多软件根本不能安装了……我想起奔奔，已经很久没有她的消息了，如果我们都是电脑的话，奔奔也是，她是一台服务器，不知道在这个太阳刚刚升起的时刻里，她又躲在哪个没有光的角落里睡大觉，我有点儿想她。

就在我思索着这些有深度的问题的时候，那个“我与你硬件相同软件不同”已经发了很多个消息给我了，他一直问我在干什么，为什么不回答他的问题。我老实地告诉他，我在发呆，想一些关于电脑的问题。我把我刚才心里所想的东西都说给他听，他觉得有道理，他说他自己就好像是一台性能不太好的笔记本电脑，被一个喜欢台式机性能又觉得笔记本特牛B的伪知识分子拎来拎去的，看那意思，他的郁闷也不亚于我。

我从早晨一直跟那家伙聊到中午，感觉真有共鸣，后来他说要不咱见一面儿吧，不为别的，就为这么多人当中咱俩能遇上，说了这么多平日里说不出来的话。我说要不咱先通个电话吧，我告诉你我手机电话，他说不用了，他也是有家的人，留电话兴许还麻烦，就下午两点，秀水边上一个咖啡店里见面聊聊吧。我一想反正下午也要去趟朝阳医院，去聊聊也没什么，反正现在我周围的这些鸟人们一个个都不能让我省心，我早就想好了，等哪天我真火了，怒一回给他们看看，够他们喝一壶的！最后他跟我说他穿一件褪色的红背心，黑的牛仔裤，问我穿什么衣服，我瞥了一眼衣架上挂着的高源的一件蓝T恤，我说我也穿条黑色牛仔裤，蓝色T恤，前边有咸蛋超人的卡通图案，他说那就下午两点，不见不散。

关了电脑，我又把自己甩到沙发里窝了一会儿，迷迷瞪瞪的一想起下午这场约会，我隐约还有点儿兴奋，想像那小子是个什么样的人，不知道会不会弄出点儿别的什么事来。很久以前，有个女网友曾经打电话向我诉苦，一直犹豫着该不该去见一男网友，到现在我再没在聊天室里见过她，她也再没有打过电话过来，不知道他们见了没有，也不知道她现在怎么样了，说实话，她真的很丑。

沙发上窝够了，给大米粥回了一个电话，他一接电话就冲我嚷嚷："初晓你真操蛋！打那么多电话怎么不接啊？"

"我忙啊，怎么着你说！"

"得，你这一忙，差点儿耽误了大事儿！"大米粥煞有介事地叹了口气，"文化公司林老板的一个哥们儿，一个香港导演，前儿去姜母鸭吃饭，也不知怎么，就看上小赵了，你去给说说？"

"别操你大爷了！"我一听大米粥说这话，我真是打心里愤怒，"你们丫的别整天仗着有俩糟钱就净干些欺男霸女的缺德事儿！小赵要是你妹妹你也这么干？谁没有父母啊！"我一激动，把奔奔同志的口头禅给出溜出来了。我想，要是奔奔知道这事也会这么骂的，我忽然发现，其实奔奔是个好人，起码比我，比我们这群人活得实在。

大米粥半天没说话，又叹息了一声："我也知道这事儿不好，你也得问问人家姑娘的意思不是？万一人家愿意呢，怎么说这也是个机会，多少人削尖了脑袋还碰不上呢……你怎么知道人家要什么？没准人家感激你一辈子呢……”

这回轮到我不说话了，我在想大米粥说的这番话，我觉得有道理。我真是不知道人家姑娘怎么想的，我最后答应大米粥去问一问小赵的意思。

我临出门的时候换上了高源那件印有咸蛋超人的蓝色 T 恤衫，把头发随便往头顶上一绑，用个卡子给别了起来，看着镜子里我自己的模样，再怎么打扮也有点儿老黄瓜刷绿漆装嫩的感觉，跟小赵是没法比。我现在已经不怎么喜欢发牢骚说自己不够好看了，我心中牢记乔军的一句话：“好事儿不能让你一人占全喽！”他总拿这句话开导我，他说有人是靠脸蛋儿吃饭的，当然就漂亮；初晓你是拿笔吃饭的，你再长漂亮了，别人怎么活啊？我一想也对，可是奔奔又漂亮，又年轻，她还有满脑子的思想，所以上帝偏爱她，不光让她用自己的身体去吃饭，也用别人的身体去吃饭。

下午两点，我准时到了贵友大厦旁边那个咖啡厅门口，逛秀水的那些老外一个个兴致勃勃的，脸上带着莫名其妙的满足的贱笑，我看着就厌恶。停车的时候差点儿跟一辆不知道哪个使馆的车撞上，那孙子咣当一个一脚刹车把车停下来，指着我叽里呱啦一通数落。责任不在我，我下了车冲他就过去了，用英语问了他一句：“你他妈的怎么回事啊？”还没等怎么着呢，警察就冲过来了，嘴里冲我吆喝着：“怎么回事，怎么回事？”我皱着眉头，装得跟个刁民似的斜着看他，怎么看怎么像抗战时候的伪军，我说：“你问谁呢？你没看见他别我？”警察很严肃，我对警察真是没什么好印象，他们只要看见开车的，就好像谁都欠他们二百块钱似的。

“我都看见了。”他先跟我说，接着又用英文跟那洋鬼子不知道说了些什么，我一想，人民警察现在英语普遍都过四级了，要不怎么说伟大祖国发展快呢！我就看见那家伙硕大的身体矗立在那里，不住地对警察摇头摆手的，嘴里说着不干不净的话，看那意思再说下去，他就敢对警察动手了。最后警察急了，向我走来，嘴里叨咕着："我操，这傻Ｂ！"虽然声音很小，还是被我听个清楚，我忍不住哈哈大笑起来，忽然觉得人民警察真可爱，从来没像现在这么光辉万丈过。

"你走吧，真拿他们没辙！"交警同志苦笑着，"他就是使馆里一做饭的你也惹不起，走吧你！"

我还是哈哈地笑着，说别呀，有他怕的。我掏出电话，给高源一个同学，现在在北京台工作的一个哥们儿打电话，他们做新闻栏目，不分白天黑夜，好几拨人整天扛着摄像机满北京流蹿，拍点儿什么好人好事或者突发事件，我电话里跟他说，快来，贵友旁边外国人打警察。扭头我跟交警说："回去接着跟他侃，我让他再骂人，有这孙子好看的！"

"走吧，走吧，你赶紧走！"他对我摆手，"这事遇上的多了，真拿他们没辙！"说着也对着那外国人做了一个放行的手势。他缓慢地将车移动了一点儿，开过警察身边的时候，突然摇开了玻璃，对着人民警察伸出了中指，嘴里不停地问候着警察同志的母亲。我刚要正义一回，抬眼看见高源的哥们儿就在对面的便道上，指挥着扛摄像机的记者抓紧记录着这哥们儿的丑态，我对着老外指了指对面，他看见了摄像机，立刻没屁了，看来是个人都不会不要脸。我天生是个当导演的材料！

我趁着乱劲儿，停了车钻进了那家咖啡馆。

一看就是专门宰使馆那帮鬼子的地方，装修特别考究，一进门，闻到一股咖啡的香气，一水儿的英文报纸和杂志，我环视四周，有几个位子上坐着几对男女，轻声细语地在交谈，在最里面，光线比较暗淡的地方，我发现了一个穿红色背心的背影，我心里动了一下，还是斗胆走了过去。

高源一看见我也吃惊不小，仿佛被电到一般，我们俩大眼儿对小眼儿地看了一会儿，他特别无可奈何地叹了口气："你怎么阴魂不散啊。"我含笑看着他，坐下来，他又横了我一眼，瞪着眼睛问我："怎么又穿我的背心啊，不是告诉你了吗，不好看，不好看！"高源现在的样子特别可爱，纯洁得一塌糊涂。

"是不是早就知道是我了？"他一脸斗争地问我。

"别笑了，别笑了！"见我只是笑，他挥手在我脸上比划了一下，"真是的，你就是阴魂不散！"

"是不是特别庆幸自己当时那些憋了很久的情话没说出口啊，你老实交代！"

"谁呀？！"高源又开始瞪眼睛，"我这可是头一回！哎，你说实话，是不是老这样跟陌生人见面啊？"他充满怀疑地笑着看我。

"对毛主席保证，头一回！"

"算了，我原谅你这回吧。"

"嘿，你别找事啊，我还没问你呢！"

"看来我这辈子是甩不掉你了，他奶奶的，我就这样也没逃出你的魔爪！"高源说得特别悲戚，"我可不是想出来干坏事啊！"

他说这话我倒信，我跟他要电话的时候，我记得他发来的消息当中有一句是说"我是有家的人了"，想到这些，我有些得意，抓着他的小细胳膊，"走，凯宾斯基，你请我吃西餐！"

44

晚上我到姜母鸭，把大米粥交代我的事情原原本本跟小赵说了。这个四川女孩儿还像从前一样特别腼腆地跟我笑，红红的脸颊上充满着青春，她低头不语，像是在仔细地思索。

“这种事情你自己拿主意，我也是受人之托，其中的利弊我想你也清楚……”我一边说话，一边觉得脸红，仿佛回到了万恶的旧社会，我有一种当老鸨的感觉，一想到这些，我赶紧闭了嘴，想找一没人的地方抽我自己两个嘴巴。

小赵微笑着，问我：“初晓姐，那我要是和他好了，我能把他带回老家叫我父母看看吗？”

我的心中一阵抖动，心脏像被人用手使劲捏了一下，隐隐作痛。“小赵，这种人是不会真的和你好的……”我面前是小赵刚给沏好的茶，冒着热气，很香，“这种人，他……这种人没感情，不是人。”

小赵哈哈地笑起来，她笑起来露出洁白整齐的牙齿，特别漂亮，我想我要有这么一个妹妹，我得有多疼她啊！我又想到我妈要知道我干这种事情，我出了家门直接就得叫人送进残联。

乔军带着一帮朋友来吃饭，看见小赵和我坐着聊天，冲进来笑嘻嘻地捏着小赵的脸，被小赵躲过，扬起手来打了乔军一巴掌：“讨厌，老捏人家脸！”小赵脸更红了，乔军看着她的模样跟占了多大便宜似的，笑得很满足。

“我妹妹最近又漂亮了啊，尤其是叫某些绿叶那么一衬托……”

他坏笑着看我，我白他一眼，“哎，对啊，你干吗来了？”他问我。

“你管呢！瞧最近把你美的，你这十年的夙愿总算实现了，什么时候请客啊？”我想把话题岔开，十年的夙愿是指他对李穹的感情。

乔军嘿嘿地笑着：“走啊，一起吃点儿？”他指了指包间的方向，“都是关系不错的客户，一帮地方台的朋友。”

我摇摇头：“我还是不去了，过几天得去新疆写本子，回去归置归置。”我起身，往外走，又回过头来嘱咐小赵：“今天姐姐跟你说的话你就当没听见，咱不理那种王八蛋！”小赵含着笑点头，将我送到门口。

我刚坐到车里，乔军电话就追了进来，劈头盖脸地一通骂：“大编剧你现在出息了啊，丫的你把我们劳动人民不当人是不是啊？操，你也是个女的，要是你有个妹妹，将来有个闺女，你也这么干？！你他妈的真混蛋……”我静静听着乔军狗似的咆哮，一言不发，我知道小赵肯定把我跟她说的话跟乔军说了。

“……我他妈的要跟高源说了，高源肯定抡圆了抽你大嘴巴子……”我一听这句话，心里一激灵，高源肯定不敢打我，可是我就是特别害怕让高源知道我干了这么龌龊的事。

“我告诉你初晓，我拿小赵当自己亲妹子似的，你不拿自己当人我管不着，你拿我妹妹不当人……你，你忒死不要脸了你！”

隔了一会儿，乔军喘了口气，接着批判我：“初晓，你真他妈堕落了，简直……简直肮脏，高源就是瞎了眼才将就你这样一个人渣……”

“乔军，当初高源跟张萌萌睡觉的时候，你也像这样骂过他吗？”

我问了这一句之后，乔军就消停了，男人总是用双重的标准衡量周围的人们，宽容永远留给同性。

回到家，我开始整理行装，我准备去新疆完成剧本的写作，两三个月才能回来。正好高源的片子也要开始拍摄了，他后天出院，大后天有一个开机仪式，这一忙又得小半年。我想，可能我真的已经熟悉了我与高源之间聚少离多，任想念在时空穿梭的日子，每当我们都很忙碌的时候，我们的关系就会空前的瓷实。

我知道乔军不会把小赵的事儿告诉高源的，我想，可能他并不是为我着想所以才在高源面前缄默，他不说，多少有些无奈的意思，他比周围的任何人都知道高源永远赢不了任何与我之间的较量，可是一种来自我内心的谴责和孤独却让我感到强烈的不安。第二天一大早，我给高源打了一个电话，告诉他昨晚发生的事情，他还没有完全清醒，只是含糊地答应了几声，我以为他根本也没听进去，我就把电话给挂了，到了十一点多，我正给他整理衣服的时候他又把电话打回家来，特别语重心长地跟我说，以后这样的糊涂事儿还是少干，好心办坏事的感觉肯定特别难受，这个我知道……

高源真是学会了宽容，他对我越来越有耐心了，要搁在以前，他不像乔军一样跳着高儿的跟我大吵一架，把我阴损一顿肯定不算完，别说，他越来越像张小北了。

我不知道高源他们家老头儿到底跟他局长学生说了什么，奔奔的案子似乎有点儿不了了之的意思，至于小 B，花了大把的银子赔偿给原告的家人，息事宁人，总算人家也不追究了。

虚惊一场，收到奔奔不知从哪儿打来的电话，那时我正要出门去参加高源新片开机的发布会。奔奔说她在外地待烦了，一门心思想回北京，当我告诉她事情已经过去，可以继续回到北京发展她的行当的时候，这个可爱的小姐妹兴奋地哇哇大叫，然后感慨道：“我尊贵的首都嫖客们呐，你们的苦日子终于结束了！”颇有点儿胡汉三又回来的意思，她似乎还念了几声阿弥陀佛。

心情一好，奔奔电话里跟我聊得特别起劲，我不停地看表，最后跟她说我得去昆仑饭店参加高源的新片开机仪式了。丫奔奔一听昆仑饭店立马就跟喝了兴奋剂似的："我操，昆仑饭店，那是我久违的根据地啊！不是跟你瞎掰啊，生意最忙的时候，你妹妹我一气发过三十个小姐到那边接待一个什么鸟旅游团……”奔奔一说这话我差点儿一口气背过去，连连跟她求饶："妹子，求求你放过姐姐这一回成不成？说话这就得出门，刚才一听你做工作总结，一杯子热水，全撒脚面子上了……”奔奔就哈哈笑着跟我说明天就回来，跟我见面是没时间了，只得等她把该忙的都忙完了，再跟我会合。我连连表示感谢："我谢谢您了姑奶奶，你回来了我该走了，就等着你的业务蒸蒸日上的时候，姐姐回来你请搓饭！”

奔奔一听我要离开，问我："操，那你什么时候回归啊？应该挺快的吧……”她说到这儿我的脑袋里又开始嗡嗡作响了，"我还想着过些日子是姥姥生日，她好歹也认识几个字，就喜欢你这样的文化人，我本来还想带你去看看她，也让她老人家知道我好歹跟文化沾点儿边儿……”

“姥姥”是把奔奔从大街上捡回家又养大的一个老太太，最早的时候我听贾六说起过，算起来，老太太应该八十多岁了，贾六说他以前拉着奔奔来看过老太太一次，去年的什么时候吧。可能就是因为做了一辈子善事，老太太身体特别棒，头不昏眼不花，一个人住在南城一四合院里。贾六说不管奔奔在哪儿，干什么，老太太家里总不断人，都是跟奔奔相好的姐妹和哥们儿来看老太太。我记得我当时听到贾六说这话的时候，着实在心里觉得奔奔是一有情有义的江湖儿女，但贾六形容奔奔最多的还是那句“丫坏得能掐出水儿来，枪毙十回都该够了”。

最后我答应奔奔，推迟一天再出发去新疆，先跟她一起去看看姥姥，这样她才欢天喜地地放了电话。

高源的发布会做得像模像样的，很多圈子里的朋友或者师兄弟来捧场，从医院刚出来就站到镁光灯底下，高源的脸显得有点儿苍白，他介绍他的女二号出场，那是个刚从电影学院毕业的姑娘，个子很高，很腼腆地笑，露出深深的两个酒窝，说实话，这个女孩儿没有张萌萌长得那么好看，也许因为有点儿紧张，她的整个人显得有点儿木讷，同样是美丽，她的美丽却不生动。

很多记者向高源和他的演员们提问，他们对这部戏信心十足，我觉得这次高源会成功。有人问起高源女一号为什么没来参加今天的仪式，高源说她还在另外的一个剧组里面拍戏，可能晚一点儿赶过来，我到现在也不知道这女一号是谁，心里还真是有点儿期待着能快点儿见到。

说实话，在高源的工作上我基本不怎么关心，我来参加他的发布会也只是以一个普通朋友的身份，除了圈子里比较要好的几个朋友，没有人知道我跟高源的关系。著名演员何希梵先生也来了，他看见我就笑嘻嘻地走过来，说初晓，你看人家高源多风光啊，你老公要是成功了，你这好日子也就算来到了。我说滚蛋吧，他成功是他的，我的好日子可是我自己捞来的。大米粥特诡秘地跟我笑，拉住从我们身边走过的乔军：“呃，乔军，你说初晓这样的女人是不是要不得，他老公要是成功了她觉得跟她没关系……”乔军乜了我一眼，嘿嘿了两声，就走到另外一圈人中间去了。自从小赵那件事情之后，我在乔军的眼里轻如鸿毛，还好，我也装得跟不怎么在乎似的，起码乔军没看出来。

人群当中有一点儿躁动，原来是张萌萌来了，高源清了清嗓子，向在场的人介绍道：“下面隆重向诸位介绍女主角张萌萌小姐。”随着镁光灯的闪烁，张萌萌妩媚地笑着向所有的人致意，我相信她站在高的地方看到了站在角落当中的我。

如果一个人很意外地知道一个明知道自己不会意外的事情，是一件绝对绝对没劲的事儿。我不知道又是哪个神仙为张萌萌出头，让她进了高源的剧组。我隐隐地感觉到这次高源将获得巨大的成功，他不笨，如果没有一个让他足够成功的理由，他不会重新让张萌萌回到他的剧组里，高源能屈能伸，张萌萌为了能成为明星，能把自己豁出去，这样的搭档在文艺圈里打拼，没有不成功的道理。

我一点儿也不对高源没有提前向我提及张萌萌回到剧组的事情感到气愤，工作上的事情我们从来泾渭分明，我特别放心这次高源与张萌萌绝对只是工作上的关系，要说证据我还真拿不出来，仅仅凭着我的直觉。

我自己的脑子里想着乱七八糟的事情，张萌萌说了什么话之后周围的人开始鼓掌，很热烈，于是我也跟着鼓掌。我操，这欢声雷动的感觉肯定特别好，高源的眼光在人群当中搜索到了我，我给了他一个特别真诚，充满了对他成功的祝愿的微笑，也不知道究竟是为了什么，我只是觉得，高源应该成功了，他为了艺术吃了许多的苦头。

有记者要求高源当场为大家表演一个节目，高源拿求助的眼神看着乔军，乔军也不知道从哪儿弄了一把破吉他，递给高源，高源抱着吉他微笑着，片刻，他开始弹起了那个我熟悉的旋律，并且轻轻地哼唱起来，那一瞬间，许多年前的高源又一次回到我的眼前。

许多年前，他和几个大学的同学在夏天的黄昏跑到北大西门的一块空地上，穿着前胸或者后背的地方印着“别理我，烦着呢！”或是“没钱，别爱我！”的大红字的泛黄的白色背心，一张张瘦骨嶙峋像刚挨过饥荒似的脸，只有眼睛里面闪烁着悸动的光芒，他们没完没了对着那些过往的美丽的姑娘深情地高歌：梦里的天空很蓝，我就躺在你睫毛下，梦里的日子很忙，我就开始想要回家，在那片堇色的山坡，我要埋下我所有的歌，等待着终于有一天我们在时间穿梭……

时至今日，那些花儿一样绽放过的过往的姑娘都早已不知去向，只有我和高源在时间里穿梭到了现在，穿梭到了今天昆仑饭店发布会的现场。高源以及当年唱歌的那些小子们也早已褪去稚气，然而那一双双悸动的眼睛，宛如天上的恒久的星辰，穿过红尘的滚滚硝烟，闪烁在今天昆仑饭店的镁光灯下，没有丝毫的磨灭。

45

高源忙去了，我又觉得自由了。按说我真不应该在这时候离开北京，高源一不在我就又回到之前的一帮朋友中间，纸醉金迷的生活我很久也没有体验过了，主要是高源不怎么喜欢，他自己不喜欢好像也不怎么喜欢我喜欢，虽然他从来不告诉我，但是我心里特别明白，也非常自觉。高源在北京的日子，我绝对绝对地把他当成我的太阳，一圈一圈我光围着他转了，转到现在有点儿晕头转向，快想不起自己是谁了。

送走了这帮拍电视剧的，我直接去了我父母家找饭辙，我妈正在案板上“咣当咣当”剁猪肉，扬言要包出跟外边饺子馆里卖的味道一样的饺子，我说为什么呀，老太太就挥舞着菜刀冲到客厅里，跟我说：“问你爸去，没良心啊，吃了一辈子我做的饭，今儿跟我说还是外边饭馆里的好吃，尤其是饺子，馅大，皮儿薄，还说我再做一辈子饭也做不出来一样的味儿来。嘿，初晓你说，你妈做饭手艺到底怎么样？”我看着我妈系着围裙，拿着菜刀的模样，猛然想起来，我做饭的时候喜欢挥舞菜刀的毛病肯定也是来自她的遗传，印象当中，从我上中学开始，谁要敢说她做饭不好吃，她就是这表情，这姿势。

“你说你也真逗，”我把老太太扬着菜刀的手给放下来，“跟老头儿较什么劲呀，他还不是想叫你给做顿好吃的嘛！一将你你还就上道儿！”我假装奚落着老太太，把她的围裙解下来，菜刀也拿下来，到厨房剁肉去了。

又有几个星期没回家来看看他们了，看这架势，老头儿老太太日子过得还是这么有趣儿。

我不要求别的，将来我跟高源要是结婚了，日子过得就像我父母这样，我就知足了，俩人较劲较了大半辈子，与人斗其乐无穷啊。

“我爸呢？有日子没见老头儿了啊。”

“跟小北学打保龄球呢，出去俩钟头了。”我妈说起张小北就跟说起自己儿子似的，“小北这一离婚人变了不少，我眼看着瘦下去了……”

“妈，你瞎给人家操的什么心啊，人家也不是你儿子！”我把案板剁得震天响，表示对老太太的不满。

“唉，”我妈长长地叹了口气，“初晓啊，你也不小了，你说你跟高源……就说你们年轻人观念开放，那该办的手续差不多也该办了吧，这几年你们也闹出不少事了，要是嫌麻烦，就先把证儿领了……”

“妈，妈，怎么一回家就叨咕这点事儿啊？”我手里攥着菜刀冲到客厅，冲老太太嚷嚷，“你再说我走了啊，就不能说点儿别的！”

老太太叹了口气，不说话了，拿个喷壶给君子兰浇水，看来她真老了，年轻时候那点儿个性也都没了，要搁前几年，她肯定非常愤怒地扬起她罪恶的手，先给我一嘴巴再说。

正在我不知道说点儿什么安慰老太太的时候，老头儿带着张小北回来了。老太太一看见张小北情绪一下子又好了起来，张罗着和面包饺子。

我跟张小北说了我要去新疆的事儿，他问我去多长时间，我说也就三个多月吧，等秋天的时候，北京凉快下来，我就回来了。我妈冷冷地哼了一声，我也不知道她究竟是什么意思，大约是表示她的不满。

“初晓，你那张照片还有吗？给我吧。”

“什么照片啊？”

“就春节的时候从书里掉在地上那张，在北海照的。”张小北这么一说，我就想起来了，就是我一直也想不起来是因为什么拍下的那张照片，是谁给拍的。

“好像还在书里夹着呢，我给你找找。”我进了里屋，翻出厚厚几本书和以前的日记，我一时想不起来是夹在书里了还是夹在日记本里了，张小北也跟了进来，我看了他一眼，好像最近是显得憔悴了一些，“哎，你还记不记得咱为什么拍的那张照片来着，我怎么都忘了。”

他随手拣起桌子上一本画报翻看着，好像心不在焉的样子，过了一会儿，才开口说道："那天是我生日，二十五岁生日，腊月二十七。"张小北说话声音不大，让我觉得心里有点儿不舒服，好像最近几年我都忘了他的生日是什么时候，临近春节的时候只知道他会送个红包给我，忘了他的生日也是在那个时候。

我随便翻了翻，就把书本都合上了，"找不着了，下回我好好给你找找吧。"他白了我一眼："你就是懒得找，什么找不着啊！"说得特别轻蔑，又无可奈何。

"那你知道还问！"我也白了他一眼，"我受累打听一句，您最近忙什么呢？"

"混！"张小北说得特别干脆。

"小样儿吧你！"谁跟我说混我都信，惟独张小北说我不信，这小子把时间真当金子看，早几年的时候看见我混日子，恨得跟什么似的。"不过呢，你现在也算如愿以偿了，呵呵，什么时候再婚啊？"

"嘿嘿，你什么时候把红包给我准备好啊？"他坐椅子上仰头看着我，干笑着。

"没钱！"

"没钱你给弄点儿贵金属也成啊，将来我未来老婆，你未来嫂子拿出来还能跟人说，瞧瞧，这是著名导演高源的老婆送的……"

"哈哈，瞧你那样儿吧。"我伸手在张小北脑袋上拍了一巴掌，被他憨厚的表情给逗乐了，"我这里贵金属倒没有，还有点儿纯铝，厨房呢，铝锅，你要喜欢你拿走！"

张小北气得直翻白眼儿："昨天萌萌给我打一电话，说高源又把她找回去了，还去上高源的戏。"我现在也不知道他跟我说这些是什么意思，他跟张萌萌到底是怎么一回事儿，我含糊地应着："发布会上我看见她了，你还爱她吗？”

张小北想了想：“爱吧。至少是心疼。”顿了一会儿，点了一支烟，又接着说：“我没法不爱她，你知道吗？”他眼巴巴地看着我，问道：“你知道吗？她怀孕了，前一段时间，可是她背着我偷偷给做了……我觉得奇怪，她之前巴不得就想怀孕，要跟我结婚……”

“什么时候啊？”

“刚过完春节，时间不长。”张小北摇摇头，“我就是想不明白。”

他想不明白，我却特别明白，我知道了，那个孩子就不是张小北的，是高源的，虽然高源就没跟我说过究竟他和张萌萌是怎么回事儿，到现在，我已经能想出个大概了，张萌萌怀孕了之后肯定是想和高源结婚，高源不肯所以才下决心把张萌萌请出剧组，所以张萌萌才会找人撞高源……一定是这样的。

“张小北，你这辈子最爱的女人是谁？张萌萌？李穹？还是……未来嫂子？”

“我这辈子最对不起李穹，”说起李穹，张小北满眼的伤感，“对萌萌……心疼多一点儿儿吧，最疼她……最爱嘛……”他看了我一眼，“走，包饺子！”

“甭跟我这儿装大尾巴狼！不说拉倒！”我一边说一边走出了房间，刚好听见手机响，拿起来一看，是奔奔。

“小祖宗，杀回来啦？”

奔奔在那头一通狂笑：“哎哟，忙死我了，四脚朝天啊！”我一听她说话就想乐，之前是忙到脚丫子朝天我还勉强能理解，这回四脚朝天我理解起来还真有点儿难度，“这些日子我不在，可把首都人民想坏了！”奔奔感慨着，“谁他妈的还没个父母啊，姐姐你说我这些日子不在，多少人没地方泄火啊，这回好了，这回好了，我回来了啊。”

听她说话的口气，简直，简直是一个上世纪五十年代劳模进城参加了半个月的表彰大会，终于又回到工作岗位的感觉。

“我求求您了，别跟我这儿贫了好不好？明天上午我陪你回去看姥姥，现在我正忙着呢。”

挂了电话，我自己嘟囔了一句：“这是他妈的什么世道啊，坐台的都这么牛！”

“都是妈生爹养的孩子……哎！”我妈妈重重地叹了口气，就不言语了。

我有了一个特别明显的发现，自从春节过后，周围的这些人都喜欢叹气，我甚至感觉到自己被忧郁笼罩着，当我第一次意识到这些问题的时候我就开始努力回到从前的轻松当中去，但总是事与愿违，我想可能跟最近发生了太多的事情有关系，物是人非，这些变故让人觉得心里堵得慌。

我的生活分成许多个圆圈，有一些是朋友，有一些是亲人，有一些是工作伙伴，有一些既是朋友也是亲人。有时候我想我自己就好像是一个陀螺，在这些圈子里转来转去，我很难说清楚哪个圈子是属于我自己的，我也很难确定自己更喜欢哪个圈子，我只知道，他们组成一个深深的海洋，而我自己，就像一只孤单的海豚一般，不停地在呼唤，不停地折腾出点什么动静，这就是我的生活，我知道我身陷其中，不能自拔。

包着包着饺子，我从口袋里摸出几个硬币来，我说咱把硬币包到饺子里吧，谁要吃到带硬币的饺子，谁就洗碗，其实这都是我跟高源玩剩下的，我知道他们也许不喜欢，因为他们跟高源是不同世界的人。果然，老太太首当其冲反对，她说：“脏不脏啊？你这孩子浑身上下最多的就是毛病！”同时送给我两个卫生球，我没搭理她，看她年纪大了，懒得刺激她。我又看看张小北，用眼神征求他的意见，他嘿嘿地笑着说：“你就是懒！一会儿吃完了我收拾！”说着还用醮了面粉的手在我脸上抹了一把，我也懒得搭理他，才三十出头就像个小老头儿似的，心里想做什么都得先按照世俗的标准衡量一遍，不符合那帮俗人标准的，别管多想做的事儿他都能压制住，跟这种人一起生活肯定不会有多少乐趣。事实证明也真的没有乐趣，唯一对我的提议表现出一点儿兴趣的还只有我们家老头儿，他从桌子上捡起一个硬币塞进饺子馅儿里，一边包上一边说：“这有什么呀，洗碗太简单，谁吃到我包的这个饺子，谁随便打一个匿名电话，还不许叫人家生气。嘿嘿。”

说完，他对自己的提议表现出一些得意的神情，老太太白了他一眼，说：“你也跟她一起不正常。”老头儿笑笑，得意地看着我。

我现在终于知道为什么我爸会更喜欢高源一些，我想老头儿骨子里也是像漫画当中古怪的主角一样的喜欢冒险，像高源一样。我喜欢像他们一样的男人。

这次我没躲过，中了大奖，才吃了三四个饺子，就把老头儿塞的那个硬币给嚼出来了，老太太没忍住，笑出了声儿来，嘴里嘟囔着：“愿赌服输啊！”我又白了她一眼，心说用你提醒！张小北也看着想发笑又不敢乐出来，见我看他，连忙说：“算了，算了，不就是个玩笑嘛！”

“不行，惯得她毛病！”老太太挥舞着筷子跟我叫板。

“行，我也看出来了，老太太，这么着吧，要是我做到了，你输点儿什么东西给我？”我也跟她叫板，谁怕谁啊！

“你要真做到了，就你经常说的那个什么顺峰，我请客！”老太太下了好大的决心。

“号码得我随便拨啊！”看她现在这副架势，真不像我亲妈。

老太太说着就走到电话跟前，胡乱拨了一个号码。

“喂？”电话里传来一个很好听的女声。

我抄起茶几上的一个茶缸子，走到电话旁边，装得特温柔，说到：“您好，这里是北京电信，恭喜您成为我们的幸运用户，为了对您长期以来的消费表示感谢，下面请听歌曲《当》！”说着我当当当地敲起了茶缸子，那女的刚开始还没反应过来，愣了几秒钟，然后放声大笑起来，我们家老头儿也跟着笑，对着我竖起了大拇指，他的脸笑成了一朵灼灼的花，特别可爱。

放下电话，我问我妈：“怎么样，老太太？”

她瞪着眼睛，不屑地来了一句：“我现在在琢磨，是不是我生孩子的时候在医院抱错了。”

“不带搅局的啊。”

“没钱，找老头儿要！”老太太开始不讲理了，我正要跟她较真的时候，发现张小北转身进了里屋，老太太第一个冲了进去，我跟老头儿站在门口的地方，看见张小北的肩膀一抖一抖的，老太太拍着他的肩不知道说些什么。

对于大多数人来说，也许有了一点儿钱会很快乐，也许有了很多钱之后就会变得很脆弱，我想张小北是很脆弱的，依稀记起他从前笑的模样，好像是许多年以前的事儿了。

我很想回到春节以前，至少那个时候我们看起来都像个孩子，甚至连张小北的婚变看起来都像是在游戏。

46

我想，张小北他现在很孤独，很可怜。

我很想再像从前一样跟他耍贫嘴，可是生活总是要从轻松走向沉重，任何人对此似乎都无能为力。

晚上，我带张小北来到以前我跟高源经常去的一个酒吧，在电影学院旁边，叫黄亭子。这里很安静，最早的时候常常有诗人在这里聚会，对于诗人我了解得不多，我觉得诗人普遍的特点就是长得丑，比较落魄还有点儿忧郁，有点儿像现在的张小北。

早几年，我特别崇拜海子，好像我还有幸跟他见过一面，是在他任教的大学里。那次是陪一个同宿舍的姐妹去看她老乡，远远地看见前面有一个头发蓬乱、充满忧郁的男青年走来，他穿着非常随意，甚至太随意了，秋衣外面套了一件衬衣，他低着头走路，与我们擦身而过，等他走远了，朋友的朋友才问了我们一句："知道那是谁吗？"同宿舍的姐妹坏笑着，嘿嘿了两声说："还用问吗，肯定是科学家，瞧那一头乱发、双目有神的样子就知道。"说实话，我当时表示非常赞同，他的神情颇像爱因斯坦，印象非常之深刻。

"那是海子。"她的同乡非常严肃地告诉我们，语气中充满着崇敬。

那时候我甚至还不知道"面朝大海春暖花开"这样的名句，我从她的表情里看得出来，这是一个了不起的人。于是对着他的背影深深地凝望了一眼，大学校园里车流滚滚（当然是自行车了），虽然他的背影不是很清晰，但我还是深刻地记住了这个名字。我也不知道是为了什么，以后当我有很多次机会在这个叫黄亭子的地方，这么近距离地接近诗人的时候，我觉得他们都长得太平凡了，除了有一些儒雅的诗人气质之外，我在他们的身上看不到任何坚韧的个性，也许就是因为当年的海子从我们身边一阵风似的走过，我在那阵风里第一次嗅出来诗人的气息。本着先入为主的原则，我用那个身影去衡量所有被称为诗人的伪文学青年们，发现他们天生都有点儿缺钙，没有海子那样铮铮硬朗的骨头。后来报纸铺天盖地地报道他在山海关卧轨自杀的消息的时候，我心中的那个背影更加地清晰起来，透过他的背影，我还曾经在梦里看见他的眼睛，他的眼睛里充满着对卫道者的不屑，我第一次感觉到我的思想接近了一个伟大的诗人，有点儿沾沾自喜。

当我跟张小北走进黄亭子的时候，又遇到一帮所谓的诗人在高谈阔论，看样子是附近大学里文学社的学生，他们正在大谈食指与北岛，其中一个大声地说了一句：“我认为食指就是我们中国诗人的灵魂。”有几个人附和着，过了一会儿，那个说话的学生愤怒地指着一本最新出版的诗集里的其中一篇，对着旁边的同伴咆哮：“无耻啊无耻！这首诗的作者分明是食指，这里却说是郭路生！这些无耻的嫖客！”说着重重地将诗集摔在桌子上，他的神情颇似当年的鲁迅，我也不知道我这样形容他，鲁迅先生地下有知面对我强加给他的耻辱会不会翘着他优雅的胡子，落下无奈的泪。

黄亭子太安静，我已经很久没有来过了，太安静的地方很容易就让人说些掏心掏肺的话，这些年来，我只在刚和高源好的时候喜欢来这里。不过今天还好，这里因为有了这样一堆伪诗人制造了文明的噪音显得有些嘈杂，不会让我和张小北显得过于伤感。

我们要了两瓶啤酒，相对而坐。

"那天你洗完澡怎么就走了，我跟你说什么了？"我忽然想起那天张小北喝醉之后跑到我家里，喷出所有思想之后又离开了，我想大约是因为我喝醉之后跟他说的那些话，可是我又实在想不起来我当时说了什么，我要早知道自己这么健忘，我死心塌地地做我的记者了，反正记者写过的东西马上就忘，而且不用负什么责任。

说实话，这些年以来，我总忍不住去想像如果我还做我的记者，到现在我的生活会是个什么样子，我总想说不定现在也是个名记了，也说不定比现在混得好，直到我有一天听见一个企业家出门之前嘱咐他的下属"防火防盗防记者"的时候，我才怀着极度侥幸的心理庆幸自己现在是个编剧，至少目前为止还没听过"防火防盗防编剧"之类的话。

张小北一仰脖子半瓶啤酒就下去了，他不说话，干巴巴地盯着我。

"问你呢，我那天跟你说什么了。"

"你说你自己是个混蛋，毁了人家李穹这一辈子，你说她恨你恨得牙根儿痒痒，你还说……"张小北说到这里打住了，眼神很游离地瞟在距离我们不远的那帮学生身上，"别的就没了。"

我蓦地想起那天李穹在电话里跟我说的话，本来我喝过酒之后已经忘得很干净了，张小北这么一说我忽然又想起来了，那天李穹说着说着，声音就开始发颤，我觉得她好像哭了，我记得她说这么多年以来，我在张小北面前明着给熄火暗地里煽风，尽管我知道我并没有这么做，但是如果换做我是李穹，我也会恨我自己。

"说吧，我还说了什么？"我也半瓶啤酒下去，长长地舒了口气，"是不是我说了什么让你伤心的话？"

"也没有……"张小北犹豫着该不该说，"我主要是怕我自己那天犯错误……虽然我离婚了，也不能把这福利都让给你不是，多少好姑娘排着队呢。”

我呵呵地笑着，说张小北你他妈的还是这么牛B啊，你这些日子看着跟吃了耗子药似的，无精打采的还真把我给唬住了。我对他竖起拇指，你真坚强！我觉得这是我对张小北说过的最具现实意义的废话。“你给句实话张小北，这些年我在你心目当中是不是一个省略号啊？什么都是，又什么都不是。”说实话，我自己听见这话都觉得有点儿脸红，问完了我就后悔了，初晓你是个什么东西！

“你在我心目中像江青一样！”江青是张小北最欣赏的女性之一，“没文化，敢拼！”

在我正要得意的时候他又补充了一句，他什么时候学会了我损人的这一招儿呢？

我嘿嘿地笑着，看了看旁边那帮学生年轻的脸，借着酒劲儿高声念道：

从明天起，做一个勇敢的人，
傍大款，堕落，敢做敢爱，
从明天起，做一头勇敢的猪，
吃食，睡觉，
肉体，灵魂，明码标价，
从明天起，
面朝人海，
管他妈的是不是春暖花开！

我念完了这首临时攒出来的改编海子的诗，面前那帮未来的诗人全都错愕得像同情病人一般地看着我，仿佛我是个演偶像剧的明星。

张小北看着我，咧开嘴就笑了："其实那天你跟我说……其实也没说什么……"他开始神情严肃地看着我。

"说！"

"你说，我们说好了领证儿的那个早上，我只要当着你的面掉几滴眼泪……你就踏踏实实跟我过这辈子了……"

"那你跑什么呀，我还以为说了什么让你心痛欲绝的话呢，害得我这几天睡觉都不踏实，吃饭也不香……"

张小北摇摇头，笑了笑："原来你知道那天早上我躲厕所掉眼泪了？"

"多新鲜啊，我拿脚丫子都想得出来！"我有些得意地看着他，"我是不是有点儿聪明过头了你说？"

"没有什么聪明不聪明的，你就是忒把自己当人了。"

我正要反驳他几句的时候，旁边那一小撮集会的文学青年全都站起身来，特别恭敬地看着门口的方向。我好奇心本来就强，见他们都跟中了邪似的，我也禁不住向门口看过去。

我先看见了小雨，以前跟高源剧组的化妆师。她今天打扮得特别像个韩国小妞儿，头发绑成一个朝天锥，穿条肥肥的短裤，白色的大背心，脚上蹬着一双像高源穿的那种德国伞兵的靴子，黄色的。我第一眼看见了她，刚要招呼，就看见她身后那个拄拐杖的跟北岛齐名的诗人走了进来。

诗人充满着儒雅，我很早就听过他的名字，今天第一次见到他，感觉他跟我想像中的差不多，唯一不同的地方就是他不戴眼镜，而我印象当中的诗人都是像徐志摩那样的，戴着眼镜，喜欢围条围巾，充满睿智的学者型人物。当然了，现在是夏天，我也不能为难面前的诗人也戴条围巾什么的，只是不戴眼镜，让我觉得少了点儿什么。我记得多年前我看见海子的时候，好像他也是戴着眼镜儿的。

诗人一进来，那帮学生连忙都给他让座，都叫他何老师。诗人今年五十多了，看起来也就四十多岁。他一坐下来，先是赞扬了一通青年们对诗歌的热爱是非常崇高的、不庸俗的爱好，接着开始回忆他与他的朋友北岛在一起的日子。说起北岛，他说，那是个很有趣的人，我正听得起劲儿，想听他接着往下详细介绍的时候，他看了看其中一个学生年轻的脸，无限感慨地说道："你知道吗？我有一个女儿，她跟你的年龄差不多大……"没等他说完，一个学生就问道："那您女儿也写诗吗？她也爱好文学吗？"

诗人沉默了片刻，看看身边的小雨，苦笑了一下，对他的那帮fans们说："我把她弄丢了。"很沉重的表情，小雨的手抓着诗人的胳膊，似乎给他一点儿力量，于是诗人又很振作似的，坚定地说："不过，我相信，我的女儿一定很出色，她会像你们一样的聪明，充满理想，一定是一个充满浪漫情怀的女孩……"诗人说到这里看看那帮学生，又看看小雨，轻叹了一声，"不知道她现在在哪里。"

人人都沉默着，连我和张小北也听着诗人说这些伤感的故事，他的声音很好听，充满磁性，听说诗人天生都喜欢女儿，我心想，他女儿真是很不幸，我想诗人肯定会是一个很牛B的父亲。设想一下，生活在牛B闪烁的日子里，那是多么令人神往的事情，可惜我家老头儿是学工科出身，老太太那点儿墨水顶多也就够她自己用，根本别想能熏陶我，要说我能有今天，我容易嘛我！

小雨还是没有发现我的存在，一直到我的电话刺耳地响起来。

这个时候电话一响所有的人都显得很反感，我迅速地将电话拿起来，点头向那群人笑了笑表示歉意，向门外走去，小雨这时才发现我也待在这里，她对着我笑了笑。

走到门外，我接通了电话，是奔奔。

“有什么指示小祖宗？”

“你别逗了姐姐，忽然想起你了，哪儿呢这是？”

“在一酒吧跟朋友聊天呢，黄亭子，电影学院边上，明天几点啊？”我答应明天陪她回去看姥姥。

奔奔想都不想：“明天中午吧，我睡醒了给你打电话，姐姐你上那种酒吧有什么劲啊，要不你来找我，‘1919’，歌舞升平，觥筹交错，有朋自远方来不亦乐乎……”

“我受累跟您打听一句，哪位朋友又从远方来了？是你那皇军大款啊，还是我们台湾同胞啊？”我也是没事儿，跟奔奔贫两句。

“你甭管了，反正来我这儿的肯定都是地主一级的，连富农我们都不带玩！来不来啊？”

音乐很震撼，一边跟我说话，一边还有人招呼她喝酒，她跟人急：“丫的，滚蛋，没看我跟我姐姐打电话呐？瞧你一脑门子官司，滚蛋，操！”

“奔奔，你忙你的，我这儿正好遇见一个诗人，朋友，聊一会儿……”

“哎哟，诗人！成啊，我还没见过活的诗人呢，有时间你介绍我认识认识。光听说李白、杜甫，还有那谁来着，初唐四杰，这我知道，昨儿刚记住的。”她显得很得意，“听说这诗人都是什么他妈的跳跃思维，我琢磨半天，丫的，就是他妈的前言不搭后语的说话吧，这帮丫挺的肯定都没有性生活。你那朋友要有需要，你就给姐妹打一电话……”

“奔奔，奔奔……”我拦她半天也没拦住她说话，好容易等她停下来了，我赶紧说道：“您先忙着，忙您的啊，回头我明天等你电话。”

“操，怎么这样啊，要说道不同不相为谋呢，我就知道你们这帮知识分子特他妈矫情，得，得，你明天等电话吧。”没等我反应过来表个态呢，丫的把电话挂了。

我刚要回去，跟出来的小雨撞个满怀。

“怎么走啊，你一进来就看见你了，没好意思打扰你们。”我跟小雨打招呼，诗人对我点点头，保持着优雅的笑。

小雨指指诗人：“他最近身体不太好，我今天是从天津赶回来看他，还是跟你们高源请的假，今天得早点儿回去休息了，有时间再约吧。”

于是我跟他们告别，诗人临上车的时候对着我轻轻地挥了挥手，还真有点儿“轻轻地我走了，挥一挥衣袖，不带走一片云彩”的意思。

47

天开始闷起来了，打了几个闷雷，眼瞅着雨点落下来了。这天气还真是说变就变了，就跟生活里这些乱七八糟的事儿似的，没个准儿。

雨下得不大，淅淅沥沥的，让人心里更添堵。我看了看表，快十一点了，我跟张小北说，咱回家吧。

张小北完全没有要走的意思，抓着我问了一个问题：“初晓，你说你们女的都喜欢什么样儿的男人啊？”

“这个可不好说，得分什么样儿的女的。”我也又重新坐回去，又叫人开了一瓶啤酒，“比如张萌萌吧，她就喜欢你这样的，你有钱啊，她喜欢钱，所以就喜欢你；你再比如说李穹，李穹也就喜欢你这样的，你心好啊，李穹自己心眼儿好，她也就喜欢你心地善良……你再比如说，我妈吧……”我一说我妈，张小北吓得一激灵，我赶紧跟他解释，“人家……我们家老太太再怎么着，她也是一女的吧。”见他不言语，我接着说，“我妈她也喜欢你这样的，你傻啊，我妈就喜欢反应有点儿迟钝的，她管这叫憨厚……”

“那你呢？”

“我？我当然也喜欢你这样儿的了！”我坏笑着，借着昏黄的灯光看清楚了张小北眼角细碎的皱纹，“你还不知道我吗？爱钱，虚荣，爱欺负人，爱……爱……反正跟你这么说吧，我馋懒皮猾坏，就这几样优点，每一样你都能满足，我能不喜欢你这样的吗？”

张小北在对面听着我说话，气得眼睛都鼓出来了，我赶紧哄他，嬉笑着：“你瞧你这人，动不动就生气！跟你开玩笑呢。”我给张小北点了一支烟，递到他手里，看着他抽了两口自己才点了一支，开始跟他白话起来：“依据我多年行走江湖的经验，本人认为，一个男人，他想找到一个真正出色的女人，首先，他应该很有钱，如果没有钱，那么他应该长得好看点儿……”说到这里，我看了他一眼，看得出来，这小子听得很投入，“当然了，这两点你都符合，你属于非常幸运的。”

“屁！我吃了多少苦才赚来今天这点儿钱啊？”张小北为他自己叫屈，这点儿我不得不承认，他的确吃了很多苦才换来了今天。别的不说，光说他在天桥底下卖光盘那时候，冬天冷，夏天热，无论是大雨滂沱还是风雪交加，这孙子都坚守在天桥底下，工作环境的恶劣以及他工作热情的高涨自然不必说了，要不他也不会昏倒路边，也就不会给我这个学习雷锋把他送进医院的机会了。抛开这些外界的困难都不说，光说人民群众对他工作的不理解，张小北同志能这么几年如一日地坚持为人民服务就非常的不易，对女同志不敢太热情，怕人家管他叫流氓，对男同志不敢太冷淡，怕人家瞧他不顺眼，动不动就群殴他，对老年人不敢不尊重，对孩子们不敢不爱护……我真不知道他是怎么熬过来的。

“甭管怎么说，你算幸运的！”

“行，行，行，你接着说，不幸运的什么样啊？”

“不幸运的就像高源那样啊，既没钱，长得也不好看。”我看了张小北一眼，他用充满怀疑的眼光看着我，“你听我往下说啊。所以呢……所以这种人就应该很幽默，如果不幽默呢，至少应该懂得欣赏幽默。”

“如果连幽默也不懂得欣赏呢？”张小北今天跟我叫上板了。

“那……那……”我真恨我脑子反应太慢，“那”了半天，总算还憋出来一句，“如果连幽默也不懂得欣赏，那……就只能看缘分了吧。”

张小北哈哈大笑，他很久也没这么笑过了，有半年了吧，甚至更长时间，他整个人变得木讷和无趣。从前他也常常会带着李穹在周末开车到怀柔钓鱼，或者到卧佛寺的茶馆里喝茶，到朋友家打麻将或者酒吧里坐一坐，他们的生活很有品位也很快乐，自从他和李穹开始像猫和老鼠一样生活，张小北整个人一下子就苍老起来了。

“你可忒贫了你，一般男的贫不过你！油嘴滑舌啊你！”张小北一说起我贫嘴就这一句话，翻来覆去地说，我听过不下一千遍了。

其实我的这套理论也是从高源那里延伸出来的，似乎是在两年前的某个午后，高源曾经仔仔细细地端详着我的脸，评论过一番女人。因为高源同志本来说过的有深度的话就不多，我当时就记住了，到现在印象还比较深刻。

高源同志当时说，做为一个出色的女人，她首先应该有气质；如果没有气质，她就应该长得漂亮；如果长得比较抱歉，那么她应该很体贴人；如果不体贴人，她就应该会做家务；如果不会做家务，她就应该虚心一点儿，跟她妈学做家务；如果她什么都不会做，那就只能等缘分了……说完了，高源拍拍我的脑袋，淡淡地说了一句："小鬼，你的运气不错哟！"我傻愣了半天才反应过来，那小子最后没躲得过我一顿暴打，他逢人便说，短跑纯粹是叫我训练出来的。

"说实话，但凡懂事点儿的姑娘家，赶上一个高源这样的，都会对人家千依百顺的，你得注点儿意，对高源好点儿……"张小北跟我说这话也不是一两遍了，他在高源面前从来不表达这些对高源的赞许，他喜欢跟高源一起聊天，看着高源疯子似的充满激情的眼神或者动作，张小北常常不动声色地赞许地看着高源，或者说，他总是用一种兄长般爱护的感情对待高源，我想，那绝不仅仅是因为我的关系。

我看看表，说不早了，回吧，明天我还得跟奔奔去看她姥姥呢。

张小北抽了最后的一口烟，站起来拍了拍我脑袋，用毛主席那种低沉而充满磁性的声音说道："小鬼，我们走！"

我他妈的真希望张小北是我亲哥，希望过不止一次了。

我回家又看了一个电影之后才睡的，王家卫的《重庆的森林》。这种迷魂汤似的电影让人看了感到压抑，我做了一晚上的梦，梦里掉了很多眼泪，醒了之后却又忘了梦到什么，可能是因为被电话的铃声惊醒的缘故。

奔奔也刚睡醒，迷迷瞪瞪地跟我说话，说她刚醒，马上去洗脸刷牙，过一个半小时到我家楼下。我放下电话一骨碌从床上爬起来了，赶紧洗澡换衣服，等着奔奔来找我。

我把我爸和我妈上回从香港带回来的西洋参找出来两盒准备送给姥姥，本来是想给高源父母的，刚开始的时候一直想不起来给送过去，后来想起来了，跟他们的关系又不好了，我想他们现在还用不着这些，再说都是从国外留学回来的，特别信奉科学的、健康的生活方式，把这种东西给他们保不齐的还让他们觉得庸俗。我把西洋参装在一个塑料袋里，又到衣柜里翻出去年冬天给我妈买的一件羊绒衫，纯灰色的，花了我不少银子呢，我妈死活不要，说显得太老，我本来打算去退的，上个月才想起来，到成府路的那家专卖店一看，人家说厂家早就撤走了。那回奔奔到我家里来，看到这件羊绒衫，仿佛说起过要给一个老太太也买一件，那时候她还没对我说起过姥姥，不过我猜想是的。

奔奔在楼下给我打来电话，我拎着东西就下楼去了。在楼梯口我就看见奔奔坐在贾六的车里，对我招手，贾六看见我出来，高兴地按了按喇叭。我本来想自己开车去的，看见贾六，直接就上了他的车。

“妹子，你可想死我了。”我一上车贾六将大半个身子扭过来，龇牙咧嘴地对着我笑，“你忙什么呐又！”没等我回答，他又接着说，“我一回北京，先被狗子请到局子里问话，呵呵，我才知道是高源出事了，操，敢情找到我这儿了。”贾六到现在也不知道为什么会找到他那儿，我含笑看着他，没说话。奔奔接过来，说了一句：“贾六你这种社会败类，出什么坏事你都肯定在被怀疑之列的！”贾六一只手伸过去，盖住了奔奔的脸，被奔奔打开。“我那天赶紧去医院看了看高源，你正在床上睡觉呢，跟他说了两句话就走了，没好意思叫你。”贾六笑着跟我说。

“高源跟我说了，六哥你还真行，能想起来去看看他，高源那种姥姥不疼舅舅不爱的主儿，也就你还知道惦记着。”我跟贾六随便客气客气。

我这么一说，贾六就嘿嘿地乐了，他这人不经夸。

几个月不见，我对奔奔和贾六都有了一些陌生的感觉，除了奔奔，我和贾六都意识到了这一点儿。

我记得很早以前，贾六曾经跟我说起过我们之间的关系，他说初晓，你这个人特别随和，对谁都特别友善，可是你这人不简单呐，对谁都留点儿距离，看着好得跟一个人似的，其实你心里清楚着呢，特别留神跟别人的距离，你说这距离有多大，还真不大，就那么一点儿，他当时还很夸张地瞪着眼睛，叉开拇指和食指比划了一下，就这么点儿距离，可是跟你没这点儿距离的人还真不多，我知道的除了高源还真就没别人儿了。

为什么我说贾六是一个挺聪明挺有意思的人呢，就在这儿！他对人比一般人更挑剔，对我他表现出了足够的宽容，我的那些毛病在他眼里都是优点，除了刚开始我们接触的时候是因为他想多在我这儿拉点儿生意，大部分还是因为他看得出来，我没小瞧他，从来没有，贾六在人群里属于太清楚自己是怎么一回事儿的那种，看什么都特透彻，这点上，奔奔跟他还有距离。

我们聊了一路，从城北开到城南用了将近一个钟头，到了姥姥家门口，贾六嘘了口气，说：“今儿还真不错，没堵车！”

奔奔一边下车，一边跟贾六说：“要不你也进来待会得了，就一老太太，一会儿还能把我们送回去。”

贾六看看表："真不行了，妹子，我约好了送一个韩国人去机场接人，我得走了。"说着启动了车，对我摆摆手，"我先走了妹子，没事咱再细聊。"

我点点头，也对着他摆摆手。奔奔紧走了两步，趴在车窗上跟贾六说道："晚上我用车啊，别再接活了，我那儿最近忙着呐！"

"我知道，我知道。"贾六答应着，"走了，走了，来不及了，晚上见吧妹子。"

对贾六来说，没有什么事情比赚钱更能引起他的兴趣了。

奔奔给姥姥买了很多东西，提着两个很大的袋子，里面装了好多类似脑白金和那个广告里老演的补钙的什么口服液，我第一次知道她还这么细心。我们俩一起往院子里走，我把我手中的塑料袋给她看了看，说："有件羊绒衫，上回你说要给姥姥买的那件，我妈穿着不适合，我也懒得退了，留着给姥姥穿吧。"

奔奔没说客气的话，点点头，她今天没化妆，穿了一碎花的裙子，很秀丽，与夜总会里妖艳动人的奔奔判若两人，让我更不清楚哪个是真实的她，哪个是虚幻的她。

才走进一个院子，奔奔就喊着"姥姥，姥姥"，正对着门口的一间房的门打开，出来一个精神矍铄的老太太，面容很慈祥，对着我们笑。就像奔奔说的那样，她看起来一点儿也不老，面色红润，身板绝对硬朗。

等我们走近了，老太太拍着奔奔的肩膀嗔怪着："这么长时间，也不说回来看看。"

奔奔一改往日玩世不恭的神情，挺纯洁地看着老太太："我不是忙嘛？姥姥，我给你介绍，我的朋友，初晓。"我赶紧对着老太太笑着叫姥姥，把塑料袋放到椅子上："姥姥，没什么准备就来看您。"

老太太特别满足地看着我跟奔奔笑，“甭准备，你们回来看看，我就高兴。”说完了扭头给我们倒水。

“姥姥，初晓是编剧，写电视剧的。”奔奔跟在老太太屁股后头介绍我，“她写了好几个电视剧了，他男朋友是拍电影的，导演！”

我估计老太太连导演跟编剧到底是干什么的都不清楚，但绝对从奔奔的眼睛里头看得出来，是个好职业，一个劲儿地点头，说你们先坐着，我给你们切西瓜去。

刚想坐下，奔奔拉着我到里屋：“初晓，走，我给你看我爸照片！”

“什么？你爸？！”我眼珠子差点儿没瞪出来，不是孤儿吗，怎么又跑出一爸来？

“我姥姥捡我的时候，跟我裹在一起的一张相片儿。”在里屋的一个相框的背面，奔奔极其兴奋地拿出一个信封来，“我姥姥说，当时这照片背面有字儿，就写着他是我爸，我估计，也早该死了，给你看看，长得还真好看！”说着把一张发黄的两寸照片从信封里拿了出来，递到我眼前。

我盯着照片看了一眼，特别清瘦的一个知识分子模样的男人，三十多岁的样子，戴着眼镜，站在天安门前面，微笑着，别说，还真好看，属于男人当中长得好看的那一类。我看着看着，就觉得眼熟，嘴里嘟囔着：“我怎么觉得我见过这人啊。”

奔奔忍不住笑了出来：“姐姐，您要能认识这个人，那我谢谢您了。”老太太一不在，她就开始跟我贫，“也就说您是个文化人，见过的人也不比我多啊，我见过多少男人啊，我都没发现谁跟他长得像！”

“我真觉得眼熟，你让我想想。”我攥着照片往外屋走，一直走到门口，在阳光底下看照片上的人，脑子里飞快地转啊转啊转，就是觉得特别眼熟，等到最后，老太太把西瓜切好了，招呼奔奔和我去吃西瓜的时候说了一句：“天儿热，你瞧瞧你衣服都湿了。”

我一听这话差点儿一个跟头栽出去，倒不是因为姥姥说奔奔衣服湿了，我真把这人想起来了，没错，我真的见过这个人，奔奔的爸。

48

我给小雨打电话的时候她正在高源的剧组里忙着给张萌萌化妆，在天津的张园。深夜里，我能听见高源像狗似的跟小雨咆哮：“叫你们关电话，关电话，怎么还打呀！小雨赶紧把电话关了，等着开机呢！”过了一分钟，高源大概是跳到小雨跟前了，特别大的声音，“叫你关电话！没听见啊！”小雨特无辜地把电话举到高源跟前：“你老婆！”

高源把电话接过去，特别没好气地说：“等着拍戏呢，你捣什么乱！”我说我有事找小雨，“有什么事收工以后再说！”这小子准是又忙疯了，真把他自己当成剧组的灵魂了，而且还是脾气特别大的灵魂。我等着他把电话给挂了，没想到他又补充了一句，“不许再打电话，听见没有！”我刚想说点儿什么，有个声音传进我耳朵里：“导演，停电了。”我就听见有个人哈哈大笑，听声音我就知道是张萌萌，她说：“这回好了，连供电局都帮着初晓！”我听着她的声音现在没那么厌恶了。

其实打从一开始我见张萌萌就不怎么厌恶她，她怎么说都算长得挺好看的，虽然我自始至终站在李穹的立场上，我都觉得张萌萌总不至于属于被唾弃的那类人。直到她跟高源的事情彻底败露，我才开始对她有了跟李穹一样的感觉，恨不得一刀捅死她的那种恨，但是现在，好像那种感觉又没有了，说起来也真奇怪，我甚至觉得当初我在众人面前给她的那一巴掌显得很幼稚。

我说："真对不起导演先生，我真是有特别重大的事情要跟小雨谈，特别特别重要了，忒重要了，简直没再比这重要的事了，简直……"

"得得得，别跟我这儿贫！"高源气也气不起来了，语气缓和了不少，"你不是去新疆了吗？怎么还在北京祸害人民呢！"

"我一想，新疆人民也不大容易，我就在北京忍着了。"这小子不让我贫，我开始跟自己贫上了。下午回到家，我给大米粥打电话，说去新疆的事能不能再推一个星期，大米粥说，要不你就北京待着算了，实在不行那哥们儿在青岛还有间别墅，你就到青岛去写得了，海边的别墅，你一个人住着，就当去避暑了。我一听也很好，当时说了一句"此屁有理"，肯定了大米粥的想法。

剧务这时候又跑过来，跟高源汇报："导演，电话打过了，人家说没准儿什么时候能来电，发电机也问过了，没戏。"

"真他妈操蛋！"高源自己嘀咕了一句，对着电话跟我喊上了，"都赖你！"

我在电话里嘿嘿地笑着，听见张萌萌又在旁边说话了："初晓，一会儿有人来看我，要不你跟着一块儿过来看看高源得了。"她说话的语气就跟我们俩关系多铁似的，我一边听一边感到纳闷儿，我什么时候跟你这么熟了？先是破坏我哥们儿姐们儿的家庭，后来又睡了我们家高源，然后你又差点儿把高源给废了，就说你他妈的又捞着一个更狠的靠山，如愿已偿地又上了这部戏，我也不至于就堕落到跟你关系特瓷实的地步吧。

我正想着，小雨接过电话："初晓，你要没事就过来吧，你说的事我知道了，我得跟你商量商量。"

"这事还有什么好商量的，你跟何老师一说，我也跟奔奔一说，父女相认，皆大欢喜啊！"要不说近墨者黑呢，我跟奔奔待的时间稍微一长，我说话的腔调不由自主就有点儿随她，"我意思是说，这是好事儿。"

"不行，我拿不定主意，初晓，还是我跟你商量商量吧。"

我想了想，也不知道高源同意不同意我去，就答应了小雨。每次高源工作的时候绝对禁止我对他的一切骚扰。

我简单地整理了一下东西，把高源喜欢的几本漫画也塞在书包里，准备叫贾六把我送过去。北京到天津开车也就一个多小时的路程，我一点儿都不发愁。

正想给贾六打电话的时候，文化公司林老板电话追过来了，开口就说："初晓，听萌萌说你要去天津？我正准备走呢，要不我接着你，咱俩路上还有个伴儿。"

我一想，这孙子四十好几了，有家有业的，为了这么个小蜜蜂晚上一点多开车往天津赶，这帮人到中年又有俩糟钱的男人们都中邪了！就跟当初张小北似的，非把这种不正当男女关系说成是爱情，实际上就是奸夫淫妇。那天我在大街上听见俩七八岁的小男孩在我前边边走路边聊天，其中的一个小孩神情严肃地问另一个："哎，咱班同学可都知道了，听说你爸包二奶，是不是真的？"另外一个稍微高一点儿的，听完了一点儿不生气："什么包二奶啊，校长跟咱们语文老师那种关系才叫包二奶！张老师就是为了评职称才跟校长在一起的，咱班同学都知道。我爸那是为了照顾那女的，只要人人都献出一点儿爱，世界将变成美好的人间嘛。”说完了还特别得意地拍了拍他同学的肩膀。我当时听完了心里特别不是滋味，才七八岁的孩子就把包二奶当成献爱心，用不了多久，卖淫也能成为新兴的支柱产业，旅游业的主要组成部分，还是无烟产业，起码不污染环境。如今这世道，真他妈叫人没法说！

我一上车，林老板就冲我奸笑，直接就跟我翻那回在十三陵打人的旧账。他这人是典型的商人，做生意特别狠，没什么人性，对朋友还算过得去，我们合作过几次，关系说不上特别好，过得去。

“林老板，再说这个就没意思了啊。”我先从他车上拿了一支芙蓉王抽了起来，蓝色的烟蒂，抽起来味道淡淡的，很舒服，妈的五块钱一支的烟抽起来就是不一样。“那天说好了是大家一块玩，不为别的，就为高兴，人家当事人都没什么话，你现在出头有点儿没劲了啊。”

林老板半天没说话，憋了一会儿冒出来一句：“我见过的人里头，再比你狠的恐怕就没第二个了。”

“别造谣啊，我他妈净挨人欺负了。”我白了他一眼，听得出来，他要不是知道点儿渊源也不会这么说。

“做女人还是糊涂点好……”

“我他妈还不糊涂呐！党和人民教育我这么多年，我要再糊涂点儿，我还得去民政局领政府救济。”

“妈的，我也看出来了，谁他妈要是不开眼把你给得罪了，就等于自己抽自己大嘴巴。”林老板摇摇头，“萌萌也不容易，年纪小，不懂事，你当大姐的多包涵也就过去了。”

“我就纳了闷儿了，要说张萌萌漂亮，比她漂亮的多的是，要说她聪明，我也没看出来……你们这些男人怎么就跟喝了迷魂汤似的，都他妈犯贱！”

我就是想不明白这一点儿，我曾经试图跟张小北探讨过这个问题，他说得特坦白，说不清楚，就是说不清楚的喜欢她。根据我的观察，还发现稍微年轻点儿的，比如高源、乔军、大米粥之流，还真不怎么喜欢张萌萌这种女孩儿，别看高源和她睡过，我看得出来，他纯粹是一时的冲动，跟喜欢不一样。再据我的观察，林老板对张萌萌跟张小北对张萌萌还不怎么一样，林老板对她是喜欢，张小北多少有点儿爱的成分，喜欢跟爱还是有区别的。喜欢是一种愉悦的心情，就像林老板一看到张萌萌的时候，那张枣核形状的脑袋就情不自禁地左右摇晃起来，脸上就是吃了春药的表情。而爱与喜欢最大的区别就在于，爱里面会有包容的成分，这个女人身上的一些缺点张小北看得很清楚，比如说虚荣，急功近利，但他还是愿意为张萌萌成为一个演员的梦想去求人花银子，用他的话说，萌萌年轻，这些是难免的。我操，想起张小北说的这些话我就生气，还不是一般的。林老板的一席话说得特别透彻，叫我彻底明白为什么张萌萌在中年事业有成的男人中特别有市场的原因了。

林老板说，男人到了他这个年纪就开始害怕，有钱，有事业，有老婆孩子，公司里人人尊敬，社会上有头有脸，甭管走到哪儿都得挺直了腰板，说话办事像个人似的，越是这样自己越是心虚，心里说不出来的累，特别想身边能有个人，把自己当成个孩子似的疼着哄着，也能在地板上打个滚，在女人怀里撒个娇。我听他说话听得直入神，我跟张小北打了这么多年交道，还真是的，他走到哪儿都人五人六的，一帮人唔唔地围着他转悠，请示这个汇报那个。也许他真的需要这样一种感觉，虽然听起来有点儿别扭，但也许是真的，在一个女人面前放纵自己，可能对他们这种男人来说就是最好的一种放松。而张萌萌就在这些差不多是她爹的同龄人面前，尽情展示她的母性，叫这些男人无比地眷恋她、歌颂她、崇拜她，说实话，一般人还真干不出来这样的事，设想一下，你能像一个妈妈那样对待你爸吗？所以张萌萌这种人的成功是必然的，站在经济巨人的肩膀上，自然能够得倒一些一般人望尘莫及的东西。

大老早以前，小B跟我说过一句关于文艺圈的大实话，她说："那些没成名的漂亮妞儿，只要能把自己豁出去，出名就像脱衣服一样容易，只要你能豁出去。"我现在想想，真是有道理，有道理啊！

不过说实话，我还真没看出来张萌萌那么小的年纪居然会有那么多的母性，把这些男人紧紧抓住，让他们用大把的钞票、机遇甚至灵魂去回报她，着实也不容易，我反正是做不到，不过我已经决定锻炼锻炼，像我奶奶那样对待我爸，就算我爸不介意，估计我也坚持不了多久。

到了天津，张萌萌像小鸟似的扑向林老板："亲爱的，你可来了。我要的东西带来没有？"我一阵头晕，有这样对待孩子的妈吗？我看高源，高源对张萌萌的表现司空见惯了大概，就像没看见一样。

林老板跟张萌萌耳语了一阵，张萌萌就走过来招呼我和高源、小雨三个人："初晓，咱一起出去吃点饭吧，都饿了。"她笑模笑样儿的，好像忘了我打过她那巴掌，虽然我不怎么喜欢她，可她这样对我，我还真说不上来有多厌恶她。

"不了吧，我找小雨商量点事儿。"我也笑着回绝她，"林老板风尘仆仆赶来看你，我们也不好意思打扰你们啊。"我说着对林老板眨眨眼，诡秘地笑了笑，他没说话。

“那要不我们回来给你们带点儿。”我还真没发现张萌萌心胸这么豁达过，模样好看，面子上的事又做得好，叫男人不喜欢还真难。不过我一想起我初次见她的时候，她面对李穹的一副不卑不亢的神情，我就想笑，可能她天生就是一个演员，她在生活的舞台上尽情地表演，塑造各种各样的女人，不容易呀，小小年纪。

高源带着我跟小雨到他们住的宾馆里，门口外面停了好些出租车，看着我们走进去，还以为高源是嫖客呢，俩出租车师傅操着天津话讨论了一番：“真行，一个人带俩，现在流行这么玩嘛！”另外一个说得特别直接：“妈的，林子大了啥鸟都有。这他妈的不是傻B，是大傻B，挣钱容易吗，往那一躺，都给她们……”我们走过好长一段距离，我还能听见他们讨论，小雨闷着头开始笑起来，高源也笑了，看着小雨，我说：“咱俩真叫一个冤，好好的被人当成傻B了，还是大傻B！”小雨就笑出声儿来，高源走在前面，一时没反应过来，等到明白过来的时候，猛地站住，转身，警告我：“别逼我出手啊，打你个生活不能自理！”并且比划了一个跆拳道的姿势，活脱脱一个大尾巴狼的形象。

走到房间门口，高源开门，小雨先进去了，我刚迈进去，高源一只手从背后掐住我的脖子：“小伙子，看今天我不打你个生活不能自理的！”一双瘦骨嶙峋的鸡爪子掐得我生疼，我求饶：“政府饶命！”“哼哼，你说，你今天干吗来啦？”高源阴阳怪气的，乜斜着眼睛。

“报告政府，我找小雨同志有重要情况汇报，快放开，疼。”

“哼哼，小子，今天放过你，以后还敢不敢啦？”

“不敢了，我以后像缅怀毛主席那样仰望你！”

高源听了，美滋滋地放开他罪恶的手，马上又觉得不对，再来抓我，我已经一骨碌跳到床上，躲到小雨身后了。高源恶狠狠地瞪着我，说了一句“算你跑得快”，就出门给我和小雨买饮料去了。

小雨笑着看着我：“你还说人家高源心里没你，这些日子我就没见他笑过。”说得我心里美滋滋的。

“你说说为什么不能告诉何老师奔奔的事啊。”我跟小雨说了我在奔奔的姥姥家看到的那张照片就是她的男朋友，那个诗人，我以为小雨也会跟我一样地兴奋，急于让他们父女相认，小雨却顾虑重重。

“不是好事儿。”小雨笑了笑，“说不上来为什么，就觉得这事他妈的有点儿玄！”

“我怕那小人精怀疑，没敢把照片拿回来叫你看看……”

“倒不是这个……”小雨沉思了一会儿，我递给她一支烟，“你这么一说我想起来，他以前好像说过，当年他把女儿放到街边的时候放了一张照片在襁褓里……这事说起来真没法说，还得和高源商量商量……”

“切，你还嫌不乱啊。”小雨这么一说我都能想像得到高源对这件事情表现得多么不屑一顾，“他那种自认为不俗的人，要是能对这些事情表现出多少热情那才奇怪呢。”在这一点儿上我绝对有信心。

小雨忽然就笑起来，口中喃喃自语：“金钟罩，铁布衫，小李飞刀，爱情子弹在呼啸……”然后将自己重重摔在床上，表情非常沉重。

我看着她，心里想，真是诗人的女友，说话也是前言不搭后语，神神道道的。

过了一会儿，小雨问我：“还记不记得我跟你怎么认识的？”

“高源介绍的。”

“那我跟高源呢？”

“喊，你可真够逗的啊！”我也倒在床上，在她屁股上打了一巴掌，“你问我？你们不是以前在一个组里嘛！”

“那又是怎么跑到一个组里去的？”

“那我哪知道啊。”我懒懒地，忽然有点儿犯困了，有种昏昏欲睡的感觉。

“嘿嘿，”小雨笑起来，“看来高源真没告诉过你。也是，他这个人像他爸爸，心里永远隐藏得住秘密。”

“嗯？”我一骨碌爬了起来，“看起来有文章啊，说来听听。”

“他才是高源的爸爸。”

“谁？”

“何。”

我一个没留神，栽到地上，脑袋磕了个大包，这也忒他妈邪乎了吧，这么大的事这小子从来没跟我说起过，难怪我老觉得他身上有一种不俗的气息呢，让我莫名其妙地喜欢这小子，这回轮到我喃喃自语了：“这玩笑开大了吧。难道他跟奔奔还是……不能不能，奔奔才二十刚出头，比他小那么多呢，难不成他妈……”

“谁说他们俩一个妈啦！”小雨也坐起来，胳膊抱着双腿，瞪着我。

“同父异母？”我忽然想明白了，“这也忒他妈俗了吧。”小雨点点头，不置可否。

我是真没想到，原以为生活也就是个小舞台，今天才知道，敢情是个大剧场，你不光是演员，还得受累当观众，不知道高源能不能接受他妹妹是一个特殊行当的领袖这个既成事实。

49

高源抱着几罐可乐进屋的时候，我和小雨都在思考问题，两人在床上背靠着墙，并排坐着。高源推门进来，我跟他打招呼：“嘿，何源！”

高源愣了几秒钟马上反应了过来，五官立刻纵成了一个包子，把可乐往地上一扔：“你大爷，初晓！”

我没以为他真急了，继续跟他开玩笑：“你的身世已经暴露了，何源同学！只可惜你现在的名气比什么张艺谋、冯小刚还差点儿，不然的话我把这情报向媒体一抖落，就是白花花的银子啊。不过凭你现在的名气，也够轰动的了……”

我还没说完，小雨就一个劲儿地用手掐我的后背，我再看高源，他铁青着脸，额头上的青筋都暴了起来，狠咬着牙根儿，我看得出来，他这是强忍着没发作出来，我一看他这样，知道是真生气了，我赶紧哄他：“对不起啊，对不起，高源，我跟你开玩笑呢……”

我从床上爬起来，跳到他跟前，摇晃着他的肩膀，“高源，高源，对不起，对不起，我真的不是故意的，对毛主席保证不是故意的。”

我这么一道歉，高源还来劲了，使劲儿地一甩胳膊。在我完全没有防备的情况下，被他吓了一跳，往后一退，一脚踩在可乐瓶子上。挣扎了一下，到底没站稳当，侧着身子倒在地上，下意识里赶紧伸出右手一撑，撑是撑住了，胳膊却抬不起来了。

我在地上吱哇乱叫，高源赶紧伸手拉我，小雨也从床上蹦下来，两人一起把我拽了起来。

“完了高源，这回你满足了，你让我生活不能自理的愿望终于实现了。”我皱着眉头，笑着说道。

小雨关切地看着我，一个劲儿地问，“没事吧，你胳膊没事吧，初晓。”

我看着高源，还是笑着跟他说话：“断了，真断了，我有感觉，骨头碎了。”

“少他妈扯淡，别装可怜啊，没完呢。”高源一边说，一边在我右胳膊上拍了一下，我像被电到了似的，从地上蹿了起来，把他刚才问候我大爷的话又还了回去：“你大爷！跟你说断了断了，你还打！”

这回高源信了，也慌了，抓着我的肩膀说：“走，上医院。”

真是应了贾六同志的那句名言了：命苦不能怨政府，点儿背不能赖社会！我他妈招谁惹谁了！

从医院回宾馆的路上，高源抚摩着我的头发，教育我：“瞧见了吧，教训是血淋淋的，看以后你还敢不敢了！”

“滚蛋！别他妈刺激我了！”我右胳膊上打着厚厚的石膏，缠了足足有一斤绷带，剧组的车里没空调，热得我直犯晕，“告诉你啊，教训是血淋淋的，看你狗脾气以后改不改！”

“改。”高源说得很轻，说完了赶紧拿眼看了看剧组的司机，司机也正看他，高源立刻就对着司机笑了笑，“我真是拿她一点儿辙都没有，谁摊上她这么个主儿，这辈子算是搭进去了！你找女朋友可得慎重点儿啊，前车之鉴。”

司机是个年轻的小伙子，二十刚出头的样子，笑起来，哼唱着：“这就是爱，说也说不清楚……”

“可不说不清楚嘛。她忒混！”高源接过来，补充了一句。

我在他们剧组的司机面前给了高源点儿面子，没说什么。也是因为胳膊疼得厉害，懒得张嘴，要是平时，我的拳头早就挥过去了。

高源说暂时先让我留在天津几天，回北京也是给我妈添堵。就我现在这样，上个厕所都得专人伺候着，回去叫我妈这么伺候我，我心里还真是过意不去。高源也是忙得没黑天没白日的，倒是小雨和张萌萌陪着我的时候多。

跟张萌萌接触的时间长了，我居然发现了她许多优点，真是我以前没想到的。我想李穹要是知道我能跟这小蜜蜂关系这么亲近，她肯定对我不依不饶，搞不好会跟我绝交。我估计张小北要是知道了，也得找不着北，就连我自己也不知道为什么会这样。我问高源怎么回事，他倒看得挺开。跟我说，这有什么呀，冤家宜解不宜结，多一个朋友总比多一个对头强吧！我心里倒是能接受高源的观点，我就是面对眼前的这些人和事物总有点儿雾里看花的感觉。

都说女人是从男人眼里看女人，我在男人眼里看到的张萌萌是迷人的，充满挑逗的，有时很柔弱需要保护的。我想，男人的天性都是虚荣的，他充满当英雄的梦想，在张萌萌的面前，大约男人的这种成为英雄的梦想会被更加强烈地激发出来。

说实话，张萌萌很独立，她对我的照顾也很细致。我不知道她对我们以前的冲突究竟是怎么看待的，似乎她是一个很豁达的人，属于人们常说的那种一切向前看的。那天我上过厕所，她帮我拉牛仔裤拉链的时候，拉链卡住了。她埋着头，一条腿跪在地上帮我修拉链，鼓捣了有半个多钟头才弄好。她还帮我擦过后背，帮我换过背心，我那个时候的心情特别特别的复杂。但是在男人的面前，她永远有办法叫男人照顾她，呵护她。她看男人的眼神里总是充满着犹豫和顾盼，这点真叫我没法认同。我一看见她那副德行，我就反胃。这个女孩儿，她性格里面的反差实在是太大太大了。

那天张萌萌拍完了一组镜头之后，可以休息两天。林老板打来电话，说要来天津接她回北京。张萌萌拿着电话，声音柔柔地跟姓林的那冤大头发嗲，连我听得骨头都发软，也就不奇怪男人听到她这么撒娇肯为她花大把的银子了。而且，张萌萌手里的大款可不止一两个，有一次，我甚至听到小 B 的前夫还给她打来过一个电话，言语非常之轻浮。我发现这些男人一个比一个贱，张小北在他们中间算是比较有骨气的，好歹也能在张萌萌面前发发威，让这小蜜蜂知道知道自己的地位。其余的这些都把自己降低到了工蜂的地位，张萌萌俨然一个蜂王，我就是他妈的想不明白，想不明白。

她打完了电话，坐在沙发上发呆，我觉得这个家伙真会装孙子，装得跟真的似的。我忽然想起来一件事，我问她："萌萌，你觉得我们能成为朋友吗？"

她笑笑："你不会把我当朋友的，我自己知道。"

"为什么？"

"呵呵，还用问？"她看着我，我觉得她真是天生了一副婊子相，就算看着我的时候眼睛也忍不住会放电，受不了。我不知道为什么，就是没有办法接受这种女孩儿，我甚至连奔奔都能坦然地接受，但是我没办法接受张萌萌这种。一样是卖，她的身体好歹还有个价钱，她的灵魂却是白送的。或者说，这家伙根本就没有灵魂，我有点儿可怜她，当然是我一厢情愿地可怜，人家本人不知道。

"我觉得你会成功的。"

"为什么？"她用特别期待的眼神看着我，希望我给她一个理由。

我靠在沙发上笑了笑："说不出来，就是感觉。这次的戏，我感觉你跟高源都会成功，尤其是你，你的好日子快来了。”

我说的好日子是不用再过依附男人的日子，不知道是不是她所希望的好日子。

“你知道吗？你身上有一种很特别的气质。”

“什么气质？”她显得有点儿兴奋，显然没想到我会这么称赞她。在她看来，我的话像是称赞，其实我如果全说出来，恐怕她会有给我一个嘴巴的冲动，不过我猜她现在不敢。虽然有人给她撑腰，毕竟她现在知道了我在高源心目当中的位置，她好像变得成熟了许多，在为人处事方面。

我摇了摇头，表示不想说。

“说呀，说呀，什么气质？”她瞪着铃铛似的眼睛追问我。

我心一横，说就说！

“什么气质？说出来可能会让你失望，你的气质就是非主流的气质。”

她立刻不言语了，似乎在思索究竟是什么意思，我觉得她的脑子快赶上计算器了，在这个奔腾的时代里她的脑子比算盘稍微好一点儿。

我回北京那天也是坐林老板的顺风车走的。临走之前的晚上，我跟高源聊了半宿，关于奔奔，关于他妈和诗人，关于他心里的想法。高源还真是舍得对我掏心掏肺的，攒了三十年的秘密在我临回北京之前的晚上全抖落给我听了，也赶上那天晚上他喝得有点儿多。

人跟人啊，我觉得那天听见两个七八岁的小屁孩子聊天，他们说的一句话挺对的，什么叫“只要人人都献出一点儿爱，世界将变成美好的人间”呐！说得容易，做起来可真不简单呐！我一想这次我一回北京就去给奔奔献爱心，我这心里就激动。说句实在话，我自从七八年前从天桥底下把张小北给鼓捣去了海淀医院之后，这么些年，我没做过一件像样的好事。说起来都觉得对不起人民，主要是没赶上机会，这回就算叫我捞着一回，我绝对不轻易放过。用高源的话说，我这叫闲的！

我在天津住了一个星期之后，带着高源“不许传”等一系列指示回到了北京。

50

回了北京，大米粥听说我不能写字儿了，巴巴地跑来看我。我知道，看我是假，他主要是想确认一下，我是不是真断了胳膊。圈里人经常有出尔反尔的事儿，为了面子，最常使的招数就是对外谎称身体不适。可不是嘛，身体是赚钱的本钱，甭管多大的事只要说身体不适给推脱了，谁也不能说出点儿什么来。大米粥这个演员队伍里的老油条，这些猫腻他再清楚不过了。

等到他跑到我家里来，一看见我的惨状，立马换了同情的面具，满脸的痛心疾首：“真是的，真是的，真是怕什么来什么。我哥们儿前天还问，说会不会你不想写了，要不要另找别人，我还说让他放一百个心，人家真是放一百个心到厦门去忙活了，你说你又出了这档子事。”喝了口茶，看了我一会儿，自己又叨咕了一句，“那你给我找个人吧，等着要本子呢！”

我一听就火了：“我他妈该你的呀大米粥！”

我这么一吆喝，大米粥一口茶喝呛了，一个劲儿咳嗽，脸憋得通红伴随着头摇尾巴晃的动作。那也不行，我真怒了：“你说说大米粥，我都这样了，你不说先安慰安慰我，倒先着急怕挣不着钱了！钱就那么重要，你姐妹儿的胳膊就不重要了？”

“我不是那个意思，你怎么这样啊。”

好容易消停下来了，他赶紧跟我解释：“我就是说啊，谁想到会有这种意外啊，你呀，既然都这样了，你就踏实在家养着吧，青岛那边你随时可以住，当养病了，反正那别墅也谈好了，空着也是空着。”

他这么一说，我心里多少舒服点儿。闷着头又想起上回小赵那档子事来：“这回咱先不说，上回小赵那码事我还没跟你算账呢！以后这种欺男霸女的勾当咱能不能少干点儿啊，谁家没个兄弟姐妹呀，都是他妈的爹养妈生的……”

“得得得，这话你说八遍了！”我把大米粥给说烦了，“我不也是受人之托吗？”

“你受人之托我不管，以后反正别让我干这没脸的事！人家有人因为这事跟我闹掰了。”

“怎么着？有别人看上那小姑娘啦？”大米粥狡黠地笑了笑，“说实话，那小姑娘是不错……”

“少扯淡！”我白了大米粥一眼，“你当人家乔军跟你们似的？”

“谁们？谁们啊？那是他们！”他伸着脖子，拿手指了指门口，“我要真不那么洁身自好，我怎么到现在还是一个人，可能吗？”大米粥抽上一支烟，“跟你说点儿正经的！”

在我的印象当中，大米粥自打跟我认识，说出来的正经话还真不多，不过我看他表情的严肃程度，能看得出来，即使不是很正经也绝对是圈子里比较有影响力的小道消息，我也就没吭声，平心静气地听他说完。

听完了之后我再也没法平静了，愣愣地看着大米粥，问了一句：“真的假的？”

“当然是真的！就昨晚上的事，我在现场呢！”

我又马上给李穹打电话，手机关着，家里没人，打乔军的电话，也关着。李穹啊李穹，我早就想到了她得吃亏。

我又愣了一会儿，赶紧一拍大腿，进了里屋抓起背包往外跑，“你怎么不早说啊！”我一边往脚上套鞋，一边责怪大米粥，“你这会儿有事没事啊，要没事跟我看看去！”

“我没事，可你上哪找她去呀！”大米粥站起来跟着我往外走。

大米粥说李穹叫人给打了。她现在跟大米粥在一个组里，方明的导演，昨天晚上她刚拍完最后一场戏，一起在街边上吃了点儿东西，李穹吃完饭去了一趟洗手间，最后一个出来，有的人已经开车走了，大米粥也正对着饭店门口的方向在倒车，李穹刚出来，朝她的车走去，没走几步，就冲过来两个人，其中一个揪着她的头发，给了她两个耳光，另外一个也对她又踢又踹的，大米粥一看，立刻冲下车叫那两个人住手，两人一看有人过来，撒腿就跑。

大米粥形容说，李穹那时候已经快晕过去了，满脸都是血。他赶紧带着李穹去了附近的医院，眼角的地方缝了六针，后来他又把李穹送回了家，最后李穹还嘱咐他，千万千万别跟别人说……看来李穹还是了解大米粥有一张像破瓢一样漏的嘴，幸亏他还没漏给别人，我问了好几遍，都跟谁说过这事了，大米粥对天发誓，除了当事人，我是第一个知道的，我像高源警告我那样，瞪着眼睛警告大米粥：“不许外传！”

李穹住的房子是原来他跟张小北的家，离婚以后张小北就搬走了。他们这个小区环境和治安都很好，大约住的都是有钱人。门口的保安站在那儿都透着神气，我跟大米粥到了门口，大约是因为看着眼生，把我们拦住问了个底儿掉。幸亏我还记得他们家住多少楼多少号，要不看那小保安的意思，还得把我们拦在外头。

进了小区，大米粥感慨地说："这年头，这么认真负责工作的能有几个？为什么都不认真啊，不就是怕招骂吗？"自己觉得特别有道理，点头称赞自己半天，"还就是这么回事，可不就是这么回事嘛！"

我和大米粥站在二十五号楼底下呼叫八楼的住户，门口有摄像机，他们在家里能看到是我和大米粥，乔军一边开门一边说了一句："你们怎么来了？"我跟大米粥进到楼里，有钱就是好，电梯直接入户。到了八楼，乔军已经把门打开，站在门口了。

"你们怎么来了？"他见我们从电梯里出来，又问了一句，"你胳膊怎么回事？"

"高源打的。"我看了他一眼，回答说。

直接进了李穹的房间，她在床上坐着，刚爬起来。一看见大米粥，她说："我就知道你得跟她说！"倒是没有不高兴，但是我看得出来她眼睛里面的责备。

我想，现在真是不比从前了，要是搁以前，出了这样的事情，李穹准会第一个想到给我打电话，跟我商量。现在我们真的生分了许多，我知道不是因为张小北已经不在这个家的缘故。实际上这么多年以来，我跟李穹之间的交情真的是很深很深了，我一直以为是不会变的。当然，即使是现在，我们也还是比一般的朋友更近，究其根源，恐怕是因为高源和乔军的关系，因为高源和乔军之间像兄弟般的情感，我和李穹至少应该比别人更亲近一些。至于我和她之间的感情，我不知道它们消逝去了哪里。

最后一次来这个家离今天差不多一年多了，那次是来打麻将。我还记得李穹当时做了一副大牌，豪华七对，单叫二条，那天打牌的除了我和李穹还有张小北和他们公司的一个副总，四个人谁也不服谁，都暗自使坏。我是李穹的上家，算定了她要条子，我攥着没用的好几个条子就是不给她。我上家是张小北的副总，那哥们儿也狠算计我的牌，我不要什么他就发什么。后来牌都快抓没了，谁也不和，李穹有点儿急，哆嗦哆嗦地点了一支烟，一脸真诚地看着我说了一句："有二条没有，给一个！"

我当时手一软，把个二条放出去了，那把牌李穹能赢好几千，张小北跟他的副总非说我们耍赖，死扛着不给钱，最后李穹"叭"地一拍桌子："愿赌服输！少废话，都拿钱，给了钱我请你们喝汤。"

最后两人这才不情愿地把钱掏出来，张小北的副总见我没给钱，指着我，跟李穹开玩笑说："怎么不跟她要啊？"

李穹一边往钱包里装钱，一边笑嘻嘻地说："这种高级炮手就是各位的榜样！"

之后，李穹开车，带着我们仨到崇文门附近的一条胡同里找了一个门脸很小的小吃店，请我们喝汤。我直到现在还记得，那里吃饭的桌子和椅子都是简单的三合板钉起来的，油腻腻的好久没擦洗过的感觉，连碗筷也是粘乎乎的没洗干净。老板特别喜欢钓鱼，是李穹陪她爸一起钓鱼的时候认识的。那天我们谈笑风生，说了许多笑话，李穹笑起来的样子很像美国那个著名的大嘴明星。

我们先是吃了点儿羊肉，后来叫老板给宰了一只王八放在涮过羊肉的汤里，味道非常鲜美，我喝了很多。李穹还警告我说当心喝多了会流鼻血，我当时没听，一下的喝了有六七碗，直到现在，我一直也没机会告诉李穹，那天我回家之后，真的流了好多鼻血。

我面前的李穹鼻青脸肿，额头上缠绕着厚厚的绷带，我向她笑了笑，扬扬我同样缠绕着绷带、打着石膏的右臂，什么话也没说，李穹很艰难地对着我咧了咧嘴。

大米粥揪着乔军进了书房不知道去商量什么了，我想，他是在向乔军描述犯罪分子的样貌。

“怎么样了，还疼吗？”我尽量还像以前一样地跟李穹说话，像以前一样地尽量放松我自己，我发现很困难。就好像贾六说过的那句关于我的话一样，我跟李穹之间也有了那么一点儿距离，你说这距离大不大？还真不大，就那么一点点儿，究竟这一点儿差在哪里？我不知道。

“你怎么搞的，还正好是右手！”

李穹从冰箱里给我拿了一罐冰茶，在我旁边坐下来，“我还行，不怎么疼了，就是肿得厉害，昨天晚上疼得特别厉害。”

“我这是自己摔的。”我先交代自己胳膊的问题，接着又问她，“知道是谁吗？”

李穹摇头，表情很无奈。

“得罪谁了？”

“没有。”她还是摇头。

“伤口厉害不厉害？医生怎么说？”我看着她的表情，心里一阵又一阵地感到酸楚，转移了话题。

“这儿缝了六针，”她比划了比划额头，“其余的地方都不碍事儿，我问了，说不会留疤。”她停了一会儿问我，“高源怎么样？”

“他还好，天津呢。”

接下来，我们都没有话说了。我喝着冰茶，脑子里一片空白，望着门口的方向，李穹将头靠在沙发的靠背上，眼望着天花板，过了一会儿她忽然想起了什么似的，叮嘱我："别告诉他。"

我点了点头："知道。"李穹说的他是指张小北。

"别想了，"我伸出手去拍拍她的大腿，"要不咱俩去青岛住一段时间吧，这时候北京也怪热的，正好我手不能打字，你跟我一起去得了，帮我打字，还能休息休息，这半年……我们过得都挺累。"

李穹想了想："过几天再说吧，昨天报案了，可能公安局这几天得找我问话。"

正说着，有个人给我打来电话，是个出版公司的编辑，说是我有个小说他们很感兴趣，想出版。我问是哪篇，他说就是关于一个美国男人和一个中国女人在北京生活的，很有卖点。我想了想，的确是写过这么一部小说，一年前了。我不记得给过哪个出版社的编辑，他说是一个朋友推荐给他的，我问谁，他说也是我的朋友，一个开出租车的师傅。

我一下想起来了，肯定是贾六。还是去年冬天，贾六说想买一辆新款的夏利，是夏利厂和日本丰田公司合作生产的，听说网上有图片，就到我家里来看图片。正好我刚打出来的稿子在电脑旁边放着，他走的时候就带走了，说是拿回去不忙的时候看看，没想到他不光自己看，还给别人看，我还真没想到。

我想了想，就答应编辑了。我说行啊，你们要是觉得好就出版吧，能换回点儿银子也不错。编辑又说，我听您那个朋友说您男朋友是导演高源，您本身也是个编剧，我们正在策划一本演艺圈生活状态的书，稿费很可观，正想找人写呢，您写正适合。

他刚把这意思表达完整了，我就连珠炮似的说了好几个"您饶了我吧"。给多少钱我还真不敢写这样的书，我还想多活两天。

我记得很早以前我跟高源开玩笑说过这样的事，高源立刻就跟我急眼了，这是他们文艺圈里的规矩，别管介绍采访也好，还是发表评论也罢，你只能针对你自己，别人的事就算你知道得多清楚，也不能说，并没有谁明确过这个规矩，只是大家都很默契地遵守着。

放下了电话，李穹正微笑着看我，眼睛里面满是赞扬。

我嘻笑着："干吗这么看着我？"

"没什么。"李穹摇摇头，"我有时候真羡慕你，潇潇洒洒，充满自信，谁也伤害不到你。"李穹说得淡淡的，我不知道我接电话时候的表情和言语又让她想到了什么，从空姐到全职太太，再到现在做起了演员，她好像跟一般人走了一条相反的路。可说起来都不外乎表面风光，内心比较空虚，我想可能她羡慕的是我精神上的富足吧。说实话，我自己并不觉得，可能人都是看着别人生活得比自己容易的缘故吧，我有时候甚至羡慕奔奔的生活。

这时候乔军和大米粥出来了，乔军说走吧，咱找个地方吃点儿饭去。我看看李穹，她显然不愿意出去，摇摇头："你们仨去吧，回来给我带点儿。"

"那好吧。"乔军点了点头，"咱们走吧。"

我看看李穹懒懒的样子，我说别出去吃了，出去买点儿菜，就在家里做点儿吧，一边吃饭一边还能商量商量。

李穹听了我的话，显得很欢喜，吩咐乔军："乔军你开车跟何希梵一起去买菜吧，我跟初晓把冰箱里的扁豆择一择，你看着买点儿水果什么的。"

这样，乔军和大米粥去买菜，回来以后，我们四个人每人做了一个拿手的菜。喝了一点儿红酒，加了冰块和柠檬的。那顿饭我们吃得很愉快，席间没有再谈及李穹这次的意外，我们说了许多的笑话，都是李穹和大米粥他们拍戏的时候闹出来的。

那天吃过饭之后我跟李穹的关系又恢复到了从前，借着酒劲儿，我跟李穹又相互说了许多肝胆相照的话，我真是喝了不少。回家之后我妈给我打来了一个电话，问我去哪了，我说我去安慰李穹了，又把事情从头到尾给她叙述了一遍。我妈用赞扬的口吻说，这就对了，朋友之间就要相互信赖，相互忠诚。我嘿嘿地笑着跟我妈说："得了吧，老太太，这年头儿除了狗，谁还能对人忠诚啊！"老太太立刻勃然大怒，大骂我是个混账东西。

51

有一天半夜里我睡得正香，忽然听到电话响，接起来一听，是高源打来的。

他先问了问我的胳膊怎么样，我又主动地跟他说起了李穹的事情，他恨恨地说了一句："他妈的，这圈儿里的都是他妈大粪。"我没忍住，就嘿嘿地笑了起来。

高源又说起了他上次在国内得奖的那个电影，他说拿去了柏林参赛，已经获得了最佳导演的提名。他说起来声音淡淡的，我听了却格外兴奋，一下子困意全无，点了一支烟，抱着电话坐在地板上听他说话。

高源说他最近老睡不着，烦，脑子里很乱。他在电话那头絮絮叨叨的，说起话来也是东一句西一句的没个主题。我说要不我明天去天津看看你吧，他就说不用了，你还是找时间多跟奔奔聊一聊吧。

我就知道，这小子肯定因为这件事在烦，我心里明白，他把这事情看得很重。我在天津的那几天，基本上已经把整件事情的来龙去脉弄清楚了：高源现在的父亲，那个著名的物理学家，到现在还不知道高源不是他的儿子，高源也是大学毕业之后的一次体检当中偶然知道了他爸和他妈不可能生出他这个血型的孩子来。高源的爸妈都是 A 型血，高源的血型是 AB。

高源说那时候他刚大学毕业，心里想着这件事，想问他父母又不敢问，后来实在忍不住了，就问他妈，说是不是当年在医院里抱错了孩子，他们家老太太才流着眼泪告诉他事情的经过。

老太太和诗人是邻居，两家父母都是高干，诗人的父亲还是部长，两个人是青梅竹马的恋人。就在两个人准备结婚的时候，诗人的父亲被打倒了，由于罪行特别严重，连高源的姥爷一家也受到了波及。在革命力量的驱使下，诗人与高源他妈一刀两断，高源的姥爷也特别支持这一举动，一个月之内就把高源的妈妈介绍给了自己的一位部下的儿子，就是现在高源的爸爸。事情过去了这么多年，高源说他妈特别不愿意再提起这些事情，这是一个时代的悲剧，并不是个人的错误，听起来却更让人心酸。

电话里，高源幽幽地说，他对诗人没有感情，毕竟这三十年来精心养育他的是他现在的父亲，毕竟老头儿没有丝毫的准备。如果说一定要有一个人受伤，高源自己倒宁愿是他们家老太太，他说老太太比老头儿坚强。

说起与诗人的相识也很有趣。高源从大学毕业的时候就知道了，他的亲生父亲是另外一个人，却从来没想过可以去寻找。直到他毕业三年之后，在一个电影学院同学的聚会上，小雨带着诗人也去参加，最后所有参加聚会的人在一起拍了一张合影，高源拿到合影之后就随便地放在他们家他一直空着的房间里。

忽然有一天他妈给他整理旧东西的时候发现了那张照片，发现了照片上的人，于是把端坐在中间的一个清瘦的戴眼镜的学者指给高源看，并且告诉他这个才是他的父亲。高源跟我讲这些的时候是在天津他住的宾馆凌乱的房间里，他说得特别平静，他说他知道了以后当时觉得血管里的血汩汩地流动发出一种声音，让他整夜整夜的不能安眠。连续几天，他翻来覆去地想，后来实在受不了了，就给小雨打了一个电话，把事情原原本本跟小雨说了。在小雨的安排下跟诗人见了一面，他很尊重诗人，可是并没有多少激动。诗人比他还要平静，他们用一个下午的时间在一起聊天，像朋友一样坐在茶馆里。高源说他看得出来，诗人那天特别高兴，临走，诗人也像哥哥一样指着他的肩膀告诉他，还是保持朋友的关系，不要走得太近，因为他自己没有尽到养育高源的责任……

高源说他对诗人没有多少感觉，也许是因为自己没有兄弟姐妹的缘故。当我跟他说起奔奔的时候，他感觉到血液在身体里缓缓地蠕动，提醒他什么，究竟是什么，我不得而知。

最后，高源在电话里叮嘱我："试着跟奔奔谈谈，说话要到位。"说话到位的意思我的理解就是不能说是，也不能说不是，看着像在摇头的点头，或者看起来像在点头的摇头一样。

白天起来，出版公司打来电话要跟我签合同，我打车到了东四的一个胡同里，这里是好多中央部委干部居住的地方，搞不好高源姥爷家以前也住这边。胡同比较宽，能并排行驶两辆出租汽车。街边的房子都开着门，一家又一家的小商店和小吃店，也不知道现如今住在胡同里的人们是不是还像我小的时候那样每天早晨在院子当中的水池子旁边刷牙洗脸，是不是每天早晨第一件事就是到公共厕所倒痰盂。我想，可能这样的生活只属于我自己小的时候，是我现在想来很怀念的岁月。我现在住在北京的北部，周围大学林立，中关村繁忙而浮躁，新建的高楼鳞次栉比，道路上的汽车川流不息。我是在什么时候熟悉了这一切而淡忘了我珍贵的童年、少年时代呢？胡同里安详浓重的生活气息让我感觉到，这才是真正的生活的地方，住在四合院里的人们比在高楼里封闭空间里的人们更有人性。我这样想着，走到了胡同的尽头，找到了电话里说的出版社，是很大的一家出版公司。

见了编辑，他介绍了一些出版社的背景之后，又跟我谈起了约稿的事情，好像没有签合同这回事儿。我有点儿生气，问他："不是说签合同吗？"

他才急急忙忙地拿出合同叫我看了看，我简单地看了看那些条款，就在上面签了字。编辑邀请我一起吃饭，我指了指胳膊，说我得早点儿回家休息了。

我跟他告了别，在出版公司门口遇到了小B，很多日子没见她，她显得苍老了许多，我想，她新增加的那些皱纹当中也许有一些是关于正负极。

"哟，初晓，忙什么呢？"

"我……我跟这谈点事儿。"

她看见我的胳膊："怎么啦你？真是的，最近忙，我也没来得及给你打电话聊聊……一会儿咱们出去坐坐？"

我想了想，拒绝道："还是不了，我现在做什么都不方便。"

"别呀，说真的，我正好有事要找你呢，可巧今天就撞上了。"她看看表，"你等我一会儿，我进去找个朋友，就说两句话，咱就找个地方坐一会儿，喝两杯咖啡，你等着我啊。"说着，她进了我刚才签合同的房间。

我无可奈何地站在门口等着她，不知道她找我又有什么事。

果然，过了五分钟，她从里边出来了，我才注意到她最近好像瘦了很多。上次她给我介绍了一种美国产的减肥药，说她自己正用着呢，效果特别好，看来是挺好的。

“瘦多了啊你。”我打量着她，“那美国进口的减肥药效果真显著。”

“幸亏你没吃，那药特他妈操蛋。”她从包里掏出车钥匙，“看我现在瘦多了吧，嘿嘿，我告诉你吧，做手术了。”

我有些不解地看着她：“什么手术？”

“上车。”她打开了车门，让我上了车，然后自己也坐了进来，趴在我耳朵边上特别神秘地跟我说，“我刚做完的吸脂手术，怎么样？苗条多了吧。”

她撩起上衣让我看她的肚子，那伤口像两只大大的眼睛，瞪着我看，吓得我直哆嗦。小B得意地看着我：“吃什么减肥药啊，减肥茶啊，都他妈的扯淡，一点儿作用都没有，还是手术，立竿见影。”

“不疼啊？”

“没事，过两个星期就好了。”她发动了汽车，带着我在胡同里绕来绕去的，好容易绕到了二环上，她问我：“想去哪？”

我想了想，先给奔奔打了一个电话，约她中午一起吃饭，她刚睡醒，老大不情愿地说了一句：“好吧，找一个离我近的地儿啊。”

我就跟她约在了贾六第一次带我见到奔奔的那家粤菜馆里。

奔奔还没到，我跟小B闲聊着。

小B想找我一起开个演出公司，她说：“初晓你看，这帮圈里人哪个不整点儿副业呀，开餐馆儿、办酒吧、弄个什么俱乐部。最次的，人家也弄个自己的工作室什么的，咱现在有的是大把的机会呀，弄个演出公司，到北京、上海、广州这几个大城市来回蹓跶着，顶不济了，咱到地方去啊，凭你老公现在的名气，和我前夫现在在演艺圈儿的地位，咱挣钱还不跟玩儿似的。”她说得特别有激情，仿佛地方人民欠她几百万似的。

说实话，我对开公司一点儿兴趣都没有。早先，高源在国外的那个同学跟我商量过，要把“姜母鸭”兑给我，说反正也不耽误我搞创作，时不时过来看看就成。每天的流水就上万，我想都没想就给拒绝了。倒不是我不喜欢钱，我真是操不起那份儿心。先别说工商税务部门隔三岔五来找你的麻烦，就光说社会上杂七杂八的那些小组织就能把你烦死。是个人你都不敢得罪，你不知道人家是哪个庙里的神仙。就算是个小鬼儿，你都得把人家当爷爷供起来，你知道他的后台是谁呀！

北京这地方就是这样，有钱的拿钱砸死你，没钱的用权玩死你。说来说去，做点儿小买卖，要不你就得装孙子，要不怎么都离不了一个死字。我这人惜命，还是最喜欢自由自在地混日子，同时也寄希望于高源，希望他早点儿出人头地，我也就夫荣妻贵了。

见我不乐意，小 B 咂咂嘴：“你说得有道理啊，顶不济你还有个依靠，有高源呢，我现在是什么都得靠自己了，人老珠黄，唉！”她重重地叹息了一声，不再提开公司的事了。

“你还别这么说，小 B，”我从她的烟盒里拿了一支烟，她给我点着了，“这年头儿可什么事都难说，高源要真出息了，还不定怎么样呢，除了狗，谁还能对人那么死心塌地呀！”小 B 一听就哈哈地大笑起来，也不管周围有多少人在看她。

奔奔来了，穿得像个模特，走路一摇一摆的，像在表演。看见我胳膊上的绷带，她也意外地叫起来：“怎么着姐姐，几天没见怎么这打扮啊？怎么弄的？”

打从我从天津回到北京，我听到的最多的话就是这一句："哟，怎么弄的？"问得人不觉得烦，他们每人都只问一次，可我得一遍一遍回答呀，真他妈够累的。

我又受累告诉了奔奔一次："没事，我自己摔的。"

奔奔坐我旁边，抬眼看了看对边的小B，尖叫起来："哟，姐姐，你这变化可有点儿大了啊，我差点儿没认出来。"我以为奔奔也看出来小B最近是变得苗条了许多。接下来这厮一说话，别说小B了，连我都觉得脸上挂不住。迎着小B的笑脸，奔奔吧唧来了一句："姐姐你那些皱纹可是够深刻的，才几个月没见呀，就说你自己翻了船，怎么着也赶不上你妹妹我闹心吧。他妈的局子里就是摧残人，还好我溜得快。"她自顾自地说完了，扭头招呼服务员，"嘿，妹妹，添点儿茶。"

我看看小B，脸都绿了。也是的，就奔奔这水平，知道的是中学没毕业，不知道的人还以为大学中文系出来的呢。至今，我也没想过用"深刻"来形容谁的皱纹，"摧残"这词我非到万不得已我也不敢乱用，这厮把世态炎凉和对人民警察的讽刺一起带出来了，我真怀疑她有着很高很高的文学天分。我看着她年轻的脸，忽然想到她是诗人的女儿，我更加笃信她本来就是有着很高的文学天分，来自于遗传。

小B气得要死还得给奔奔陪着笑脸说话："奔奔，上回的事姐姐对不住你了，今天姐姐请客，千万别往心里去……"

"姐姐你这话说得对！"奔奔喝了口茶，坐正了身子，压低了声音，像模像样地跟小B说，"你知道你妹妹我是做哪行的，你守着我，自己出去找鸭子，你这不是砸我的招牌吗？我都没法不生气，先不说别的，我给你介绍的，肯定都是专业的，干净，漂亮，最要紧是安全。顶多顶多也就是多跟你要点儿服务费，完了事也不找你呀……”

“奔奔，奔奔！”我低喝了两声，对面小B的脸红得像个熟透了的西红柿，“奔奔，你一会儿再聊，赶紧点菜。”

“不着急，不着急！”奔奔把我递过去的菜单往桌子上一扔，“真的，姐姐，下回你再那什么的时候给我打电话，你放心，你放心……”奔奔拍着胸脯，特别仗义的表情，“你放一百个心，你是初晓的姐妹儿，就跟我奔奔的亲姐姐一样，一样一样的，真的，你别看咱年龄差距有点儿大，我了解……”

小B坐不住了，噌地站了起来，阴沉着脸：“初晓，我还有点儿事，我先走了，你们慢慢聊。”说着就往外走，我赶紧两步追了上去，我说小B你别往心里去，丫奔奔就那样，千万别往心里去。

小B迟疑了片刻，点点头：“这丫头嘴也忒他妈狠，想想也是，上回她挺无辜的。要是我，我也生气，你们吃，咱下回再约。”我回到座位上，奔奔正教给一个服务员倒茶的学问，挺腼腆的一个服务员特别虚心地听奔奔讲。可能是店里没什么客人的缘故，一会儿另外一个服务员也围了上来。奔奔做了一次示范，把茶壶递到她们手里，叫两个人按照她教的各做一次。第一个听奔奔说话的服务员很轻盈地拿起桌上一个还没用过的杯子，在空中展现了一个优美的弧度之后，将杯子轻轻放在桌面上。一只手拿起茶壶，另外一只手扶在上面，先在杯子里一点儿，然后微笑着看了奔奔一眼。“对了，这就对了，一次，两次，三次，哎，对。”奔奔很欢喜地说，“这就是凤凰三点头。知道了吧，还有，记住喽，倒茶七分满，三分人情在。去吧去吧。”两个服务员也欢喜地离开了。

我想，会不会奔奔打心眼儿里不愿意接受高源这样一个哥哥或者诗人这样一个父亲呢?

我不知道，我要跟她谈一谈。

52

晚上回家，我妈给我洗澡，我死活要穿着内裤和一件跨栏背心躺在浴缸里。老太太进来一看就不乐意，跟我嚷嚷说我是你亲妈，给你洗个澡你还用穿着衣服？我跟她哼唧，我说我是真不习惯，我三十多了，哪能光着身子在你面前呀，不好意思。

老太太颇不屑一顾，说你个没良心的，你长到三十岁了跟你妈说不好意思？你都上小学了你还光着屁股睡觉，到现在，你小时候光着屁股洗澡的照片我还给你留着呢。不由分说就扒我衣服，非说穿着衣服不好洗。还真没想到老太太劲儿还挺大，加上我又负了伤到底让她得逞了，先在我后背上打上了一巴掌，那叫一个疼。

我躺在浴缸里，举着打了石膏的右手，我妈一点儿一点儿地特别小心地给我擦后背，我忽然觉得特别幸福。

“妈，我觉得我特别幸福，你们没把我给扔了。嘿嘿。”说完了，我自己忍不住笑了出来，我自己都不知道怎么想起来说这么一句。

老太太还跟年轻的时候那么生猛，我一句话不合她的意思她就发飙。掐住我的脖子就把我脑袋往浴缸里按，差点儿我就喝了一口水，总算她良心发现及时收回了她罪恶的手。

我赶紧抓起毛巾把脸上的水抹干了，拿起手边一个空杯子，舀满了水朝老太太泼了过去。

“行啊老太太，玩我不是？我让你再欺负人！”一连泼了好几杯，老太太躲在马桶边上，大叫“不敢了，不敢了”。老头儿在外面咚咚地砸门，我才住了手，又舀了一杯水，手里攥着：“过来，接着给我洗。”又扬了扬手里的杯子，“老实点儿啊！”

老太太嘿嘿地笑着，又接着给我擦背，很舒服。我忽然想起了奔奔，谁知道姥姥有没有像这样给她洗过澡啊，即使有，我想，也是在她很小的时候吧。等她像我一样到了三十的时候，会有这样一个人给她洗澡吗，想到这些，我的心里就一阵酸楚。

一边洗澡，我一边把奔奔的事给我妈说了，她显得比我还有伤悲，一度红了眼圈。

下午吃饭的时候，我问奔奔，我说奔奔要是你有个哥哥像高源这样的，你高兴吗?

她乜斜了我一眼，说我可不指望着我有个那么牛 B 的哥哥。我指望着能有个像你这样的姐姐就行了，亲的，跟我一个妈的。

我点了几个她爱吃的菜，她最爱吃的就是蚝油生菜素炒土豆丝了。

我还征求了她的意见，我说：“奔奔，那你把我当你姐吧，高源就是你姐夫，跟你亲哥似的。”

奔奔哈哈大笑：“你妹妹我可不糊涂，你把我当亲妹妹，你不在乎，咱妈受得了吗？我呀，我还是当我自己吧。”她说完了跟服务员要了一瓶果茶。

我不知道为什么心里特别不好受，我看到饭馆外面那些大学里的女大学生背着双肩包优雅地走过。她们看上去很平凡，不漂亮，甚至比不上奔奔的一半漂亮，可是她们是跟奔奔不一样的。

我知道每个人都有不一样的生活，不一样的际遇和旅途，我唯一能确定的就是奔奔和她们一样年轻。

“奔奔，我知道你爸爸是谁，我认识他。”

奔奔的眼睛一亮，几秒钟之后又暗淡了下去：“操，姐姐你别拿我寻开心了。”她显得有点儿沮丧，有点儿恼火。

“真的奔奔，我真知道。”我在公众场合拿左手吃饭太别扭，只能不停地喝水，奔奔也给我要了一瓶果茶，她显得相当不认真。

“奔奔，你爸是个诗人。”

她一口果茶没咽下去，喷了出来，喷了我一脸。咳嗽了半天，她指着我：“姐姐你不带这么玩你妹妹的啊！我知道你是编剧，你妹妹我挣俩钱容易吗！别回头你弄一生活不能自理的老头儿，告诉我是写诗的，是我爸，非让我养活着。我崇拜文化人不假，可我也不是雷锋啊。”我很惊讶她这么说，不是因为她不相信她爸是诗人，是因为她还能知道雷锋。

“行，你还知道雷锋。”

“哈哈，我能不知道吗？”她很得意地看着我，“学习雷锋好榜样，雷锋吃了摇头丸也和我一样……”她开始摇晃着脑袋高呼摇头的口号，还好被我及时地制止了，否则我怀疑过不了多久，就会有人叫警察。

吃饭吃到了一半，我把事情一五一十地跟奔奔说了，包括诗人和高源他妈的故事，包括高源的想法。我说的时候，奔奔一言不发地听着，我说完了，她还是一言不发，她的样子让我有点儿沉不住气，我自作主张把这事都跟奔奔说了，万一出点儿什么事我还真扛不起。

过了半天，奔奔才开口：“行，我知道了，我先谢谢你了。我还有点儿事，我不和你扯淡了，等你胳膊好了，我请客。”她收拾了东西就往外走，叫我给拦住了：“嘿，别走啊，你还没说呢，到底怎么个意思啊？”

“什么怎么个意思啊？”她看着我，一脸的诧异。

“什么什么个意思啊？当然是我跟你说的话了，你爸，你哥……”

“得，得，得，跟没说一样！”她又坐回来，端起我面前的水喝了一口，“你跟我一说，我知道了，这就完了。那句话怎么说来着，道不同不相为谋啊，我还是踏踏实实过我的日子吧，也省得叫他们惦记着。”说完了话，拎起小坤包就往外走，走了几步又回来，“回头你看见我爸，我哥，我操，真他妈别扭。”她自己叨咕了一句，说实话我听着更别扭，“反正就是你说的那俩人，你受累替我问声好儿，我这整天忙得昏天黑地的，就不去看他们了。”

谁家要赶上这么一闺女那叫一个没辙，我从下午离开那餐馆就开始琢磨这事，琢磨到现在也没想出个头绪来。

穿好了衣服，我在客厅里看电视，老头儿又被张小北拉出去打保龄了，我妈切了点儿西瓜放在茶几上。我问她：“妈，你说奔奔要是你女儿，你怎么办？”

我妈瞪着眼珠子看了我半天，我巴望着她能说出点儿有深度的话来，没想到她憋了半天就憋了一句：“幸亏不是。”气得我一块儿西瓜皮差点儿摔她脸上，终于还是没敢，我翻着白眼儿自己窝沙发上继续想。

我迷迷糊糊地睡着了，恍惚觉得有人拿手拍我的脸，张开眼，我看见张小北那流氓的脸，我哼哼着：“让我再看你一眼，看你那流氓的脸……”说着我猛地坐了起来，瞪大眼睛看着张小北的脸，我妈又在旁边一边给张小北拿西瓜一边骂我不正经。

我们坐在一起闲聊了一会儿，我把张小北叫到里屋，跟他说了李穹被打的事，张小北一下子就变得沉默起来。

“好好的结婚生孩子得了，当什么演员啊？又不是没人娶她！”张小北忽然来了一句，“你们演艺圈也太乱了，警察也不管一管。”他瞪着眼珠子拿手指头指着我，仿佛是我干的。

“嘿，嘿，嘿，麻烦您受累把手放下，欺负我们残疾人是不是？再说了，是他们，他们，”我强调着他们，“我是知识分子。”

张小北来了一句：“蛇鼠一窝！”

行，说得好，我跟高源可不蛇鼠一窝吗！

送走了张小北，李穹电话就追了过来，第一句话上来就问我：“你跟他说的？”张小北这孙子肯定出了我们家门儿就给李穹打去了电话。

“啊，是啊。”我含糊着，“不是故意的，他正好今天来我们家，闲聊，聊起来了……”

“不是告诉你不许传了吗？”

“嘿，他也不是外人啊，那是我哥，你……你前夫。”我把前夫俩字说得很轻，绝对是下意识的。

“孙子，上来跟横狗似的先把我横一顿！”李穹有点儿恨恨地，“他又上你们家干吗去了？”

“没事，找我爸玩儿。”

“他自己有爸，找你爸玩？”李穹很夸张地提高了声音，“是找你爸玩啊，还是找你玩啊，我告诉你，张小北对你可是贼心不死啊。”我还真听不出来李穹说这话的时候是怎样的心情，有点儿酸溜溜又有点儿幸灾乐祸的意思，人家都说听话听音儿，妈的，我这回没听出来。

“怎么样了事情，警察那边怎么说？”我赶紧转换了话题。

李穹那边叮铃当啷地也不知道在干吗，鼓捣了很久，她才说话："还能怎么说啊，就问了问最近得罪了什么人没有，都跟什么人来往，我都一一交代了……"然后就又没声音了，又是一阵叮铃当啷，我忍不住问了她一句："你干吗呢？"

"我收拾东西呢，你不是说去青岛吗？"

"行啊，过两天，等我明天回家也收拾收拾东西。"

"那我先不跟你说了，乔军一会儿来，我先给他弄点儿吃的。"

我还没说话，她就把电话给挂断了，真叫我佩服，有异性没人性的东西。

一晚上，我翻来覆去地怎么也睡不着，给高源打了个电话，这孙子又跟狗似的跟我咆哮。他一忙起来，天塌下来他都不在乎。

我爬起来上网，跑到聊天室里找人聊天，谁都不搭理我，嫌我打字慢，我忽然想起来我多年以前在新浪网上申请过一个邮箱，已经有很长很长的时间没有去看过了，我很费劲地才想起了密码，进去检查我的邮件。

我很意外地收到一个网友的信，感谢信。

那个女孩儿给我发过照片，还跟我打过很长时间的电话，是为了她想去跟一个网上认识的男孩见面的问题，我只记得她长得很丑。

在 E-mail 里，她告诉我，他们已经结婚了，她很感谢我给了她那么多的鼓励去见那个男孩，那个现在已经成为了他丈夫的网友也很感激我，他们希望能跟我见上一面，当面跟我说声谢谢，在信的最后还留下了他们家的电话号码。

我良久地对着电脑出神，想起上次我跟高源意外地在贵友旁边的酒吧里相遇的情景，我觉得很神奇，人与人之间的感情和缘分也许真的是天定的，谁也不能和命争。是的，我们就像那些恒星，只能遵循着命运给我们安排的轨迹，好像奔奔和高源，好像我和张小北，好像李穹和乔军，所有的挫折我们都感到无能为力。

53

几天以后，我跟李穹到了青岛，住在青岛著名的太平角一路。

从北京上飞机的时候，李穹还见到一个以前的同事，跟她一起飞国内的，现在是一条国际航线的乘务长了。我们遇到她的时候她刚执行完飞巴黎的任务，穿着得体的制服，拎着皮箱优雅地从工作通道走出来，远远地看见李穹挥手。李穹问我："是跟咱挥手儿吗？"

"要是，也是跟你，我反正不认识她。"

等她走近了，李穹才看出来那人是谁，她拉着空姐的手，高兴地差点儿蹿起来："你瞧你还这么苗条，怎么保养的啊，跟那时候没什么大变化。"

"还年轻啊，我儿子都五岁了……"俩人拉着手到休息室里聊了一会儿，我在旁边的书店里翻杂志，最新一期的香港周刊上介绍了高源拿到柏林参展的电影，文字旁边还有一张高源工作时候的照片。我心里美滋滋的，掏钱买下了一本，坐在一边的椅子上仔细研读。周刊上说，高源的电影代表了中国新一代导演的最高水准，在亚洲电影界也是一个代表，他们觉得高源是得奖的大热门，激动得我当时就给高源拨过去一个电话，结果又受到了这个工作狂的一通狂批。

在飞机上，我把周刊拿给李穹看。李穹拿在手里盯着高源的照片看了看，对着我笑了一下，她脸上的伤还没有完全好，戴了一个能遮住半边脸的大墨镜，镜片略微有点儿三角形，远处看，活脱脱一个大头苍蝇。

李穹看完了报道，对着我狰狞地笑了一下：“好啊，高源总算熬出来了，你也该好好收拾收拾自己了，别整天牛仔裤大背心的。”

“还怎么收拾啊，咱心灵美不行吗？”

“别看高源现在拿你没辙，你等着看吧，到时候别怪我不提醒你啊。”李穹把遮光板打开，飞机外面的云层在我们眼前掠过。

我问李穹：“李穹，坐飞机的感觉有什么不一样？”

她想了想，对着一个空姐的背影看了良久：“要是我那时候没跟小北结婚，可能我会跟我以前那个同事一样，看起来年轻一点儿，也能熬个什么小头头了……人啊，真是没法说，得到了，又失去了，失去了又再让你得到……他妈的。”

“李穹，要是我们坐的这架飞机出事了……就现在这架，你最想做什么？”我问李穹这个问题的时候，脑子里想像着跟高源结婚时候的情景，我想，我妈一定会穿得很漂亮，一定会很高兴，她女儿终于嫁出去了。我想高源也一定会很高兴，脸上的皮纵到一起，像一个绽放的花朵，至于我自己，我一定是穿着婚纱，露出肩膀的那种，许多的朋友欢聚在我的四周，一片的欢腾。

“我最想给小北打个电话。”李穹头向着窗外，不知道是在看天还是在看地，“我要告诉他，我不后悔跟他这几年，我还告诉他我要死了，希望他能为我掉眼泪，为我而哭一场……”她像是在喃喃自语，然后突然地面对着我，“这个愿望简单吧，我最好的几年都给了他，”她看着走过的空姐，微笑着，“当年我跟小北结婚的时候，就跟她们差不多，年轻，漂亮……我老了，初晓。”她显得非常伤感，让我有点儿不知所措。

“得了吧你，不信你问问这些姑娘，哪个不想当演员、空姐、阔太太、女明星，你够可以的了。”我自己说这话的时候都觉得喉咙里发涩，李穹心里的苦我应该知道。

“结了婚的跟没结婚的就是不一样，你比我年轻多了。”她居然羡慕地看向了我。

“扯淡。”我从牙缝儿里挤出来两个字，伸手把遮光板又放下来，阳光射进我的眼睛里，会不由自主地流眼泪。

“要是这飞机真的就出事了，小北会哭的。”她看着我，用墨镜后面不可捉摸的眼神，“初晓，那天我跟你说的话都是真的，我是说，我是说……关于张小北的那些，他做梦的时候常常都是喊着你的名字……”

“你应该知道是谁对你下手的吧。”我有点儿口不择言的意思，好像都没经过思考，脱口而出的一句话，我不是真的想知道谁干的，我只是想把话题岔开。

李穹会意地对着我笑了笑：“都过去了，谁下手都无所谓，怎么计较得过来啊。”她说完了这话，就将头靠在椅背上睡去了。

我不知道她说的是那些凶手还是在说我，心中非常忐忑。

北京到青岛一个多小时，大米粥安排的朋友在机场等候着我们，见了面直接把我们送到了太平角一路的一栋海边别墅里。

据说早先几年，这个区不许出租汽车行驶，因为这一带在夏天都是中央首长们休息的地方，我们住的那条路上，清一色的都是百多年历史的欧式小洋楼，据说都是当年德国人建造的，从楼里出来，走上二十多步就是海边，从另外一个门走出去，是幽静的小路，很多苍翠的树木遮挡住太阳，我跟李穹住在这里，简直美飞了。

把行李扔到房间里，李穹就张罗着出去转悠。我们俩一个鼻青脸肿的，一个挎着打着厚厚石膏的胳膊，穿着拖鞋和短裤就到外面晃悠了两圈，离我们住的地方不远是一个度假村，一水儿的活海鲜。李穹一见到海鲜，马上忘了北京那些不愉快，化悲痛为饭量，一通胡吃海塞。吃饭的时候，旁边一个游客还把李穹给认出来了，颠儿颠儿地跑过来，指着李穹的脸："哎呀！我认识你呀。"他嘴巴张得很大，上面的两个板儿牙幽默地摆出一个八字的造型。我跟李穹一愣，不认识这位啊，李穹更是着实给吓了一跳，擦擦嘴，问他："对不起，您是？"

"我是观众，嘿嘿，观众，我在电视里见过你……"

没听他说完，我就见李穹松了一口气。她扶了扶大墨镜，跟人家笑："哦，您好，您好。"

面前的人还跟那儿想："哎呀，对，对，对，你是那个……你看我这记性，怎么一时想不起来了，就在最边儿上……"他一着急，脸就红了，他的整个面部表情很像一个发育畸形的土豆，比李穹那张被人揍过的脸可怜十倍，"对，对，对，我想起来了，你就是那个，那个，那个……对呀，你叫李霞！"他一笑起来，整个脸像被人刚从搅拌机里捞出来似的，"哎呀，李霞，我们都很喜欢看你主持的节目啊，听说你是新疆人？我们是老乡啊，老乡，我老家是兰州……"

我一听，差点儿把一只螃蟹爪子直接咽下去。妈的，哪儿冒出来的这种人啊，认错了人不说，还把兰州说成是新疆的。我猜，不是他这会儿喝高了，就是当年他父亲大人喝高了才会和他母亲大人一起合计着生下了他。

我看李穹，那家伙脸都蓝了。

热心观众还在喋喋不休："哎呀，李霞啊，上次你主演的那个什么大漠王妃我们都看了啊，很好，很好看啊……对了，你有没有男朋友啊现在，家里人都好吗……”

我心想这也他妈的就是在青岛，我跟李穹人生地不熟的。这要在北京的姜母鸭吃饭，就我这爆脾气，肯定会一挥手，再大喝一声：来呀，拉下去，给我打！在这儿，我还真不敢。

“我说这位师傅，您认错人了，认错人了。她不是什么李霞，也不是什么演员，她是我们那儿一服务员，就一服务员，您搞错了。”我赶紧用一只手把热心观众给拦下了。

“不对，不对，你们文艺圈的人都这样，叫人认出来就死不承认。”他死命地摇头，指着我，“您不会就是她的经纪人吧，我一看你们就是文艺圈里的人。你看，要不她怎么会戴着墨镜呢，你们文艺圈的人出门都戴墨镜……”

我真想挥手给他一拳头，要不是怕我打不过他，李穹又跑不快。没辙了，我大吼一声：“服务员，叫经理来！”

像那天那样李穹被热心观众认出来的时候还有许多次。有几次，李穹心情不错的时候，还正儿八经地给人签了几回名儿呢。我还真没想到，这家伙才出道没几天，名气居然这么大！连我这个在圈里摸爬滚打这么多年的老江湖都没捞着过给谁签回名儿。我在失落之余，安慰我自己，谁让我是幕后英雄呢。

晚上的时候，我跟李穹通常到距离我们住的地方不远的一个叫“郎园”的酒吧去喝点儿酒。有几次，李穹喝醉了，我也喝高了，我们俩就在午夜无人的大街上一路狂奔，一直奔到双腿发软，再也挪不动步的时候。也不管干净不干净，就往地上一躺，躺够了，再互相搀扶着回到别墅里。

那天又去郎园，居然在里面见到了久违了的小 B 的前夫。他和另外一帮当地的演员围坐在一起，天南海北地胡侃，仿佛一个黑社会大哥，坐在他旁边的一个小妞非常崇拜地看着他。

我一看见他，两步冲上前去，大喝一声："身份证拿出来！"

他挺诧异地转回头，看见我和李穹立刻哈哈大笑，跟我犯贫："怎么着大编剧，又跑这儿体验生活来了？这回不是……"我知道他想说卖淫，立刻拿起桌上果盘里的一块西瓜堵住他的嘴巴。

接着他跟在座的人介绍我跟李穹："这个，北京城里一大祸害，初晓，高源的老婆。"

我打他一巴掌："我还没结婚呢啊！"他哈哈大笑，又跟周围的人介绍："虽然还没结婚，可是已经有许多事实了。"他接着介绍李穹："这位，大美女，演员李穹。"

在座的人都很兴奋，拽着我们坐下来。有个当地报纸的记者马上凑过来要给李穹做一个专访，另外一个济南的记者也拖着我，非得要让我谈一谈高源。我跟李穹差点儿没被他们整死，三下两下好容易挣脱了出来，酒吧老板又追了出来，愣要把我们拖回去请我们喝酒，说得特别真诚："你看，你们来了这么多次，我都没留神，要知道是你们，我怎么也得给个折扣吧。走，走，走，回去喝两杯，我请客。"吓得李穹也不管我了，撒丫子开跑，大黑天的她还戴着墨镜，居然没撞到墙上。

经过那次在郎园酒吧过后，我跟李穹踏实了一阵子，她脸上的伤已经好了。偶尔她会去海边游泳，我就在沙滩上看着她。偶尔我们也去青岛著名的商业街"钟山路"去买点小玩意儿，去栈桥吹吹风，去真正的渔村看渔民出海。更多的时候，我们俩都待在别墅里不出门，没有电话，也没有人来找我们。我将构思的剧本口述出来，李穹帮我打字，我们像姐妹一样每天都过得很快乐，很匆忙。

常常在吃过了晚饭的时候，我们俩一起沿着海边的围墙散步，一边走，一边聊着许多年前我们初识时候的故事。常常就在人群里肆无忌惮地仰天大笑，日子过得很平静，很快乐，我睡不着的时候会想高源，不知道他的新戏拍得怎么样了。李穹也隔三岔五地给乔军打个电话，日子一如往常，只是转瞬即逝。

转眼，三个月的时间就过去了，我和李穹完成了给文化公司的剧本，我们回到了北京，我没想到北京等待着我的是一场近乎灾难的闹剧。

54

也是在飞机上看的杂志，我知道了高源的电影在柏林得奖的消息，要不是怕空警把我轰下去，我恨不得立刻掏出手机来给高源打个电话。我还奇怪呢，这么大的事情，他早该给我打个电话呀，问李穹，为什么高源得奖之后不知道给我打个电话？李穹白了我一眼：“他也得找得着咱们呀！”我一想也是，我们俩往海边一呆就是三个月，中间也给高源打过几次电话，都关着机，后来也就没有再打，反正他工作时打电话过去他也会像狗似的跟我咆哮。

李穹那天说了一句很贴切的话，她说：“你们家高源的脾气跟狗有一拼呐！”我嘿嘿地笑着，点头表示赞同，实事求是地说，高源的脾气真是特别大，不发是不发，一发出来我真有点儿怕他。李穹也笑，笑过之后把矛头指向了我：“再说你，你这脾气呀，怎么说呢，狗跟你有一拼！”她形容我这句着实让我转悠了半天，等我想明白了之后大呼社会主义好，全民素质普遍提高了，连李穹这种文盲说话都能绕住我这个伪知识分子，真她妈牛B！

虽然我在飞机上看到了高源得奖的消息，坦白地说，我的心情并不好，在机场排队的时候我拿身份证慢了一点儿，被负责发放登机牌的小姐骂了一句："农民，肯定是第一次坐飞机"，我本来都走到两米开外了，但由于她说的声音太大了，引起个别素质不高的群众讥笑，我忍不住又退回去了，心平气和地告诉她，我已经不喜欢吃肥肉了。瞧她也是眉清目秀的一塌糊涂，还没我们奔奔思想境界高，她愣了半天，没反应过来，李穹嘿嘿笑着跟她解释："她是作家，刚刚实现农转非。"因为这个小小的插曲，我从坐下开始就一直闷闷不乐，报纸上的消息多少冲淡了一些我的愁绪，让我的心情开朗一点儿，我们农民终于翻身了。

秋天了，北京的天气开始转凉，下了飞机，我跟李穹各自钻进了一辆出租车，直奔各自的根据地。我给我妈买了好些鱼片和海米，我觉得相比李穹买的那一大堆鱼翅，我们家老太太可能更喜欢实惠。

本来我是想直奔老太太家的，我坐上出租车之后先给高源打电话，还是关机，再打家里的电话，一直占线，我想可能这小伙子在家跟人说电话呢，就临时改变了主意，先回家去看高源了。

胡同口遇见了贾六，坐在一辆崭新的捷达轿车里，我从出租车里向他挥挥手，他一看见我，扔下手里的黄色小报大声地朝我吆喝："嘿，妹子，妹子，停下，停下。"出租车师傅看了我一眼，用眼神征求我的意见停还是不停，我想贾六叫我停下也无非就是向我显摆显摆他新买的轿车，多庸俗啊，我还想早点儿回家看我们家高源呢。我指指前方，示意师傅别停，出租车一直停进了我们家楼门口，我蹿出来，拎着大包小包爬楼梯，总算到了家门口，累得我一头汗。

我掏出钥匙开门，开到一半，门开了，高源他妈一脸的苦大仇深站我跟前。

“沈阿姨，您在啊？”我经历了医院那次之后总共见过她两次，上一次是高源的发布会结束那天，我们俩买了一些东西回去看了看他的父母，老太太对我的态度友善了许多，但已经回不到从前的状态了，再有就是这次了。她穿着一件黑色薄毛衣，咖啡色的裤子，站在门口的地方不动声色地看着我。

“谁呀？”高源可能刚放下电话，从里屋走了出来，瘦了，有点儿黑，好容易在医院养的那点儿膘又还给人民了。我记得很早很早以前，我跟高源开玩笑的时候说起过，我说应该在高源的额头上给他贴一张标签，上书“此人易爆，请勿靠近”，后来由于种种原因，这件造福于全人类的事情我一直没干，结果今天又把我自己栽里头了。

高源一看见我，没说话，直接揪着我刚刚痊愈的那条胳膊进了里屋，他们家老太太见高源直接要跟我动武，有点儿怕了，慌忙地抓住了高源的衣服，要把他拦下，她也不想想，就她那小身板儿，瘦得跟张相片儿似的，能拖得住高源吗？再说我也不怎么怕，我就想看看这小子发的什么疯。

高源拎着我摔在里屋的地板上，我的右臂撞到墙，一阵发麻。

“干吗呀你？我知道你得奖了，甭跟我不好意思，我知道你高兴，来，先笑一个！”在没搞清楚状况之前我先忍着点儿。

秋天的阳光照耀在高源的脸上，这孙子额头上的青筋都暴了起来，拿手指着我，看得出来他的手在发抖，我一下真傻了，多大的仇恨啊，遥想当年白毛女指着黄世仁也不过就愤恨成这样吧。我刚下飞机，回到家这么会儿我就跟剥削阶级成战友了？不能啊。

"怎么了高源，有事说事啊，没事别跟我这假装苦大仇深！我他妈怎么你了，一回来就先摔我一跟头……"

"你……你……你……"这孙子一激动就跟得了癫痫似的，说不上来话，指着我的那双手一个劲儿地哆嗦，"你他妈还想干什么呀你！我们家都毁你手里了……"

我刚要爬起来问个究竟，听见了敲门声，我想兴许是李穹来救驾了？心中一阵窃喜，等高源他妈把门打开我看到贾六，希望之火一下就熄灭了，他捣什么乱啊！

高源却很激动，一个箭步冲出了里屋，用一只手挡着贾六的胸前："你干吗来了？走，走！"

我也趴在门口，看着贾六和高源，我到现在还没明白怎么回事。

"高源，高源，你听我说，真没初晓什么事，怪我，怪我那天喝了点儿酒……"

"少废话，走，走，别让我看见你……"

两人真有意思，一个要进屋，一个不让进，一个愣往里闯，一个还是死也不让进，贾六就一个劲儿地重复那句"怪我，怪我"，高源不停地告诉贾六"少废话，你给我走人"。我想，这俩人怎么了？我琢磨着我得说点儿什么。

我走过去抓住高源的胳膊，我说："咱消停一会儿，有话好好说成吗？"

我话音刚落，高源他妈不干了，冲我跟前指着我鼻子开始训我："初晓，你还要高源怎么好好说啊，你把我们家都给毁了，你看看报纸上写的这些……"她抓起茶几上的报纸，"你看看，我快六十岁的人了，连个家都没了……"

"您等等。"我趁她喘口气的功夫赶紧把她的话打断，"我头有点儿晕，您先等会儿。”我没法不晕，我听着老太太说话，有点儿我搞得他们家家破人亡的意思，多大罪过啊这是。

我刚想坐沙发上歇会儿，贾六又冲过来了，拍着胸脯跟我说话：“初晓，妹子，哥哥我那天喝了点儿酒……你还不知道我？好吹！那天晚不晌儿，跟胡同口拉了一个人，他说咱这片儿住着好些有名儿的人，我就说可不是，你跟高源就住这小区里头。我跟丫说你们我都熟着呐，丫的不信，我给他送到了，还坐我车回来，请我喝酒……我那天喝多了，真喝多了，就把奔奔跟我说的那点儿事都给抖落出来了，临了，丫还跟我合了张影，给了我一千块钱……我操，我要知道他妈的他是娱记，我打死也不跟他出去喝酒啊，丫挺的我废了这四眼儿蛤蟆的心思都有……”

听贾六这么一说，我就明白了一个大概，再看看报纸，我就全明白了。十好几种娱乐报纸，洋洋洒洒上万字都在讲述高源和奔奔还有诗人的血缘关系，其中还有奔奔在“1919”吃了摇头丸以后的照片，另外一张报纸的题目更令人气愤——生父穷困潦倒，高源不愿相认。标题的后面还跟着三个巨大的惊叹号，我操，这帮娱乐记者们！人家说得一点儿没错，防火，防盗，防记者!!!

明白了事情的原委，我也不觉得委屈，谁让我不顾高源的叮嘱，自作主张把事情原委全都告诉了奔奔呢。奔奔心里当贾六是个亲人，这种事情她能不跟贾六说才怪呢！我早该想到这些的啊，只是事情来得太突然了，让我措手不及。

“高源，对不起。”我耷拉着脑袋，感到十分沮丧。

“初晓，你一句对不起能怎么样啊？我们全家承受多少压力呀！”高源他妈说到这里眼泪也流下来了，让我看着心堵，“你叔叔被气得住在医院里，他的学生照看着，我跟高源想去看看他，他都不见……昨天高源在病房外头站了一宿啊……还有何老师……"

没想到她也管诗人叫何老师，而且听起来一点儿也不别扭，时间啊，真他妈是个好东西。

高源他妈接着控诉我："何老师本来身体就不好，文学界那么有威望的一个人呐……一辈子洁身自好……突然之间，全国的报纸铺天盖地地报道，他女儿是个卖淫的……你叫何老师怎么承受得住啊……"

"就算所有的人你都不关心，你总该关心高源吧，高源为了拍电影吃了多少苦……好容易盼来点儿荣誉，你看看报纸上把他说成了什么人啊，不孝子，花天酒地，乱搞女演员……"她颤抖的手一张一张翻着报纸让我看，那些报纸哗哗作响，响得我心惊肉跳。

"没事，没事，高源。"我装作轻松的样子对着高源笑，"现在这年头儿……谣言漫天飞你也不是不知道。"我从沙发上站起来，发现自始至终好像高源都没跟我说过话呢，我在他肩膀上拍了一下，"没事，高源，这有什么呀，还不是看着咱现在有点儿名气了，都想借着你这点儿名气增加点儿发行量嘛……"

我瞥见高源他妈看我的眼光当中充满鄙视，仿佛我终于靠住了高源这棵大树。

"高源，真的，别太在意，瞧我从青岛给你带什么来了……"我从旅行包里翻出我在青岛的夜市上好容易发现的一块石头，那块天然的石头是一个人的脸，而且表情相当丰富，长而瘦的脸颊，细长的眼睛，咧着嘴在笑。当李穹第一眼发现这块宝贝的时候她惊叫起来，说简直就是照着高源的那张脸刻的，问了老板，敢情还是天然的，我仔细地看了又看，觉得要是真刻也刻不了这么形象。

我将这个连我自己都感到意外的礼物递到高源面前，跟他做鬼脸，高源极其不耐烦地将我递到他面前的那块几千几万年才长成的石头打掉在地上，看也没看一眼，自己坐沙发上去抽烟了。

我从很小的时候就觉得石头恐怕是世界上最坚硬的东西了，因为那时候我拿个石头砸核桃，一不小心砸到了手指头。还有人们老说的铁石心肠，当然也是说石头坚硬的意思。

可是这一块，被高源打掉在地上之后，居然裂开了一块，掉了一个角儿，虽然只是那么一块儿，但是它看起来，不再像是高源的脸，依旧像一个什么人的脸。只是，不再像高源，我有点儿沮丧。

我装着没事的样子从地上捡起石头，嘴里嘟囔着，“不要拉倒，别扔啊，好好的东西让你弄碎了！”

高源忽然噌地蹿了起来，拉开书柜的抽屉，拿出一包东西来，扔到茶几上。冷冷地看着我，冷冷地说：“连它都碎了，石头又算得了什么？”

我看那个包着东西的手绢就知道了，那里面装着的是他们家传了几代的那个镯子。

“对不起。”我说道，低着头。

高源他妈走上前去，打开那个手绢，尖锐地惊叫起来，指着我的鼻子：“怎么会碎了？”

亏她还是建筑学家，一点儿也不懂科学，连钢筋水泥做的楼房也会突然倒塌，何况只是个玉镯子，碎了也没什么奇怪的。当然，她的心情我理解，就像我失去了那半套商品房一样，我当时也很痛苦。

高源他妈掩面轻声地哭泣起来，哭得我发抖。

“我会赔给你的沈阿姨。”我的本意是想安慰她，我不想让她难过，甚至流眼泪，虽然我自己说出这话之后也感到了后悔，我发誓我的本意是好的。

高源跳起来，扬起手重重地打在我的脸上："初晓你混蛋！"

他下手不重，跟我小的时候我妈打根本不是一个级别，我妈那巴掌打得那才叫疼呢。

"对不起。"我又固执地说了一句。

高源就这样，天生胆小，我是诚心地跟他道歉，他心里肯定又觉得我要想什么办法把他打我这一巴掌还回来，也是，我以前老这么干，把他打怕了，听见我说了对不起，高源又过来拉我的手，他想让我坐在沙发上，坐他旁边。

我抽开我的手："镯子碎了，石头也碎了，你也碎了。"我跟高源说。秋天的阳光真他妈刺眼，刺得我眼睛难受，分泌了好多液体。

高源懵懂地看着我，看了一会儿说道："你把妈气哭了，去哄哄。"

我摇头："你妈太脆弱了，我妈轻易不会掉眼泪。"

贾六在旁边看着我，看得两个眼珠子差点儿掉到脚面子上，我走出家门的时候看了他一眼，他满脸的愧疚。我一拳头打在他肩膀上："今天开眼了吧，看见我挨打了，嘿嘿，没事，我早晚还回来。"

我走出了家门，阳光还是往我眼睛里面射，眼睛就一直湿乎乎的，真他妈难受。

55

我给张小北打电话，都晚上七点了，这孙子还在开会。我本来不想打扰他，可是我真是太难受了，给丫下了一个命令："我告诉你张小北，我在‘1919’等着你，他妈的十点钟你要再不来，以后别想去我们家噌饭！”

我看见许多圈里人在“1919”豪饮，我跟他们打过招呼之后坐在一个角落里，他们向我表示了祝贺，因为高源得了国际大奖。我也跟他们客气了客气，我说都是运气，都是运气，其实大家水平都差不多，仿佛得奖的人是我。

奔奔也不来这儿了，这个时候正是她业务最繁忙的时候，多不容易啊！

一边想着一些乱七八糟的事情，一边喝着啤酒，一瓶又一瓶。到张小北到的时候，桌子上已经摆满了空瓶子，我看看表，好像十点过了五分钟，我给了他一巴掌：“迟到了啊，喝酒，我喝了多少你就得补多少！”

他说下午发生的事情都已经知道了，高源给他打了电话。

听他说起高源，我来了精神：“人家高源现在可牛 B 了。别管你多有钱，你就是赶不上他。张小北，我知道你还喜欢我，嘿嘿，没用。”我跟他说完了，多半瓶的啤酒又干了。

张小北开始喝酒了，他把我之前喝的那些都补了回来，一边喝一边跟我说了许多没用的废话，甚至他还说这一辈子最大的遗憾恐怕就是当年，在我多少有点儿喜欢他的时候没逼着我跟他结婚。

我哈哈大笑，我说，一辈子？别逗了你张小北，一辈子有多长啊，你才活了三十多年，你知道今后能遇上一什么样儿的啊，没准儿明天你就能遇上一个让你真正神魂颠倒的。

他就不言语了，使劲使劲地喝酒，就像一个在沙漠里行走了太久的干渴的旅人终于见到了白水一样，弄不清楚他去了多少趟厕所。

我喝得已经没有知觉了，恍惚当中记得张小北跟我说，那天在黄亭子他骗了我，其实我喝醉了酒之后跟他说的根本就不是那一句。他告诉我的那句话只是其中的一半，究竟另外一半是什么，无论我怎么发狂地揍他、威胁他，他都只是得意地笑着，就是不肯告诉我。

最后我说："张小北，送我回家，现在高源成名了，我马上就可以放心地把我自己嫁给他了，名利双收。"我还说："知道为什么我一直迟迟不跟高源结婚吗？我就怕他出不了名儿，那时候我就嫁给你，你有钱啊，让我衣食无忧地过小日子，那多好啊……"

张小北就一个劲儿地拍我的脑袋，骂我没追求，骂我拜金主义，骂我混蛋什么什么的。

最后，他送我回了家，房子很空，高源不知道去了哪里，进了屋张小北就脱掉了衣服，倒在沙发上，他说："你睡卧室，我睡客厅，别占我便宜听见没有！"说着就躺下了。

我又冲到厕所里抱着马桶吐了一通之后，回来把张小北给揪了起来！"起来你！又想在这儿睡，不行，滚回家！上回你不就回去了嘛，滚，回你家睡，这是我家，你知道吗？"

张小北昏昏沉沉的，继续迷糊着，我到厨房里抓起一整瓶子醋给他喝，他闻到了醋味儿，总算把眼睛张开了，"我不喝，我不喝！"他坐在沙发上，我拿着醋跪在他面前，他忽然泪如泉涌，摸了摸我的脸，"我知道我现在配不上你了。"他哭得看起来很伤心，像一个孩子，情急之下，我把醋当成了啤酒，喝了一大口。

张小北晃晃悠悠着站了起来，拿起了外套："我走了，省得你说我老想占你便宜，你这种女人，没身材，不温柔，白给我我也不要！"他乜斜了我一眼之后恨恨地说道。

我立刻跳了起来，张小北已经打开了房门向外走去，我对着他的背影大喝了一声："死去吧你！"伴随着"砰"的一声门响，我倒在沙发上昏睡过去。

我好像刚闭上眼睛，感觉有人疯了似的摇撼着我的身体，张开眼睛，是高源，眼圈红红。

“初晓，初晓，醒醒，醒醒！”

“干吗？”

“小北出事了，快起来，去医院看看。”

我一听，眼睛还没睁人已经站起来了，看着高源：“他怎么了？”

高源痛苦地闭上了眼睛，静默了一会儿：“车祸，昨天晚上，酒后驾驶，四环上撞了。”

“严重吗？”我冲到房间里抓起一件外套，向外跑，“走啊。”

高源一把拉住我：“初晓……死了。”

我一下没站稳，跌坐在地上。

“我操！人都死了你还让我去医院有个屁用！”我说过什么？凡是高源动手打我我肯定得还回来，而且比他狠。他昨天给了我一个嘴巴，我今天早上就还给他了，而且打得比他响亮多了。

高源也坐到了地上，搂着我，大滴大滴的眼泪往下掉，他的脸好像那个已经缺了一块的石头。

张小北追悼会的那天，是投资公司给高源和张萌萌他们摆庆功宴的日子，十一月的天气特别晴朗，阳光刺眼。高源和张萌萌都来了，他们的脸上没有成功的喜悦，张萌萌也戴起了墨镜，她现在是个明星了。我妈也来了，她哭得很伤心，很多人以为死的那个是她儿子。

我躲在我父母的家里，不出门，不想说话。我妈说让我没事去看看张小北他爸，我不敢去。

我从来没有向任何人说起过张小北出门的时候我跟他说的那句话，在青岛的时候，李穹跟我说过，其实张小北对我的话一向是言听计从的。我根本就不信，现在我相信了，因为他临出门的时候我对他说“去死吧你”，他真的去了。

很多很多天以后，高源出现在我们家的客厅里，他在我们家，始终会显得拘谨，像个客人，而张小北从来不会像他一样，张小北总是很随意地在各个房间蹿来蹿去，还会去厨房帮我妈择菜。

高源在客厅里跟我说：“初晓，我们结婚吧。”

我说对不起，我不想结婚了。

高源说那等你想结婚的时候回来找我吧。我会爱你一辈子。

我抄起茶几上的电视遥控器摔向他，我说你个傻B，滚蛋吧你，谁他妈的会爱我一辈子啊。你的一辈子还长着呢，爱了我一辈子的只有张小北一个人，我想明白了，张小北才是爱了我一辈子。

我摔向高源的遥控器掉在地上，电视机被打开了，里面正在播放着高源导演张萌萌主演的那部电视剧，现在随便打开电视机，随便一个频道都能看到他们的电视剧。

以后，高源再也没有来找过我，他以前像个孩子，如今，他长大了。

冬天的时候我妈跟我说，别老在家里待着了，她心里堵得慌，我知道她心里想的是什么，她就是怕我嫁不出去。行，我跟她说，那我走了，我走得远远的，我要到国外去读书。我那天本来是想吓唬吓唬她的，没想到她当了真，逢人便说，我们家初晓要到国外去读书了，逼得我没办法，给多伦多的一所大学写了入学申请，结果，一切都很顺利，我妈终于把我赶出了家门，赶出了中国，她如今很寂寞，可是从来不跟我说。

我想，有一种爱是伴随着疼痛的，就像我妈对我一样；我又想，有一种爱是伴随着苦涩的，就像张小北对我一样；我还想，有一种爱是没有结局的，就像我对高源一样。当我站在异国的星空底下，看见天空的星星，我会想起我们每个人的眼睛里闪烁过的那些光芒。

冬天来了，我的窗前有一棵梧桐树，好像北京我的家。

冬天来了，我回想起在北京圈里圈外的那些生活，像是做了一场梦。